文学のエコロジー

山本貴光

Ecology of Literature

Takamitsu Yamamoto

講 談 社

目次

第Ⅱ部　空間　49

文学のエコロジー

日常的な思考では、われわれは、原因結果の限られた連鎖のみに優先権を与える。その結果、精神を媒介として対応しあうさまざまな「かたち」の連鎖は見失われがちである。

——山口昌男『本の神話学』

プロローグ

これはなにをしようとする本なのか。はじめに本書の目的についてご案内しよう。というのも、ここで試そうとしていることはさほどややこしくないものの、そのようなことをするとなにがうれしいのかという点が、いささか分かりづらいかもしれないから。手にとってみたはよいものの、読むかどうかを決めかねているあなたに判断の材料をご提供しようというわけである。

まずお伝えすると、本書では、文芸作品になにがどのように書かれているかを眺めてみる。それ以上でもそれ以下でもない。こういう場合、「それって要するに文芸批評ですよね」といった既存の分類のどこかに位置づけられると話も早いのだが、書き手の立場からすると、どうも批評という感じではない。批評では、作品の解釈やその良し悪しなど、批評者の読み解きと価値判断が眼目であり、読みどころになるが、本書で行うのはそうしたことではない。もう少し言えば、ある文芸作品に記された世界がどのような場所なのか、そこに登場する人物や事物はどのようなものなのか、そうした関心から作品を眺めてみたいのであって、解釈や評価にはあまり関心がないのだった。このような試みをなんと呼ぶかは読者のみなさんにお任せするが、書いている当人からすると「批評」や「研究」というよりは、「試論《エッセイ》」という言葉がしっくりくる。

喩えるなら、ある土地を訪れて、そこがどんな場所なのかを観察するようなものだ。既存の学問でいうなら、人類学がこれに近いだろうか。人類学者は、参与観察といって、あるよその土地を訪れ、そこでかたとき暮らしながら、人びとやその生活、あるいは社会のあり方を観察する。そうして観察してみると、現地の人たちには当たり前すぎて気にならないようなことでも、当たり前どころか奇習に見えたりする。そんなふうに外からやってきたアウトサイダーの目と、当該社会のなかで暮らすインサイダーの目を重ね持ち、そのつもりで観察する人類学者にしか見てとれないものがある。ちょうどそれと同じように、文芸作品に記された世界を訪れて観察してみようというわけである。書名に見える「エコロジー」とは、そのキーワードだ。文字で組み立てられた世界がどんな要素と関係からできているか、つまりはどのようなエコロジー（生態系）であるかに注目する。

加えてこの本になにか特徴があるとすれば、文芸作品をゲームクリエイターの目、あるいはプログラマーの目で眺めるという点を挙げられるかもしれない。以下では、もっぱら小説を中心とするいくつかの文芸作品を取り上げて、そこに記された世界を眺めてゆく。その際、「もしこの文芸作品を、コンピュータで動くシミュレーションとしてつくるとしたら、なにをどうすればよいか」という問いを念頭に置いてみる。なぜそんなことをするかといえば、言葉で組み立てられている文芸作品の特徴を、いっそうよく見えるようにするためだ。詳しくは本文で検討するように、文芸作品は厖大な省略によってできている。例えば、一部の例外を除くと、小説のなかでどのくらいの重力が作用しているかとか、主人公の全身の各部がどのような位置にあるか、といったことはいちいち明記されない。明記されていないからその世界では重力が働いていないかといえばそんなことはない。そのつど断るまでもない自明のこととして省かれているだけだ。例えば、宇宙を舞台にしており、地球の重力が当たり前とは言えない状況を描く小説なら、省略せずに記述されたりもする。

他方で、文芸作品に記された世界をコンピュータの画面に三次元のグラフィックを使って表現し、さらには動かせるようなシミュレーションとしてつくろうと思えば、文章では省略されている要素も含めて設定し、制作しなければならない。これはコンピュータゲームでひとつの世界を設計し、その空間や時間、そこで働く自然法則やさまざまなルールを設定するゲームクリエイターにとっては馴染みのある仕事である。というのも、ゲームにおいては、クリエイターがつくったものしかそのゲームの世界に存在しない。自分で青空を用意し、雲を浮かべなければ、そのような空間は生まれない。雲を配置しても動きをつくらなければ、ぴたりと動かない背景となる。あるいはキャラクターを用意し、その外見だけでなく、動き方や話す内容も用意しなければ、キャラクターはただ棒立ちするだけの人形になってしまう。それなりに動いて、それらしい世界をつくるには、それに必要なものをすべて用意するわけである。とりわけプログラマーは、ゲームの世界を基礎からつくる大工のような立場だ。ゲームの世界をコンピュータで実現するために必要なコンピュータに対する命令を書くのが仕事だ。

そういう目で見てみると、言葉で組み立てられていて、基本的には固定されている文芸作品に描かれた世界はどのように見えるか。そんなふうにちょっと変わった比較を通じて、文芸作品にはなにがどのように書かれているのかを観察しようというのが本書の目論見である。

といっても、読者はゲームやプログラムを経験したり理解したりしている必要はない。そうした予備知識なしに、読めば分かるように書いてあるので、気楽に散策してもらえたら幸いだ。

では、こんなふうに文芸作品を眺めてみると、いったいなにがうれしいのか。ひょっとしたら、小説や詩を読んで、「ああ楽しかった」と感じられたらそれでよいという向きには、特にうれしいことはないかもしれない。

他方で、文芸作品について、普通に読むのとは別の見方を試してみたい人にはうってつけである。作品になにがどのように記されているかを見てとる目を養うと、おそらく日頃普通に小説や詩を読むときの目も複雑になる。平たくいえば、いっそうよく味わえるようになる。価値判断を中心に置く批評とちがって、書き手である私の主観や価値観というよりは、対象である作品の構造やメカニクスのようなものに焦点を当てているから、ここで試していることを、一種の技術として誰にでも手軽に応用できると思う。

また、本書では、なにか先に結論があって、そこへ向かって議論を進めるという方針を採っていない。まずは「文芸作品にはなにがどのように書かれているか」という関心がある。その上で例えば「文芸作品では、空間はどんなふうに記されているだろう」という具体的な問いがある。この問いを頭に入れて、いざ具体的な文芸作品にわけいって観察してみよう、という進め方をする。それを書いている私にもあらかじめ結論があるわけではなく、むしろ見知らぬ土地を観察して歩く人類学者のように、そのつもりで観察するなかから見えてくるものを書き留めている。そういうわけで、一直線の最短距離でなんらかの結論へ向かうという書き方ではなく、ゴールも含めて探りながら歩くような書き方を採用している。まとめるなら、問いを抱いて文芸作品を眺め、なにが見えるかを記す。そして先ほど述べたように、コンピュータのシミュレーションとしてつくるとしたらなにが必要かを検討してみる。そのプロセスを文章にしたのがこの本なのだった。

そんなふうに文芸作品を観察するプロセスにつきあってみると、やがてご自身でもそのように観察できるようになるだろう。また、そのように読む目が養われると、ものを書く目も変わるはずである。つまり、言葉を並べて文章を書くことに関心がある読者にも得るところがあると思う。

前口上を終える前に、読み進めるコツのようなものを一つ。文芸作品を観察するプロセスを追体験しながら、読者のみなさんは、私が必ずしも注意を向けていない点にも目を向けていただければと思う。なにしろ文芸作品に記された世界は、じつに多様なものからできている。限られた紙幅でそのすべてに目を向けるわけにもいかないので、ここではいくつかの基礎的な要素を選んで検討している。本書の余白に、あるいは横に、ご自身の発見を書き添えて、この本を使い古した地図のようにしてもらえたら、こんなにうれしいことはない。そう、この本は文芸作品の世界を探検するための地図のようなものとしてお使いいただけるだろう。

第Ⅰ部　方法——文学をエコロジーとして読む

第1章　文芸作品をプログラマーのように読む

1．文芸作品にはなにが書かれているか

文芸作品にはなにが書かれているのだろうか。本書では、この素朴な疑問をめぐって考えてみようと思う。ここで文芸作品とは、書き言葉による創作物、さしあたって詩や小説や戯曲を指している。いわゆるジャンルは問わない。また、「文学」という言葉も使うが、特に断らない限りは「文芸作品」と同じ意味である。

さて、文芸作品の多くは、文字を連ねて記されている。場合によっては、各種の図や写真が入ることもある。図版類についてはそのような事例を扱う機会があれば検討することにして、まずは文字だけでつくられた文芸作品に注目してみよう。また、その文章がどのような物質にどのようなデザインで象られているかもたいへん重要な要素だが、ここでは措くことにする。

文芸作品にはなにが書かれているのかについては、これまでにもさまざまに検討されて

きた。この問題をとことん突き詰めて考えた人の一人に夏目漱石（一八六七―一九一六）がいる。とりわけ東京帝国大学での講義をもとにした『文学論』（一九〇七）とそれに関連する論考のなかで、漱石は「文学とはなにか」という問題に取り組み、「文学とは社会を描いたものである」とか「文学とは人生を描いたものである」といった同時代に言われていた限定された文学観とは一線を画す見方を提示している。

凡そ文学的内容の形式は（F＋f）なることを要す。Fは焦点的印象または観念を意味し、fはこれに附着する情緒を意味す。

（夏目漱石『文学論』上巻、岩波文庫、岩波書店、二〇〇七、三一ページ）

これが漱石による文学の定義だった。ここで必要な範囲に簡略化して言えば、およそ文学作品というものは、古今東西や言語を問わず、人間が認識したこと（F）と、そうした認識に伴って生じる情緒（f）という二つの要素から成り立っているという見立てである。具体例で見てみよう。

推しが燃えた。ファンを殴ったらしい。まだ詳細は何ひとつわかっていない。何ひとつわかっていないにもかかわらず、それは一晩で急速に炎上した。寝苦しい日だっ

（宇佐見りん『推し、燃ゆ』、河出書房新社、二〇二〇）

これは宇佐見りんの小説『推し、燃ゆ』の冒頭だ。ここにはなにが書かれているか。この段階では誰かは分からないものの、その誰かの認識が書かれている。自分が推している人物がいる。その人物がファンを殴ったと伝聞で見るか聞くかしたのだろう。詳細は不明だが一晩で炎上した。炎上とは説明不要かもしれないが、SNSなどで多くの人がその人物をもっぱら非難したりネガティヴに話題にしたりする状態を指す。ここまでは語り手のF（認識）が書かれているが、「炎上」とはそうした人びとの情緒（f）の発露した結果でもある。そして最後の「寝苦しい日だった」とは、この語り手が置かれた状態、f（情緒）が示されている。以上は過去の出来事の想起として書かれている。――と、こんなふうに小説がどんな要素からできているかという目で見たとき、それはFとfから成ると言えるわけである。

これを大雑把すぎて、あるいは抽象的すぎて話にならないと感じる向きもあるだろう。漱石としては、それぞれの人の興味関心による文学の見方ではなく、自分が親しんでいた漢籍や日本語のみならず、英語をはじめとする異言語で書かれたものを分け隔てなく捉えようとして、言うなれば時代や場所や言語に共通する普遍的な文学の定義を目指したわけである。そこで多様な具体例を説明できるモデルを探った結果が先ほどお目にかけた定式なのだった。

Ｆ＋ｆ（認識と情緒）とは、言い換えれば人間が言語によってなにを表そうとしているかを抽象化した図式でもある。文芸作品は言語で記される。そこで用いられる言語はなにを表しているか。それはもっぱらのところ「認識」と「情緒」であるという見立てだ。[*1] また、そうした認識や情緒は言語や時代によって変化もする。例えば、顕微鏡が発明される以前の世界で、人は肉眼では見えない細胞のようなものを認識していなかったし、「細胞」という語もなかった。あるいは平安期に「あはれ」という語で表された情緒を私たちが同じように実感するかといえば覚束ない。

理解のために紹介しておけば、漱石は、文章のなかにはｆ（情緒）を表さないものもあると考えた。例えば、『文学論』では科学論文がその例として挙げられている。それに対して文芸作品では、Ｆ（認識）とｆ（情緒）の双方が揃っているというわけだ。[*2]

2. 文学をエコロジーとして見る

さて、漱石の見立てを借りて、文芸作品は文字で書かれており、そこには人間が認識したこと、その認識にともなって生じる情緒が示されているとしよう。ここで検討したいのは、そうした要素の配列によって、どのような世界が示されているかということである。

文芸作品には、その規模の大小、費やされた文字の多寡を問わず、なにかしらの世界のあり方が示されている、と考えてみる。ここで「世界」とは、私たちが生きている場所や、その場所を含む環境、さらには地球、あるいは地球を含む宇宙全体というほどの意味だ。現実の世界だけでなく、虚構の世界も含む。

ただし、文芸作品には、その世界についてなにもかも漏れなく書かれているわけではない。むしろ森羅万象のうち、ほとんどのものを省略していると言ってよい。というよりも、ある世界についてすべてを書き尽くすとは、どのようなことかがよくわからない。厖大な文字を費やして書かれた、「全体小説」と呼ばれるものにしても、その世界のなにもかもが書いてあるわけではない。そのようなことは恐らく不可能である。別の言い方をすれば、文芸作品は、文字で書かれたものであると同時に、書かれずにおかれた省略によって成り立っている。というわけで、そのような前提を踏まえた上で、文芸作品には或る世界が示されていると考えてみる。では、それはいかなる世界か、というのがここでの関心事だ。

具体的に検討を進める前に、鍵となる概念に触れておこう。ひとつは「エコロジー」である。現在では、もっぱら「生態学」と訳される学問領域の名前、あるいは「自然環境の保全」といった意味で使われているだろうか。後者の場合、「エコ」と省略されることも多い。ここでは前者の「生態学」という意味で使おう。

この「エコロジー」という言葉は、もともとドイツの生物学者、エルンスト・ヘッケル（一八三四―一九一九）が造語したものだった。ヘッケルは、『有機体の一般形態学』（一八六六）という本で、生物を研究する態度としてこれを提唱して次のように述べている。

エコロギーとは、生物とその周囲にある環境との関係にかかわる学問であり、そこには広い意味で、あらゆる「存在の諸条件」を含む。*3

例えば、昆虫採集で虫をつかまえて殺してピンで留める。こうすれば、動き回っているときには観察しづらい虫の形態や解剖学的な特徴をじっくり調べることができる。他方で、このやり方では、この虫が実際にどのように生きているのかは分からない。どのように生きているのかを知るには、この虫が実際に暮らしている場所で、周囲にあるものや現象とどのような関係をもっているかを見るに越したことはない。例えば、地形や水の流れ、気候や植生その他といった自然環境や、同じ種の虫を含む他の動植物との関係、現在なら場合によっては人工物もこの虫にとって環境となる場合があるだろう。

ヘッケルは、ある生物について、その生物が生きる環境を構成する各種要素との関係の全体を見てとる、そのような学問をドイツ語で「エコロギー（Ökologie）」と名づけた。古代ギリシア語の「オイコス（οἶκος）」と「ロギア（λογία）」という二つの言葉を合成した造語である。大きく言えば「オイコス」は「家」や「住んでいる場所」のこと。「ロギア」は「学問」という意味で、biology や sociology といった英語の学問名に使われる logy の語源となった語だ。つまりは、生き物が生きている場所を含めて観察するという含意だった。英語の「エコロジー（ecology）」は、このドイツ語に由来する。

ただし「エコロジー」を構成する要素は、いわゆる自然物だけに限らない。人間がつくる社会や技術をはじめとする人工物、あるいはそこで生きる人間、人間が発想すること、それを表現したものなども含めた生態、エコロジーを観察することにしよう。[*4]

以上がここで使う「エコロジー」という概念の含意である。つまりは、書かれた文芸作品を通じて、そこに表された世界がどのようなエコロジーであるのかを観察してみる、というのが本書の趣向なのだった。ここにもう一つ、別の見方をかけあわせる。

3. 文学をシミュレーションとして見る

ある文芸作品に描かれた世界が、どのような要素とその関係から成るのかというエコロジーを見てとる。このとき、その世界はピンで留められた昆虫のように静止したものではなく、生きて動きまわる昆虫のような状態にある、と考える。文芸作品では、多くの場合、文字から文字へ、言葉から言葉へ、文から文へと文字の連なりを追うにつれて、記述されている出来事が時間とともに変化してゆく。この変化する様子を十全に捉えるために、シミュレーションという見方を使おう。

シミュレーションとは、ある対象なり現象なりについて、それを紙の上やコンピュータの上であらわすモデル（模型）をつくり、さまざまな条件を与えるとそのモデルの状態がどのように変化してゆくかを試す実験のことだ。天気の変化を予測するシミュレーションや飛行機の運航を試すフライトシミュレーションなどはその一例。

現実の対象や現象は、たいていの場合非常に複雑だが、シミュレーションでは、目的に応じてその一部をモデルにする。言い換えれば簡略化する。例えば、人体を細部にいたるまでシミュレートしようとしたら、細胞の一つひとつの挙動、さらには分子や原子の挙動まで考えようということになる。だが、駅の混雑具合を実験するのが目的なら、そこまで考えなくてもよい。人がどこからどこへどのように移動するかという動きに関わる要素、あるいは人びとが移動する空間の状態などをモデルにすれば事足りる。いずれにしても、シミュレーションでは、そのようにして目的に応じて、必要な要素を選んで対象のモデルをつくる。

ここでの対象は文芸作品だ。つまり、文芸作品に描かれた世界とそこで生じる出来事を、シミュレートすることを目的としよう。シミュレーションは、紙や鉛筆を使ってもできるが、せっかくなのでコンピュータを使うという想定にしたい。おそらく多くの場合、現在のデジタルゲームのように、コンピュータの画面に三次元空間をグラフィック（3DCG）で表現して、それが時間とともに変化する様子をつくることになるだろう。

コンピュータで3DCGを使ってそれらしく見える世界をつくるには、人間なら人間のかたちや動きをグラフィックでつくることになる。その人間は、実物に比べると簡素化したものとはいえ、実際の人体のように全身に関節があり、手足や頭なども動くようにする。その人間を歩かせたければ、私たちが歩くときのように手足だけでなく全身の各部を動かす必要がある。また、人間だけを用意するのでは足りない。その人間が立って歩き回る場所、地面を含む自然の地形や建物などもグラフィックとして用意しなければならない。逆に言えば、コンピュータによるシミュレーションでは、つくったものしか存在しないわけだ。だから、「これでどうかな」とつくって動かしてみると、なにかが足りないということもすぐ分かる。例えば、地面を用意してそこに人物を立たせてみる。しかし、そこまでしかつくってなければ、この人物はぴくりとも動かない。

また、空間と人間だけでは足りない。モノとモノは重なり合わないとか、重力が働いているので下に支えがない場合は地球の中心に向かって引っ張られて落下するとか、地面をものが転がる場合には摩擦が働いていつか停止するといった自然法則に該当する要素も用意しないと、人間が壁をすり抜けたり、宙に浮いたり、無限に滑り続けたりする世界になってしまう。コンピュータ上で、現実に似た世界を表現するには、それなりにつくらねばならないものがあるのだ。

いまこれを大雑把にまとめてしまえば、こうなろうか。

（一）その世界に存在するオブジェクト
（二）その世界に働いている各種の法則

文芸作品に表された世界をシミュレートするには、少なくともこの二種類をつくる必要がある。ここで「オブジェクト」とは、自然物、人工物、人間などを含むなんらかの存在物、モノのこと。法則の典型は、磁力や重力をはじめとする自然法則だ。場合によっては法律や慣習のような社会の規則も含む。例えば、その世界の住人がお金を使って売買をしているなら、紙幣やデジタルデータが交換の媒《なかだち》として人びとに共通で認識されている、という状態などもその一つとして考える。

このように、その文芸作品のエコロジーをコンピュータでシミュレーションモデルとしてつくってみる、という立場をとるわけである。

といっても、毎回本当にコンピュータのシミュレーションをつくろうというわけではない。つくればさらに面白いはずだが、残念ながらそのためには相応の手間暇を要する。その代わり、ある文芸作品についてコンピュータでシミュレーションをつくるとしたら、なにを考え、なにをつくる必要があるかを検討してみよう。つくるという立場から見ると、文芸作品に書かれた状況をシミュレーションとして動かすには何が必要なはずか、という頭が働く。つくるという理解の仕方を活用するという狙いだ。

また、つくったシミュレーションには、その文芸作品に記された状況のほかにも生じうる、別の状況が潜在している。どういうことか。文芸作品は、通常は文章として固定されており、その文字列自体は変化しない。シミュレーションでは、同じモデルを何度も動かして何が起きるかを試したり観察したりする。喩えるなら、将棋の具体的な対局を描いた小説は固定されていて変化することはない。だから何度読んでも同じ結果になる。他方で将棋というゲームと棋士（人間）をシミュレートした場合、小説に描かれた（固定された）展開のほかにも多様な展開になりうる。シミュレーションがとる多様な状態という観点から見ると、固定された小説はそこで生じうる可能な状態のひとつ、と見えてくる。このギャップから、文芸作品について何事かが見えてこないだろうか、と考えているのだった。

いささかややこしい話になった。実際にはこのあとに登場する具体例を見ていただくと腑に落ちると思う。ともあれ、いま述べてきたような、文芸作品に記された世界やそこで起きる出来事をコンピュータでシミュレートするという観点から眺めてみよう、というのが趣旨である。先に述べたエコロジーとは、この文芸作品内世界をシミュレートするために必要なものの見方でもあった。

そして、このようなシミュレーションを検討する際には、これを設計するプログラマーのものの見方をとることになる。以上に述べたことを、シミュレーションをつくるプログラマーの立場から文芸作品を読む、とまとめられようか。それがどのようなものかは、追々述べることにして、いまは具体例を使ってここまで述べてきた見方を試してみよう。

4.「悪魔」の世界をつくってみる

さて、エコロジーとシミュレーションという二つの見方を携えて、まずは小さなサンプルで検討してみる。星新一（一九二六―一九九七）の「悪魔」（『ボッコちゃん』、新潮文庫、新潮社、一九七一／第一二五刷、二〇二二）はこんなふうに始まる。

❶その湖は、北の国にあった。広さはそれほどでもないが、たいへん深かった。しかし、いまは冬で、厚く氷がはっていた。
❷エス氏は休日を楽しむため、ここへやってきた。そして、湖の氷に小さな丸い穴をあけた。そこから糸をたらして、魚を釣ろうというのだった。だが、なかなか魚がかからない。

❸「面白くないな。なんでもいいから、ひっかかってくれ」
❹こうつぶやいて、どんどん釣糸をおろしていると、なにか手ごたえがあった。
（同書、九ページ／文頭の❶から❹は山本による）

ここには何がどのように書かれているだろうか。
「北の国」に「湖」がある。具体的にはいかほどかは分からないが、この湖はそれほど広くなく、たいへん深いという。季節は「冬」で、「湖」の表面には「氷」が厚くはっている。これが第一段落に書かれていることだ。❶に明示されている要素を整理しておこう。

①湖
・北の国にある
・それほど広くない
・たいへん深い
・厚く氷がはっている
②国
・北にある
③冬

ご覧のように、なにか目の覚めるような見方をするわけではない。小説を構成する文字列を眺めて要素に分解しているだけだ。普通の読み方と違う点があるとすれば、「コンピュータでこういう世界をシミュレートしたい」という設計書を手渡されたプログラマーのような目で文章を読んでいるところだろうか。つまり、この世界をコンピュータ上で表現するには、どんな世界モデルを構築すればよいか、どのような要素や法則を用意すればよいかという目で読んでいる。プログラマーは、どんなオブジェクト（この世界に存在するもの）を用意すればよいか、それぞれのオブジェクトはどのような属性を備えており、どのような状態をとりうるか、オブジェクト同士のあいだにはどのような関係や法則が働くのか、どんな変化が生じうるか、ということに関心がある。これらのことを定義できれば、この世界のモデルを構築できるからだ。また、同じ仕組み（法則）でまとめてつくれるものがあれば、つくる手間も少し省けて楽もできるというものだ。

さて、そのような目で先ほどの引用箇所を改めて見てみよう。❶の構成要素は「湖」「国」「冬」だった。これらの各要素について、文中にはそれがなんであるかの説明はない。といっても、説明すべきだという意味ではない。それを言うなら、「北」「広い」「深い」「厚い」「氷」も定義されていない。当たり前と言えば当たり前なのだが、逐一定義せず使われる語があるという事実に目を向けておきたい。

仮にあなたが日本語を母語とせず、学習しはじめたばかりの人だとしよう(あるいは、日本語が母語で、学び始めたばかりの異言語で同じ意味のことが書かれた文章を読んでいるという想定でもよい)。このとき、この文に現れる語の意味をすべて諳んじているとは限らない。「湖」や「広い」ってどういう意味だっけ、と辞書を引く必要があるかもしれない。そんなふうにここでは、日本語を異言語のように観察するのが肝心である。普段ならさっと読み流しても理解できる文章を、「これはなにか」といちいち躓きながら読むわけである。

なぜかといえば、この文章に書かれた状況をシミュレートしようという目的があるからだ。シミュレーションに限らず、小説をマンガにしたり映画にしたりする場合、文章に記述されている要素はもちろんのこと、明確に書かれていない要素も具体化する必要がある。例えば、この「湖」という一語で表されたものを、絵や映像やモデルで表現しようとすれば、いやでもどんな形か、どんな色か、どんな変化(水面の動きなど)があるか、といった要素、あるいはどんな音がするか、という具合に、人が知覚できる状態に表現することになる。

なかでもコンピュータでこの小説の世界をシミュレートしようという場合、マンガとは違って動きもつくらなければならない。映像ともちがって、映像に表現(固定)される以外のありうる状態も考慮しなければならない。なぜなら、映像は何度再生しても同じ映像だが、シミュレーションでは、動かすたびに生じる状態が変わる可能性があるからだ。例えば、季節は「冬」ではあるものの、気温が五度以下にならず、「湖」の表面が凍らないという状態もありうる、と考えるわけである。言い換えれば、シミュレーションでは、「表面が厚い氷で覆われた湖」という状態そのものを表現するのではなく、そのような状態が生じる条件（この場合なら自然法則）をつくろうと考える。

さて、本文に戻ろう。「湖」と「国」と「冬」のそれぞれの関係はどうか。「その湖は、北の国にあった」という具合に、「北の国」は「湖」の位置として提示されている。「北」とは具体的にどこのことかは分からない。もしこの世界の地図があり、上を北とするなら比較的上のほうにある国ということになる。どのような「国」かは分からない。ここでは湖の位置を表す手がかりとして記されているようだ。

さらに考えてみると、この「国」が位置するのは私たちが知る地球かどうかも分からない。だが、別世界であることを思わせる記述がない限りは、地球のような場所だとしておこう。また、いまのところ、どの時代かも分からないが、時代を特定する要素が現れない限りは、仮に現代だとしておこう。文章では結構いろんなことが省略されているのだ。

というわけで、文中に他の場所が現れない限り、シミュレーションとしては、この湖がある周辺だけを用意すればよいだろう。

さて、「湖」については、広さ、深さ、表面の状態が記述されている。その形や水の色、あるいは地形や植生などは分からない。ともかく「周囲を陸地に囲まれた大きい水たまり」(『日本国語大辞典』)があるわけだ。これはシミュレートする立場としてはとても困ってしまうところだ。湖らしい地形を三次元のグラフィックで作成するわけだが、湖の形や大きさは適当に決める外はない。湖の形その他を具体化する決め手があるとすれば、このあとに続く❷以下の文章で、この「湖」がどのように使われるか、あるいは「湖」が変化するか、ということだ。その用途、必要によって最終的な湖の形や大きさを決めればよいだろう。場合によっては、世界地図から、最大の湖と最小の湖を探して、ほどほどの大きさのものをモデルにしてしまってもよい。とにもかくにも文章で記されていないことを、コンピュータのグラフィックで表現しようと思えば、自分で決めねばならないことがいろいろ出てくるという様子がお分かりいただけると思う。

その「湖」については、「いまは冬で、厚く氷がはっていた」という記述もある。「この世界には冬とそれ以外の季節がある」「冬は気温が低い」「気温が一定以下になると水が凍る」という前提があるようだ。この世界には、「季節」という状態の区別と、「気温」という要素があり、「気温が一定以下になると水が凍る」という物理法則が働いているのだろう。

こうして「湖」を中心として、その位置と季節と水面の状態が記述されている様子が分かった。また、シミュレーションのための大まかな当たりもついた。

5. 人物とアクションをつくってみる

このような読み方は、まったくもってまだるっこしいに違いない。だが、繰り返しになるけれど、ここに記された状況をコンピュータ上でシミュレートしてみようと考える場合、文字で記された手がかりをこのように吟味する必要がある。書かれたことから、書かれていないが前提とされていること、書かれている状況を成り立たせる条件を見出し、なにをどこまでつくればよいかを検討するわけである。この調子でもう少し続けてみよう。次の❷はどうか。改めて当該箇所を引用してみる。

❷エス氏は休日を楽しむため、ここへやってきた。そして、湖の氷に小さな丸い穴をあけた。そこから糸をたらして、魚を釣ろうというのだった。だが、なかなか魚がかからない。

まずはこの四つの文を構成する要素を抽出しよう。「エス氏」「休日」「湖」「氷」「穴」「糸」「魚」「楽しむ」「やってくる」「あける」「たらす」「釣る」といったところだろうか。特に焦点が当たっているのは「エス氏」とその行動である。そこで、

④エス氏

というオブジェクトをつくる必要がある。これはどのようなオブジェクトか。「エス氏」がなんであるかは文中には明記されていない。釣りをする存在であることだけが記されている。これがプログラムのための設計書に記された説明文なら、「この「エス氏」ってやつ、定義が曖昧だから、もっとちゃんと分かるように書いておいてよね。そもそも人なの?」となるところだが、小説ではそんなことをせずともよい。読者がめいめいに補完してくれるから。ただ、文字通り記されていることと記されていないことを区別して読もうとすると、このように見えるわけだった。ここから分かるように、私たちは普段、小説を読みながら、文字としては書かれていないことも読んでいる可能性がある。

「エス氏」は、あとから作中で別の手がかりが記されない限りは人間だとしておこう。どんな人間かは分からない。つまり、年格好や性格などは不明である。私はこの小説をはじめて読んだときから「エス氏」は中年男性であるというイメージをもっている。なぜかは分からない。休日に釣りを楽しむ人物の実例として、そういう属性の人物しか見たことがないからかもしれない。もちろんこれは私の限られた経験によるものだし、「エス氏」はあくまでも抽象的な記述に留まっており、特定されてはいない。

さて、この❷の文章には、「エス氏」なる人物の行動が記されている。「エス氏」は「休日を楽しむ」のが目的のようだ。「休日」というくらいなので、この世界には「休日」ではない日があり、そうした日には今回のような釣りに出かけるという行動をとれないのかもしれない。シミュレーションという観点からは、「エス氏」のこの日（休日）の行動だけでなく、例えば日頃の一週間の行動くらいはつくっておきたいところだが、その手がかりはなにもない。

「エス氏」は❶で示された「湖」に「やってきた」。「エス氏」が行動する場所として「湖」という舞台が用意されているようだ。先ほど留保しておいた「湖」の具体的な形や大きさや状態を決める際には、この「エス氏」の行動を可能にするようにつくればよいだろう。では、「エス氏」はなにをしているのか。動作や状態に注目すればこうなる。

（1）ここへやってきた
（2）湖の氷に小さな丸い穴をあけた
（3）そこから糸をたらした
（4）魚を釣ろうとしている
（5）魚がかからない

文章に明示された範囲でいえば、「エス氏」が携えているのは「糸」だけだ。だから文字通りに読むなら、「エス氏」が全裸で糸だけを持っていたとしても文句は言えない。いや、水面が凍るほど寒い土地に全裸で来るとは考えづらいのだが、どんな服を着ていると も靴を履いているとも書かれてはいない。書いていなければ着ていないという決まりもないわけだが、着ていない可能性は排除されない。文句を言っているわけではない。もう慣れてきたかもしれないが、文章に書かれたことを手がかりとして、モデルとその変化を含めたシミュレーションをつくろうとする者の目で見ようとしている。そのためには、文章になにがどのように書かれているかを、まずは素直に読む必要がある。言い換えれば、書かれている文章に、自分で勝手に言葉を足したりしないという意味だ。

「糸」だけで釣りはできないと思われる。少なくとも魚をひっかける「針」が必要だ。私が知っている釣りを思い出すなら、針につけて魚をおびき寄せる「餌」や、「釣り竿」もあったほうがやりやすいだろう。糸を送ったり巻いたりするリールもついているかもしれない。針や餌をむき出しで持ち歩くのはなにかと不便なので、これらをしまうケースもあるとよい。釣った魚を持ちかえるなら、クーラーボックスのようなものもあったほうがよさそうだ。

なにより「厚い氷」に小さいとはいえ「丸い穴」をあけている。これはやはり道具が必要だと思われる。そうは書かれていないものの、おそらくアイスドリルが必要なはずだ。

「エス氏」は氷上に立って釣りをしたのだろうか。携帯用の椅子を携えて、座りながら魚がかかるのを待っていたかもしれない。そしてやはり全裸ではなく、この場で困らないような服を身につけているだろう。場合によっては帽子やサングラスも使っているかもしれない。温かい飲み物を入れた魔法瓶やサンドイッチの入った紙袋なども携えているだろうか。

以上の補足を踏まえて、「エス氏」というオブジェクトについてまとめておこう。

④エス氏
・動作・状態：歩く／穴をあける／糸をたらす（竿を使う）／魚を釣る／待つ
・アイテム：服／釣り竿／糸／針／餌／アイスドリル／ケース／椅子

繰り返せば、星新一が釣りに必要な描写をサボっていてけしからんと言いたいわけではない。むしろこの状況を記す上で、これだけあれば十分という要素だけを選んでいるはずで、それがこの小説では「糸」なのだった。少なくともここまでのところ「エス氏」が明示的に持っているのは「糸」だけなのだ。見方を変えれば、外ならぬ「糸」だけがわざわざ記されていることには意味があるのかもしれない。実際❹では、「釣糸をおろしていると」という具合に糸に注意が向いている。

改めて❷に記されていた「エス氏」の動作に戻ろう。実際にどのような道具を携えているかは不明ではあるが、「ここへやってきた」わけである。どこからどのようにやってきたのかは不明だ。歩いて一〇分のところから道具を運んできたのか、どこか遠くから車その他の交通手段（があるとして、それ）を使って移動してきたのか、あるいはその他なのかも不明だ。ただ、「エス氏」はこの「湖」へやってきた。おそらく一人で。

この状態をシミュレートするために、文章で省かれている部分を想像で埋めてみよう。「エス氏」が「湖」までどのように移動したかは必要が生じたら考えることにして措いておく。ただし「エス氏」が釣りに携えてゆける道具類は、移動手段によって制限される可能性もある。歩きでやってきたなら、自分で運べるものに限られるし、車で来たならそれなりの荷物を持ち込める。

ともかくこの人物は釣りに必要な道具を携えて、表面が厚い氷でおおわれた「湖」にやってきた。凍っていなければ陸と水の境目となる場所から、氷の上を歩いて（たぶんスケートで滑るというよりは歩いて）、ある広がりをもった「湖」の或る位置まで移動する。そこで道具の入ったケースなどを置き、携帯用の椅子をセットする。そしてアイスドリルを氷に突き立てて（手動か電動かは不明だがともかく）その表面に「小さな丸い穴」をあけた。釣り竿を用意して針に餌をつける。椅子に座って釣り糸の先を先ほどあけた穴に垂らす、というから重力も働いているわけだ。リールを回すかなにかで糸を送り出す。リールと糸のあいだには摩擦があるはずだ。このとき、「エス氏」は魚を釣りたいと考えている。どんな魚かは分からない。「だが、なかなか魚がかからない」まま時間が過ぎる。

エス氏が釣りをするにあたっては、少なくとも以上のような一連の行動があったと考えられるが、これが❷ではこう書かれていたのだった。

エス氏は休日を楽しむため、ここへやってきた。そして、湖の氷に小さな丸い穴をあけた。そこから糸をたらして、魚を釣ろうというのだった。だが、なかなか魚がかからない。

「エス氏」が何時にここへやってきて、どれほどの時間、魚がかからないまま糸を垂らしていたのかは不明だ。シミュレーションとしては、何時であってもよいようにしておきたい。その際、時間によって変化する要素はなにか。ここが私たちの知っている地球のような場所だとすれば、太陽が昇り沈みするだろう。それに応じて気温や地表の温度も変わるだろう。天気や風の状態も同様である。また、時間の経過によって「エス氏」の心身の状態も変わってゆくだろう。例えば、空腹や尿意を覚えるとか、魚がかかるのを待つあいだも、脳裡でいろいろなことが浮かんでは消えてゆくとか、ただじっとしているわけではなく、まばたきや呼吸やかゆみや癖などで常に体のどこかが動いているとか。

シミュレーションでは、現実をそのまま再現するわけではない。というよりも、なにをしたら「そのまま再現」したことになるのかも不明である。複雑で変化する現実世界を、そもそも私たちは捉え切れているわけではなさそうだ。世界で生じている変化のうち、自分の身体や意識の状態（例えば、どこに注意を向けるかなど）を通じて知覚した範囲の限られた出来事を知り、場合によっては錯覚し、それを材料として単純化しながら認識している。私たちはいつも、複雑で捉えきれない世界とその変化を、自分の脳裡に収まる小さくて簡略化された模型（モデル）のようなもので把握している。例えば、イチゴの表面がどんな形をしているか、そこにはどれだけの種がついているかをまるで把握できないとしても、一粒のイチゴをイチゴとして認識しているように。

シミュレーションも、現実の現象や出来事のうち、それらしく表現するために必要な要素を選んでつくるものだ。裏返して言えば、それ以外の要素はすべて省略する。いまの場合なら、「悪魔」という小説に描かれた状況を、コンピュータで表現するのに必要だと思われる要素があればよい。

そう考えると、エス氏という人物についても、この湖にやってきて氷に穴をあけ、釣り糸をたれるという行動をさしあたってはつくればよい。ただし、そのようにつくった場合、エス氏は少なくともこのシミュレーションでは、それらの行動以外にはなにもしない存在となる。コンピュータのシミュレーションでは、基本的にはプログラマーがつくっておいたものしか存在せず、用意してある変化しか生じないからだ。

エス氏が人間だとした場合、これではとても人間らしからぬ釣りボットのような存在になってしまう。となると、エス氏を一個の人間としてシミュレートするなら、「悪魔」には描かれていないものの、絶えず呼吸やまばたきをしたり、なにかを食べたり飲んだり、寝そべったり、頭をかいたり、音楽を聴いたりといった行動もできるようにすべきだろうか。だが、なにをどこまで行動するように設計すれば、エス氏が人間らしく見えるだろう。こう考えてみると、これはいささか厄介な問題でもある。なぜなら、繰り返しになるが、シミュレーションでは、原則的に制作者であるプログラマーがつくって用意しておいた行動しかエス氏はとらない。用意していない行動はとりようがない。とはいえ、人間がとりうる行動を網羅することなどできない相談である。ではどうするか。いっそのことそれらしい振る舞いをとる人工知能をつくろうか、というのでは、さらに大変な話になってしまう。

これに対して小説という表現では、このような問題は生じない。この場面でいうなら、エス氏がこの湖にやってきて釣りをするという以外の行動を、作家はことさら用意しなくてよい。また、用意せずとも、これを読む読者のそれぞれが、自分の経験に照らしてエス氏の日常や書かれていない行動を想像する。

文字を並べてつくられる文芸作品も、コンピュータのプログラムを通じてつくられるシミュレーションも、限られた要素でつくられるわけだが、ここに大きな違いがある。シミュレーションのほうでは、表現が具体的なだけに、また複数の状態をとりうるものだけに、それと裏腹に「ああ、これ以外の状態は生じないのだな。プログラマーはこれ以外の状態はつくってないのだな」という感覚をもたらす。

こうした限界はデジタルゲームで遊ぶ人がしばしば味わう感覚でもある。例えば、あるキャラクターとなってゲームのなかで表現された都市を歩き回る。目の前に建物があり、入口にはドアがついている。入ってみたいと思って近づき、ドアを開けようとするが反応しない。こんなとき、プレイヤーは「なんだ、見た目だけか」とちょっとがっかりする。つまり、いかにもこのドアの向こう側になにかがありそうに見せておきながら、実際にはつくられていないことが露呈する瞬間である。ゲームの世界の表現が緻密になればなるほど、見た目だけの要素も多くなる。

デジタルゲームの世界に表現された開かないドアと同じことが、シミュレーションでも生じる。さまざまなオブジェクトやその動作・状態をつくっておくと、かえってつくっていない動作や状態のあることが目立つわけである。

文芸ではこのような感覚は生じない。話の筋に関係のない建物やその入口については書かなければよい。また、書いておかなくても、都市の通りを歩き回ったと記せば、読者はめいめい想像で補う。エス氏の服装や移動手段や普段の仕事なども、ことさら書いておかなくても想像したい人は、書かれてあることに反さない範囲で想像できる。

いったんこのように対比してみたが、果たしてこれはどんな文芸作品にも言えることだろうか。もっと別のエコロジーを描いた文芸作品では、シミュレーションのような味気なさを味わう場面があるだろうか。ここでは星新一「悪魔」というごく短い小説の冒頭を材料にしてみたが、次章からはもう少しサイズの大きい文芸作品に目を向けて、こうした検討を続けてみるつもりだ。そこでなにが見えてくるかは、書いている私にも予測しきれていない。

というわけで、これからなにをするのかを述べてみた。

第II部　空間

第2章　言葉は虚実を重ね合わせる

1. バルザックを試金石にして

文芸作品には何がどのように書かれているのか。

この問いを念頭に置きながら、文芸作品に記された世界を観察して、そのエコロジーを見てとる。その際、当該世界をコンピュータ上でシミュレートするプログラマーの目で、つまりプログラムによってシミュレーションを制作する立場から見てみる。前章では、こうしたことを試してみるつもり、という概要について述べた。

ではここから、個別の文芸作品を例にして具体的に検討してみることにしよう。オノレ・ド・バルザック（一七九九―一八五〇）の『ゴリオ爺さん』（一八三四―一八三五）を最初の例に選んでみたい。というのも、前章では目論見を説明するために、星新一のショートショート「悪魔」の冒頭を読んだわけだが、これはいろいろなものを削ぎ落として必要最小限の要素で組み立てられたミニマルな文芸作品だった。では、というので、その対極にあるのはどんな作品かと考えた。例えば、厖大な文字を費やして書かれた長大な作品、あるいはこれでもかと細部を緻密に描写する作品はどうだろう。バルザックの小説は後者の好例であり、かねがねその書きぶりが気になっていたところ。これを検討することで、「文芸作品のエコロジーをシミュレーションとして制作する立場から読む」ということでの試みに潜んでいる可能性や限界を確認できるのではないか。そんな期待もあってのことだった。

2. 作品内世界と意識内世界

さて、それでは『ゴリオ爺さん』では、どのように世界が描かれているのか、まずは冒頭近くを見てみよう。というのも、冒頭部分は読者がその文章にはじめて接する未知との遭遇の場面である。それだけに、なにがどのように記されているかはとりわけ重要だと思われる。作家がなにもない場所に最初の文字を置き、小説全体を基礎づけ、方向づけるのが冒頭部分であり、そこに記されたことが土台となってそれに続く文章を支える。こういってよければ、文章は、文字というブロックを積み上げて造られる建造物のようなものだ。

ここで読み方についての手がかりを示しておこう。以下では、こんなふうに想像してみるとよい。まだこの小説を読んだことのない人がいて、これからはじめて読むところだとする。このとき、その読者の頭のなかには「バルザック」という著者名や『ゴリオ爺さん』という作品名くらいがあるだけで、この小説を構成する文章や一つひとつの言葉や文字によって描き出される世界はまだ存在していない。そこで、この人の脳裡には、これから世界が描き出されてゆく予定の真っ白ななにもない空間だけがあると考えてみよう。「真っ白」としたのは絵が描かれる前のカンヴァスやスケッチブックを連想してのことで、他の色でも構わない。そして文章を読み進めるに従って、つまりは言葉が与えられるたびに、この真っ白な空間にそのなにかが置かれてゆく。こう考えてみるわけである。これはプログラマーが、「こういうソフトを作りたい」という要求（リクエスト）の書かれた仕様書を読むとき、頭のなかで行うことでもある。仕様書から情報を得るたび、頭のなかで、そのソフトウェアの構造を組み立てて、はて、どんな部品を用意すればよいかしら、と見積もってゆくわけである。

もっとも実際には、『ゴリオ爺さん』を読んだことがない人でも、読む以前になにがしかの手がかりを得ている可能性がある。例えば、この小説を読もうと思うにいたるきっかけをどこかで得ているであろうし、本文を読み始める前にも、本の裏表紙などに印刷された紹介文をはじめとするパラテクスト（本文の周囲にある各種の文章）から、どのような小説かという情報を得ているかもしれない。ここで主に参照している新潮文庫版では、裏表紙の紹介文に「ゴリオ爺さん」の境遇とその最期（！）、もう一人の重要な人物である青年「ラスティニャック」の野心などが記されていたりする。これらをあらかじめ頭に入れている人とそうでない人とでは、小説を読み始めるときの初期状態も違うわけだが、いまその点は措いておき、『ゴリオ爺さん』については予備知識のない真っ白な状態から出発するとしよう。

先に進む前にもう一つ、紛らわしさを減らすために言葉の使い方を決めておきたい。文芸作品に記されているなんらかの世界を「作品内世界」と呼ぶことにする。作品内世界は基本的に文字でつくられており、場合によっては挿絵などによって補足されることもある。また、ときには作品内世界そのものが多重になっているケースもありうるが、それはそのときに考えることにしよう。

これに対してその文芸作品を読む人の脳裡に生じる作品内世界の像を、「意識内世界」と呼んで区別しよう。実際には意識だけではなく、無意識や、意識・無意識の基盤となっている神経系をはじめとする身体も関わるはずだが、ここではさしあたり人が意識している範囲で検討してみる。というのは、文芸作品を読むとき、無意識や神経系で生じる出来事を観察したり記述したりするのはまだまだ難しいからだ。

以上の区別を用いると、先ほどの、これから読む人の「真っ白な状態」とは、意識内世界の初期状態を指していると言い直せる。

3. ことばの借景

さて、『ゴリオ爺さん』はこんなふうに始まる。[*1]

ヴォケー夫人、旧姓ド・コンフラン、は四十年前からパリで下宿屋を開いている老婦人で、彼女のその下宿は、カルチエ・ラタンとサン＝マルソー地区の間にあるヌーヴ＝サント＝ジュヌヴィエーヴ街に位置している。

（平岡篤頼訳、新潮文庫、新潮社、一九七二、五ページ）

はじめに「ヴォケー夫人」が現れた。原文が“Madame Vauquer”と始まるのと対応している。といっても、読者の目の前に「ヴォケー夫人」が現れたわけではない。作家が「ここにはこういう人がいる」という人物紹介をしているところだ。そこでバルザックが記していることを整理すれば、作家は「ヴォケー夫人」という人物を、姓、性別、婚姻、年齢、職業、居住地を表す、あるいは推測させる要素で記述している。この世界の人間がどのような属性の集合として認識されているかという関心をもつシミュレーション制作者にとっては見過ごせない点である。

一人の人間を表現するには、多様なやり方があるわけだが、小説冒頭でバルザックが、読者に「ヴォケー夫人」を想像させるために選んだのはこれらの要素だった。人間を複数の要素の集合体として記述するやり方は、各種のゲームでも試みられてきたことでもあり参考になるはずだが、この点については、後で登場人物が描写されるくだりを検討する際に詳しく考えるとして、いまは先へ進もう。

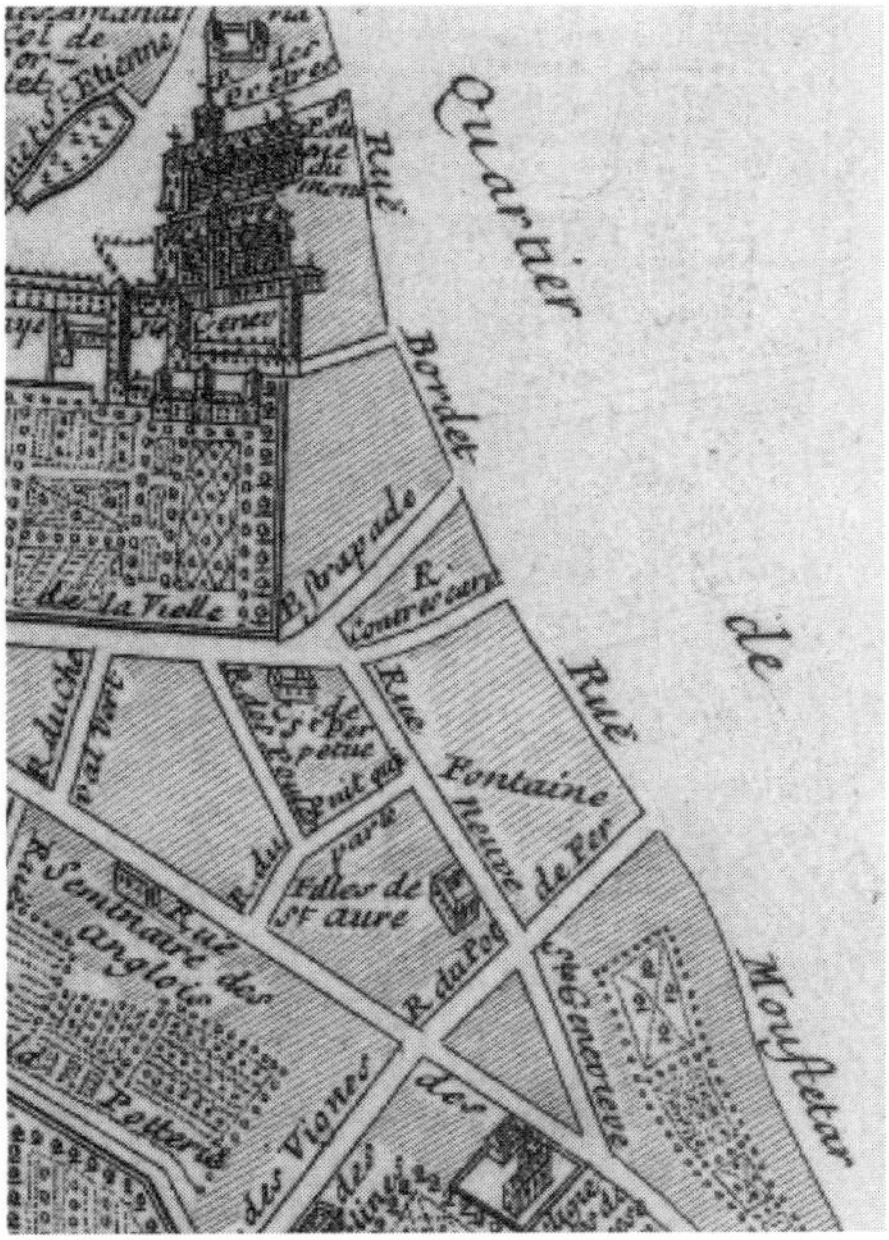

「ヴォケー夫人」が営む「下宿屋」は「パリ」の「ヌーヴ＝サント＝ジュヌヴィエーヴ街」（現・トゥルヌフォール）にある、という具合にフランスに実在した地名が参照されている。これは一八世紀半ばのものだが、その界隈の地図を見てみると、たしかに「ヌーヴ＝サント＝ジュヌヴィエーヴ（Neuve-Sainte-Geneviève）」という文字が見える[*2]。

また、いま見た範囲では時

代は不明だが、バルザックはこの引用文の後で「このドラマが始まる一八一九年には」と明示している。この小説が雑誌に連載されたのが一八三四年から翌年にかけてのことで、本として刊行したのも一八三五年だから、かれこれその一五、六年ほど前だ。他に何事もなければ、とはつまり「実はここは地球とは別の惑星だった」といった記述がない限りは、現実の世界の一八一九年のパリという時間と空間のなかに舞台を位置づけていると見てよい。

ところで、これは言語のたいへん便利なところで、「一八一九年のパリ」と記せば、仮にそれ以上詳しく書かなかったとしても、「一八一九年のパリ」という現実世界に存在する（した）都市を作品内世界に導入できる。「導入」とはなんだか曖昧な言い方だが、小説の文章の背景に現実世界があるかのように読者に感じさせるわけである。言葉によって、その言葉が参照している現実世界へとハイパーリンクを張っていると喩えられようか。もう少し具体的な場面として思い浮かべるなら、バルザックが当時のヌーヴ＝サント＝ジュヌヴィエーヴ街辺りに透明なガラスを置いて、そのガラス越しに景色を見ながら、ガラスの表面にヴォケー館や登場人物たちを描くようなものである。文章の向こうに現実世界を背景のように据える精神上の借景と言ってもよい。「一八一九年のパリ」という言葉ひとつで既存のリソースを呼び出しているわけである。

ただし、この文字列がどのような効果を発揮するかは、ひとえに読者に、とりわけ読者の脳裡にある記憶に依存する、という点にも注意しよう。例えば、当時その場所へ行ったことのある人なら、「ああ、あの辺のことね」と、書かれていないことも含めて連想が働くだろう。他方で行ったことがない場合はそうもいかない。バルザックもその点は承知しており、前口上でこんなふうに弁明している。

これがパリ以外の土地でも理解されるだろうか。その疑いももっともだ。具体的な観察と地域的特色に満ちたこの情景の独特の味わいは、モンマルトルの丘とモンルージュの高台にはさまれた、いまにもくずれ落ちそうな漆喰壁とどす黒い溝川《どぶがわ》のこの高名な盆地でしかわかってもらえないはずである。（六ページ）

「パリ以外の土地」であるのに加えて、それから二〇〇年ほど後の世界ではどうか。「一八一九年のパリ」とか「ヌーヴ＝サント＝ジュヌヴィエーヴ街」といった言葉を目にして、なにを想起するかは、ひとえにそれぞれの読者が、それを読んでいる時点でどのような経験と記憶をもっているか、そのうちのなにが想起されるか次第である。身も蓋もないことを言えば、いくら文字列を目にしたといってもそもそも記憶にないものは思い出しようもない。

ただし、ここが面白いところなのだが、一八一九年のパリの描写から具体的な連想が働かないからといって、小説を楽しめないわけではない。人それぞれに文章を目にして生じる意識内世界の状態が異なるだけだ。その意識内世界をなんらかの意味で楽しいと感じられれば、具体的かどうか、実際の当時のパリと同じかどうかは二の次でよい。文芸作品を読む楽しみはこんなところにもある。

この点については、『ゴリオ爺さん』をコンピュータのシミュレーションとして制作する立場で考えるとイメージしやすいかもしれない。シミュレーションでは、例によって一八一九年のパリをなんらかの仕方で表現することになる。表現の仕方はいろいろありうる。一方には現実世界を撮影したのかと見紛うような三次元のグラフィクスを使った表現が考えられる。他方にはオセロやチェスの盤のようにマス目でできた場をコマが動くといった抽象的な表現もありうる。人は「この大きな四角がパリで、灰色で塗られたあたりがヌーヴ＝サント＝ジュヌヴィエーヴ街ね」とか「この丸がヴォケー夫人ね」と言われれば、そのつもりになることもできる。そしてどちらの表現でもそれなりに楽しめるものだ。これは人間のいい加減というか、すばらしいところ。野球場ならぬ草っ原で「この木の株がファーストベースね」といえば、みんなそういうものとして扱えたりする。あるものを、別のもので見立てるわけである。

話を戻せば、文章を読む人の頭のなかに生じる「意識内世界」のほうは、必ずしも視覚的なものであるとは限らない。つまり、バルザックによる描写を読みながら、逐一土地や建物や人物の見た目を思い描くとは限らない。確たることは不明という他にないが、小説から読みとられた文字が、人の神経系と身体によって可能ななんらかの表現に変換されていると思われる。人が小説やなんらかの文章を読むとき、その脳裡で生じる意識内世界そのものを「こうである」と観察したり確認したりするのはいまのところ難しい。

次善の策としては、読者がなんらかの形で表現してみることはできる。例えば『ゴリオ爺さん』の冒頭を読んで、そこには何が書かれていたかを表現してみようとすればよい。その際、表現手段は、言葉でもいいし、絵画でもよい。あるいはそれこそコンピュータのシミュレーションでもよい。そうしてなんらかの形でアウトプットされたものが、意識内世界をいかほど反映していると言えるのかは、これもまた不確かなことだが、少なくともそれは『ゴリオ爺さん』を読み、意識に生じたなにごとかを表現したものだ。いうなれば、文芸作品を読んで自分の心身に生じた出来事の報告のようなものでもある。眠っているあいだに見た夢がどんなものだったかを言葉や絵やその他の手段で表現することに似ている。

そうした限界があることを弁えた上で読み進めていこう。バルザックはまず、一八一九年のパリはヌーヴ＝サント＝ジュヌヴィエーヴ街で下宿屋を営むヴォケー夫人という人物がこの世界にいることを、読者の意識にのぼらせたのだった。ただし先にも述べたように、ヴォケー夫人ご本人はまだ私たちの目の前には登場していない。いわば伝聞形の状態である。

4. すべては真実?

文章はこう続く。

ヴォケー館という名前で知られているこの下宿は、老若男女《ろうにゃくなんにょ》の別なく誰にでも部屋を貸すが、それでいて、この尊敬すべき施設の風儀がとかくの噂《うわさ》に上ったためしは一度もない。それだけにまた、ここ三十年来、ついぞ若い娘というものを見かけたことがないし、若い男がそこに住むことがあるとしたら、家族からの仕送りがよほど少ないからにちがいない。

(五ページ)

ヴォケー夫人の下宿屋の経営方針と下宿人について書かれている。「仕送りがよほど少ない」者でなければ選ばないというから、安宿なのだと思われる。下宿屋にどんな人が下宿するかを決める条件の一つは賃料であろう。部屋代を払えるかどうかという懐具合とおおいに関わる。また、人がこぞって住みたがる土地であれば賃料も高くなり、不人気の場所なら低くせざるを得ない、といった需要と供給もあれば、建物や設備の状態、その維持にかかる費用なども関わる。いずれ見るように、『ゴリオ爺さん』の作品内世界では、お金とその働きがおおいに重視されている。というよりも、お金を気にせずにはいられない人びとばかりが登場するのである。

さて、バルザックはいま見た引用個所に続いて、この小説が「ゴリオ爺さん」の不幸な物語であり、読者はこれを読んで涙を流すかもしれないし、なにも感じないぞと作者を非難しながら、こんな悲惨な話を読んだあとでも平気で夕食をとるかもしれないと、読者に語りかけている。そうしてこの前口上をこう締めくくる。

ああ、このことだけはご承知おき願いたいのだ。このドラマは、作り話でもなければ小説でもない。All is true（すべてが真実）なのだ、あまりにも真実なので、誰でも自分の身近に、たぶん自分の心のなかに、その萌芽《ほうが》を認められるはずだ。（七ページ）

これから読まれることになる文章を作者自身が、作り話（fiction）でもなければ小説（roman）でもなく、すべて真実（All is true）なのだと位置づけている。これを「そうか、そうなのか」と素直に読んだ人が当時どのくらいいたものかは知らないが、このように記す作者の意向は理解できる。もっとも作家本人が「ここに書いたことは真実なのです」と述べたからといって、その通りであるとは限らない。考えてみれば、そもそも「すべてが真実」であると請け合えるのは、一体どのような存在だろうか。例えば、一神教における神のように、この世界を創造した全知全能の存在であれば、その神が「すべてが真実」と主張する場合、信じるほかにないようにも思われる（もちろんその場合でも神を疑ってみることはできる）。

この点でシミュレーションは、文芸作品とはいささか事情が異なる。コンピュータで動くシミュレーションは、プログラム言語、つまりはコンピュータに対する命令語を組み合わせてつくられる。このとき、そのシミュレーションはプログラム（予め書いておかれたものの意）に従ってその通りに動く。もう少し言えば、プログラムされた通りにしか動かない。シミュレートされたコンピュータ内世界で生じることは、「すべてが真実」であると言える状態にある。たとえそのシミュレーションで、プログラムをつくった人が予期していなかった状態が生じたとしても、それもまたプログラム通りにコンピュータが作動した結果なのである。

だが文芸作品ではそうもいかない。人がどう読むかに依存するからだ。例えば、ヴォルフガング・ヒルデスハイマー（一九一六―一九九一）の『マルボー　ある伝記』（青地伯水訳、松籟社、二〇一四／原書は一九八一）は、文章における事実と虚構の区別の怪しさを逆手にとった面白い例である。一九世紀のイングランドの地方貴族であるサー・アンドリュー・マルボーは、ゲーテやバイロンといった同時代人と交流を結んだ人であり、同書にはその短い生涯の顚末が記されている。書簡や手記をはじめとする多様な資料が参照され、口絵にはドラクロアによるマルボーの肖像画や登場する人びとを描いた絵が載り、巻末には人名索引も備わっている。いかにも評伝然としたこの本を、発表当時、実在する人物についての評伝だと思い込んだ人もあり、作家自身がフィクションであると分かるように示してあると釈明したという。*3

書かれた文章を人がなにとして読むか。事実として読むか、虚構として読むかは、その人がなにを信じるかということと大いに関わる。たいていの場合、「これは小説だ」「これはノンフィクションだ」「これは学術論文だ」「これは報道記事だ」という前提があって、読者は何事もなければそのような文脈で読む。

ヒルデスハイマーの例とは逆に、実在の人物の評伝として書かれた文章があり、それが「これは小説である」という体裁で提示されたらどうか。「これは創作物であって実際にあった話を書いたものではない」と信じる人もいるだろう。あるいは執筆者が「事実」だと信じて書いたとしても、結果的に事実とはほど遠い思い込みによる「虚構」だった、ということもある。ともあれ、ある文章がどのような性質のものであるかを決めるのは、文章そのものだけでなく、それを位置づける文脈によるところも大きい。

言語による表現の面白さと危うさはここにある。同じ文が、事実にもなれば虚構にも、あるいは虚偽にもなりうる。ＳＮＳでたまさか目にした「今回の選挙で大規模な不正があった」という文は、誰かが注目を集めたり、人を驚かせようとしたりして投稿した作り話なのか、その人がそう信じているだけなのか、本当に起きたことなのかは、その文言だけでは判断できない。そこで人によっては本当のことだと信じたり、よくできた創作だと捉えたりと反応も分かれる。虚の表現にも実の表現にも使われる言語は、いつでもそうした複数の解釈の可能性を潜在させている。文芸作品は、言語が人間にもたらすこうした効果を使って成り立っている。

この点から翻ってみると、シミュレーションはいささか分が悪い。そもそもコンピュータ上に構築されたソフトウェアはハナから作り物以外の何物でもないからだ。ディスプレイに表示された三次元空間は、どこまでいっても制作されたものでしかなく、文字を読んでいるときのように、虚実が重なりあうような感覚はもたらされにくい。これは文芸作品との決定的な違いであるように思われる。

話を戻そう。先ほどの引用では唐突に“All is true.”という英文が現れた。これはなにか。このくだりだけでは分かりづらいのだが、この小説が最初に発表された雑誌を見ると手がかりがみつかる。『ゴリオ爺さん』が連載された雑誌『パリ評論（Revue de Paris）』の一八三四年一二月号では、“LE PÈRE GORIOT”というタイトルの右下に小さく“All is true. / (SHAKSPEARE.)”と印刷されている。いわゆるエピグラフ、本文の手前に置かれた短い文だ。ご覧のようにシェイクスピアの名前も添えられている。シェイクスピアの綴

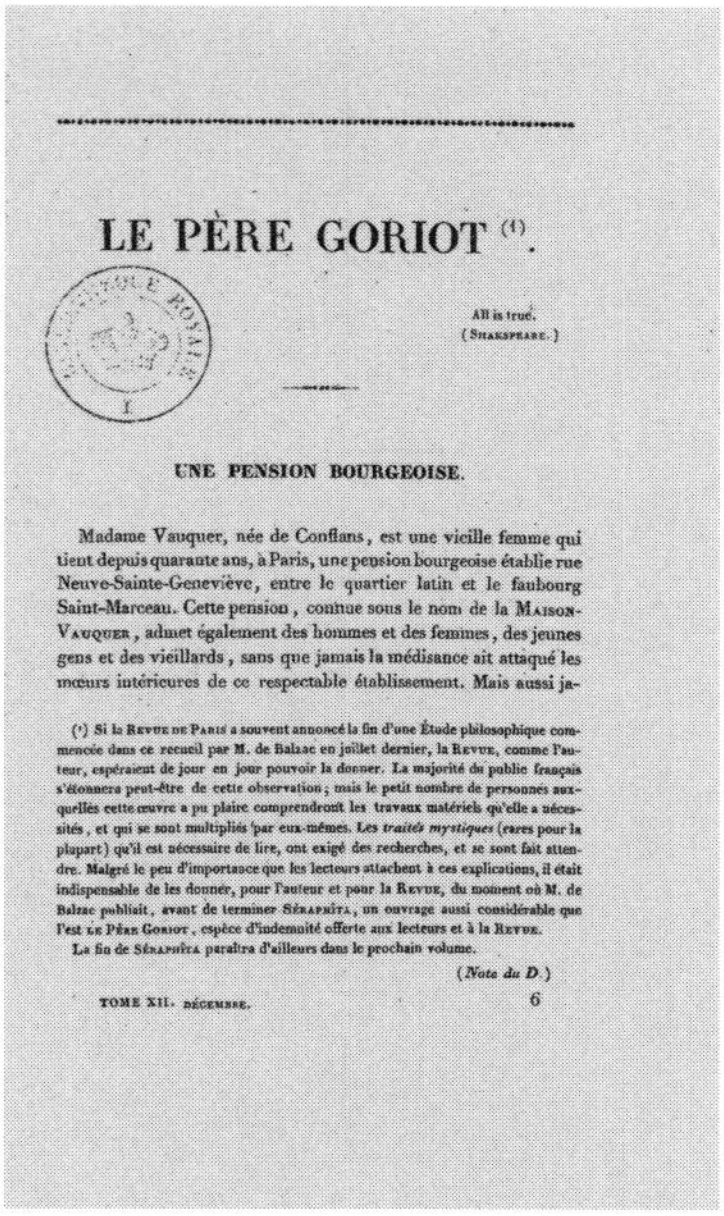

LE PÈRE GORIOT (1).

All is true.
(Shakspeare.)

UNE PENSION BOURGEOISE.

Madame Vauquer, née de Conflans, est une vieille femme qui tient depuis quarante ans, à Paris, une pension bourgeoise établie rue Neuve-Sainte-Geneviève, entre le quartier latin et le faubourg Saint-Marceau. Cette pension, connue sous le nom de la Maison-Vauquer, admet également des hommes et des femmes, des jeunes gens et des vieillards, sans que jamais la médisance ait attaqué les mœurs intérieures de ce respectable établissement. Mais aussi ja-

(1) Si la Revue de Paris a souvent annoncé la fin d'une Étude philosophique commencée dans ce recueil par M. de Balzac en juillet dernier, la Revue, comme l'auteur, espéraient de jour en jour pouvoir la donner. La majorité du public français s'étonnera peut-être de cette observation; mais le petit nombre de personnes auxquelles cette œuvre a pu plaire comprendront les travaux matériels qu'elle a nécessités, et qui se sont multipliés par eux-mêmes. Les *traités mystiques* (rares pour la plupart) qu'il est nécessaire de lire, ont exigé des recherches, et se sont fait attendre. Malgré le peu d'importance que les lecteurs attachent à ces explications, il était indispensable de les donner, pour l'auteur et pour la Revue, du moment où M. de Balzac publiait, avant de terminer Séraphîta, un ouvrage aussi considérable que l'est le Père Goriot, espèce d'indemnité offerte aux lecteurs et à la Revue.
La fin de Séraphîta paraîtra d'ailleurs dans le prochain volume.

(*Note du D.*)

TOME XII. DÉCEMBRE. 6

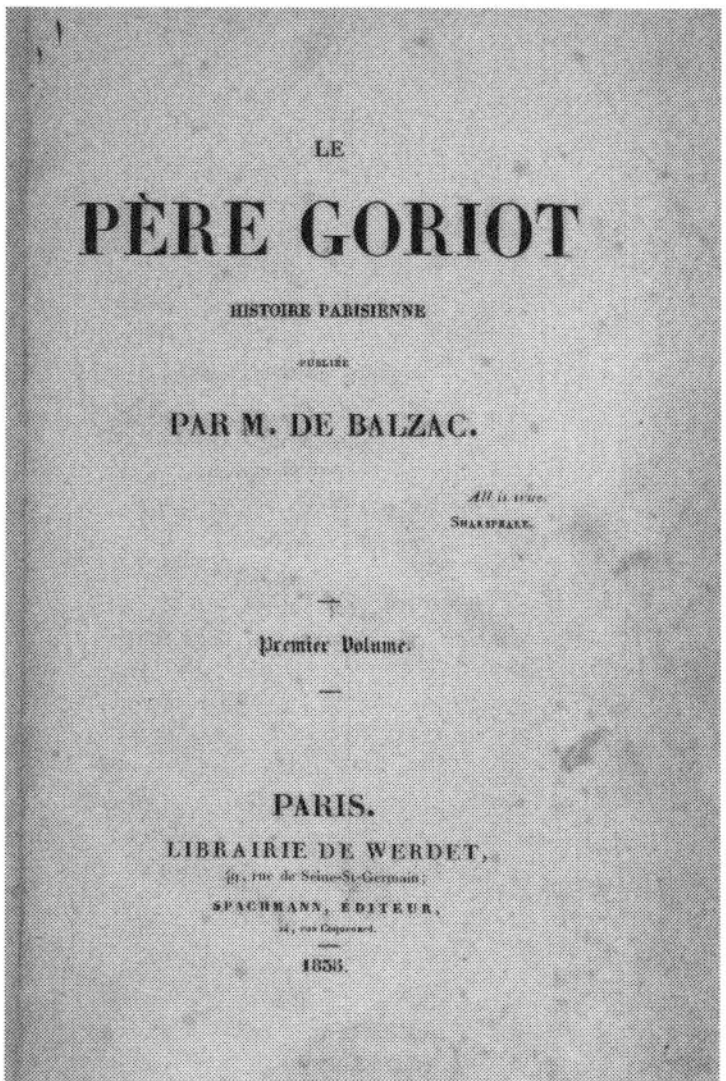

LE

PÈRE GORIOT

HISTOIRE PARISIENNE

PUBLIÉE

PAR M. DE BALZAC.

All is true.
Shakspeare.

Premier Volume.

PARIS.

LIBRAIRIE DE WERDET,

SPACHMANN, ÉDITEUR,

1835.

りが現在普及しているものと違うのは、当時表記が揺らいでいたためだ。“All is true”は現在『ヘンリー八世』として知られる作品の元のタイトルだった。

この『ヘンリー八世』もまた、プロローグ（前口上）でこれから上演される劇が「真実(true)」であることを強調している。また、この戯曲では登場人物たちが、それぞれの立場から、自分は「真実」を述べていると主張する。それらの「真実」は互いに矛盾していることもあれば、観客（読者）には真実に見えない場合も少なくない。むしろわざわざ真実だと主張することで、かえって嘘くさく感じられる場面さえある。「真実」とは、誰が主張しているか、その主張を誰が解釈するのかによって見え方も変わるものだ。『ヘンリー八世』の原題が『すべてが真実』だった真意は分からないが、バルザックはこれを『ゴリオ爺さん』のエピグラフに掲げ、本文中でも引用したわけである。

このエピグラフが置かれた場所は、この作品全体がなんであるかという身分を定めるような位置である。この文は、一八三五年に刊行された書籍版では、連載時とはちがって扉ページのタイトル、著者名の右下に置かれている。現在の版では掲載されていないことも多く、ここで参照している翻訳でもこのエピグラフは提示されていない。一八四二年から四八年にかけて刊行された『バルザック全集』は版元の名前に因んでフュルヌ版(Édition Furne)と呼ばれるもので、ここに「人間喜劇」の一部として収められた『ゴリオ爺さん』では、シェイクスピアを引用したエピグラフはなくなっている。代わりに現在の邦訳でも見られるジョフロワ＝サン＝ティレール(バルザックの同時代人であるフランスの動物学者)への献辞が記されている。

少し穿った見方をすれば、バルザックは自分の作品が真実を表したものであることを、自分の言葉で主張するのではなく、第三者の言葉によって、いわば作品の外部から保証しているかのような形、作品全体を縁取るような形をとろうと考えたのかもしれない。とはいえ、そのエピグラフを選んで置いているのもまたバルザックなのだが。

5.「作者」はどこにいるのか

さて、「すべてが真実」という主張の是非とは別に、ここでもう一つ考えておきたいことがある。本作のように作者が顔を出してあれこれ述べるような場合、この点はシミュレーションにどう反映できるだろうか。作者による前口上を作品内世界に含めるか否かで分かれるだろう。

作中に記された文章では、「作者」という名乗りはあっても、いつどこにいる誰かは不明である。素直に読めばバルザックのことだが、それ以外の可能性が排除されているわけでもない。その「作者」が読者に向かって語っている様子をシミュレーションに表現するわけだ。これも事柄を明確に区別するための便宜として、コンピュータ上にシミュレーションとして表現されるものを「コンピュータ内世界」と呼ぶことにしよう。これで「世界」と名のつくものが三つになった。整理しておこう。

・作品内世界：文芸作品で表現されたもの
・意識内世界：文芸作品を読む人の脳裡に構築されるもの
・コンピュータ内世界：文芸作品の記述に基づいてコンピュータでつくられたもの

この三つの世界はどのように関係しているか。文字で記された「作品内世界」をもとにして生じる私の「意識内世界」をもとに「コンピュータ内世界」をつくる、ということになる。

作品内世界⇓意識内世界⇓コンピュータ内世界

つくられたシミュレーションは、プログラムに従ってそれ自体がひとつの世界として自動的に動く。それだけに、客観的なもののようにも見えるかもしれない。だが実際には、そのシミュレーションを設計・実装した人間の見方が反映されている。

ところで、『ゴリオ爺さん』では、作者が読者に向かって語りかけているところから、作者は読者と同じ世界(現実世界)にいる、という設定であるらしい様子が窺える。この作者をシミュレーション、コンピュータ内世界でどう扱うか。簡単に済ませるなら、「作者」は作品内世界の外側にいることにして、コンピュータ内世界では映像作品におけるナレーターのように、姿は見せず声だけでコメントしているような状態にする、という手が考えられる。この『ゴリオ爺さん』シミュレーションを触る人は、ちょうど映画を観ながら監督による副音声コメンタリーを聞くような状態を体験することになるわけだ。

あるいは、ややこしくなるのを厭わないのであれば、「作者」が存在する世界をコンピュータ内世界としてつくり、そのコンピュータ内世界のなかに「作者」によって語られる、ヴォケー夫人やゴリオ爺さんたちが活動する世界を入れ子のようにつくる、というやり方も考えられる。後者は「作品内世界内世界」とでも言おうか。

この場合、シミュレーションを触る人は、まず「作者」が目の前に現れて語る前口上を聞いて、その人物とともに、そこにある窓だか額縁だかを覗き込むと、ヴォケー夫人やゴリオ爺さんたちが暮らす一八一九年のパリにあるヴォケー館のシミュレーションを見る、という枠構造のようなものを体験することになるだろう。

こんなことを考えていったいなにになるのか、という疑問はもっともだ。文字で記されたものをシミュレーションとして制作してみようとすると、そこから翻って言語表現の特徴が見えやすくなる、というのが意図だった。しかも漫画化や映像化ともちがって、シミュレーションでは見た目だけでなく、文芸作品に記された状況が生じうる条件やそれに必要な規則などもつくろうとする。この点についてはもう少し先で詳しく検討することになるが、予告的に言えば、文芸作品に記された出来事を潜在させている世界はどのような条件で成り立っている場所なのか、そこからなぜいかにして外ならぬその文芸作品に記された出来事が顕在したのかについて検討するという狙いもある。

文字だけで表現する限りは、シミュレーションをつくる場合のような苦労は要らない。

「作者」はときどきコメントを差し挟むだけで、それがどこの誰かということは明示しなくてもよい。加えて、これは「作り話でもなければ小説でもない。All is true（すべてが真実）なのだ」と言いおいて、ひとつ改行を挟んだだけで「下宿屋」のほうへと場面を転換できてしまう。これが文字によって組み立てられた小説のすごいところでもある。

6. 自然の法則／社会の法律

さて、いよいよここからが『ゴリオ爺さん』の本編である。前口上を終えた「作者」は、出来事の描写にとりかかる。以後もときどき「読者」に語りかけることがないわけではないものの、ほとんどの場面で「作者」は見えなくなって、読者はあたかもカメラに映された映像を眺めるように作品内世界の描写に接することになる。

バルザックは改めてヴォケー夫人の下宿屋の状態から説明を始める。

下宿屋が営まれているその家は、ヴォケー夫人の持ち家である。それはヌーヴ＝サント＝ジュヌヴィエーヴ街の下手《しもて》、ちょうどラルバレート街へ向って、地面があまりにもだしぬけに険しい傾斜をなして低くなってゆくので、馬車もめったに昇り降りしない個所に位置している。（七ページ）

下宿屋はヴォケー夫人の所有物であって他の状態ではない。直にそう書かれているわけではないものの、法律で言うところの所有権が確認されている。その下宿屋がヴォケー夫人の「持ち家」であることを請け合うのは法律と司法であり、それを認める社会である。当時のフランスで有効だった法体系（いわゆるナポレオン法典）をどのように組み込むかはともかくとして、事物についての所有権の概念をシミュレーションに入れておく必要がありそうだ。

ただし、法律をコンピュータ内世界で機能させるのは少々厄介でもある。これが自然に関わる物理法則のようなものであれば、コンピュータ内世界で設定した通りに規則が適用される。例えば、その世界に存在するそれぞれの物に質量を設定し、物同士のあいだに働く力の規則をプログラムする。そうしておけば、そこでは重力が働き、下に支えのない物は、地面に向かって引っ張られて運動するという具合に、このシミュレーションに存在する物は、すべてこの法則に従って例外なく動くという状態をつくれる。*4 これは比較的簡単だ。

これに対して法律の場合、そのようには事は運ばない。人は必ずしも法律に従って行動するとは限らないからだ。法律に則って行動しようと意識している人が、知らないうちに法律を破ることもあれば、法律を知らない場合もあるし、はなから法律を破るつもりでなにかをする人もいるだろう。法律は、人間の行動を律するものであっても、自然法則のように漏れなく適用されるわけではない。また、ケースごとにどの法律が有効であるかそうでないかを判定する必要が生じるために、世の中には裁判所もあり、場合によっては判決結果に不服の側が上訴して争いが続いたりもする。法律をシミュレーションにどう実装するかを考えるためには、コンピュータ内世界の人間と法律の関係をつくる必要があり、これはかなりの難題である。必要が生じたら考えることにして、ここで必要な範囲としては、それぞれの家や物には所有権を有する者がいるという状態を扱えるようにすることでひとまず満足しておこう。

バルザックはそれに続けて、改めてヴォケー館の位置とその辺りの地形に触れている。ここでは省略するが、どうやらその辺りは静かで、というよりも通行人の気が滅入るような雰囲気のようである。そこで作家は面白いことを書いている。

とりわけヌーヴ＝サント＝ジュヌヴィエーヴ街は、ブロンズの額縁、この物語にふさわしい唯一《ゆいいつ》の額縁みたいなものである。

（八ページ）

この街という舞台を絵画の額縁に喩えているわけだ。この額縁のなかで、人びとが暮らし、出来事が生じる様子は、動く絵画、つまりは動画といったところだろうか。これは村田京子の『ロマン主義文学と絵画』（新評論、二〇一五）で教えられたことだが、バルザックは別の小説『ウジェニー・グランデ』（一八三三）の序文で、「文学的画家」という表現を使って、作家を画家になぞらえている。絵筆ならぬペンを使って、絵画ではなく言語で世界を描くというわけである。この顰みに倣って言うなら、私たちは、絵画という文芸とは別の表現を横目に小説を書いたバルザックに対して、文芸とは別のコンピュータによるシミュレーションという表現を通してその小説を眺めようとしているのだった。

さて、バルザックの筆は何をどのように描き出すのか。さらに検討してみよう。

第3章　潜在性をデザインする

1．移動するカメラのように

バルザックの小説にはなにがどのように書かれているのか。『ゴリオ爺さん』を材料に、その作品内世界のエコロジー（生態系）を眺めているところ。このことをよりよく検討するために、ここではバルザックの記述をもとにしてコンピュータでシミュレーションを制作するという観点から検討している。記述されていること、その記述が前提としていることと、省かれていることを見るわけである。

さて、小説の舞台となるのはパリにある下宿屋ヴォケー館。バルザックは『ゴリオ爺さん』の冒頭で、まずはこの下宿屋がある界隈、ヌーヴ＝サント＝ジュヌヴィエーヴ街の辺りについてその雰囲気も含めて描写していた。その描写の仕方を喩えるなら、Googleマップでパリの地図を見たあと、ストリートビューのように、通りに立ったときに見える風景に転じているようなものだ。つまり、広い地域から、その一部へ近づいている。

では、次になにが書かれるか。小説の冒頭付近は、著者と読者のあいだに共通の土台を築くための工夫がなされる個所でもあるので、省かずに見ておきたい。例によって整理のために❶❷❸といった番号を振っているけれど、とりあえずはお気になさらず。

❶下宿屋の正面は小さな庭に面しており、ヌーヴ＝サント＝ジュヌヴィエーヴ街と直角をなして建っているので、通りからだと縦断面が見えるようになっている。❷家の正面に沿って、家と庭との間に、雨水を受けるため幅一トワーズ（訳注 約二メートル）ほど小石が敷きつめてあり、その前の砂をまいた小道の両側に、青や白の大きな瀬戸物の鉢に植えたゼラニウムや、夾竹桃《きょうちくとう》や、柘榴《ざくろ》の木が並んでいる。❸この小道へはいるには、一枚の看板をかけわたした通用門をくぐるのだが、その看板にはまず《ヴォケー館》とあり、それから下に《紳士淑女その他御下宿》と書いてある。❹日中は、けたたましい呼鈴のついた透かし格子《ごうし》の向う、細い敷石道の突き当りの、街路と向きあった壁に、界隈のペンキ屋が緑色の大理石を模して描いたアーチがのぞかれる。❺いかにも窪《くぼ》んでいるかのように見せかけてあるそのアーチの下に、愛の神キューピッドの像が立っている。❻この像の上塗りがところどころ剝《は》げ落ちているのを見るとき、象徴の愛好家はもしかしたら、そこから数歩のところで治療されるパリ独特の恋（訳注 近くにある性病専門のキャピュサン病院をさす）の神話を読みとるかもしれない。❼台座の下のなかば消えかかったつぎ

の文句が、一七七七年にパリに帰還したヴォルテールにたいして示している熱狂ぶりで、この装飾品の作られた時代を思い起させる。（『ゴリオ爺さん』平岡篤頼訳、新潮文庫、新潮社、一九七二、八―九ページ、ただし❶から❼の番号と傍線は山本による）

ご覧のように、バルザックは七つの文で、ヴォケー館周辺の様子を描写している。なにがどのように記されているだろう。そう思ってみると、ここにはもっぱら物と空間における配置が記されているのが分かる。もしヴォケー館を写真に撮ったら、さらにさまざまな細部が写るはずだが、バルザックはヴォケー館の外観を構成する要素のなかから、これらを選んで記述しているわけである。彼はなにを選んだのか、文ごとにもう少し見ておこう。

❶ヴォケー館と庭とヌーヴ＝サント＝ジュヌヴィエーヴ街の位置関係と、その位置関係によって決まる通りからの見え方
❷家の正面と庭の間にある雨水受けの小石、小道、瀬戸物の鉢、植物
❸その小道につながる通用門と看板
❹透かし格子（呼鈴つき）、敷石道、壁の位置関係
❺壁とキューピッド像

❻キューピッド像の状態と連想の可能性
❼キューピッド像の台座

まさにこの空間を構成する要素とその関係が示されている。また、このように整理してみると、❶から❼へ向かって広い空間から次第に細部に向かっている様子も目に入る。それと、これらの文は単に並べられているわけではなく、互いに関連しあっている。具体的には次のとおり。

❶で描写された「下宿屋の正面」について、❷でさらに「家の正面」の小道の様子を描くというふうに、❶の部分に注目して❷が記されている。❷の文も「家の正面」⇓「雨水受けの小石」⇓「小道」⇓「鉢植え」と、記述したものとの関連でさらに細部へと注意が移動してゆく、という構造になっている。❷で触れた「小道」について❸が「小道」への入り方を述べ、❹ではその「小道」の入口から進んでいった突き当たりにある「壁」へと視線が移動する。そして、いま目が向けられた「壁」の手前にある「キューピッド像」を❺が描写する。❻はその「キューピッド像」の様子を、❼はその「台座」を描いている。

この一連の文には次のような共通点がある。つまり、n番目の文で記述したものについて、それに続くn＋1番目の文でさらに詳しく描写する。この仕組みによって❶から❼までの文は鎖のようにつながりあって、大まかなスケッチからその部分の詳細の描写という具合に、連続しながら徐々に解像度を高めてゆくようになっている。

再び喩えるなら、バルザックの筆は、映画のカメラが空間を広い範囲から、その一部である狭い範囲へと、細部へと近づくように記述してゆく。この一連の文章を読んだ人の脳裡で、そうした運動のイメージが浮かぶように設計されている。この七つの文が示す空間をコンピュータグラフィクスとしてつくり、この記述に沿ってカメラを移動させてゆくことも、そう苦労せずにできそうなくらいだ。その気になれば、もっと抽象的に書いて済ませることもできそうなところ、バルザックは絵画的というよりは映像的に空間を思い浮かべられるようなかたちで記述している。

ただし、カメラの喩えが有効なのはここまでだ。カメラの場合、空間のどこにカメラを据えるかによって映るものが決まる。いったんフレームに入ったものは、焦点によって見え方の違いは生じるものの、なんらかの加工を施さない限りすべて映り込む。それに対して文章の場合、あくまで作家が文字を並べて記したものだけがそこにある。たとえその空間に存在していても、作家が記さなかったものはすべて省かれている。例えば、バルザックはヴォケー館の「縦断面が見える」と書く一方で、この館の壁がどのような構造や材質や見た目なのかといったことをここには書いていない。あるいは「瀬戸物の鉢」が「青や白」であるというふうに色について記す一方で、その具体的な大きさや形については記していない。

　もちろん文句を言っているわけではない。そもそもそこに置かれている瀬戸物の鉢ひとつをとっても、これを描写し尽くそうと思ったらなかなか大変なことである。位置、向き、大きさ、形、色、材質、質感（そのときの光との関係）、状態（疵や欠けの有無）などの要素があり、それぞれの要素について詳細を記すのは容易なことではない。言葉による記述から、その見た目を「再現」できるようにしようと思えば、鉢ひとつについて数ページにわたって記すことになるだろう。しかも形状を言葉だけで正確に記そうとすれば、設計図面を文字だけで説明するようなことにもなる。翻って言うなら、きりのない細部に満ちた空間のなかから、右に見たような要素が選び出されているわけである。

　いま読んだくだりには、ヴォケー館の周囲にあるモノとその位置関係が示されていた。また、これに続いて、小庭の様子、壁にもたせかけられた果樹や葡萄の木、菩提樹、朝鮮あざみ《アルティショー》の畑、すかんぽ、レタス、パセリ、テーブル、椅子といったものがどのように配置されているかが述べられている。こうした記述を目にする読者の脳裡ではなにが起きるか。『ゴリオ爺さん』を読み始める際には真っ白だった意識内世界に、ヴォケー館とその周囲の様子が組み立てられてゆく。別の言い方をすれば、バルザックはこれらの文章を通じて、読者に「脳裡でこうした空間を組み立てて思い浮かべてみたまえ」と促しているわけである。

2．言葉で建築する方法

そしてようやく建物そのものに目が移る。ここは要約で示せば、あらまし次のような様子が記述されている。

・四階建てで屋根裏部屋がある
・建物正面
・粗石造りで黄色い上塗り塗料が塗られている
・各階に五つの窓があり板ガラスがはまっており、ブラインドがついている
・建物側面
・二つずつの窓があり、一階の窓には鉄柵がある
・建物背面
・中庭があり、豚・鶏・兎がいる
・中庭突き当たりに薪を置く小屋あり

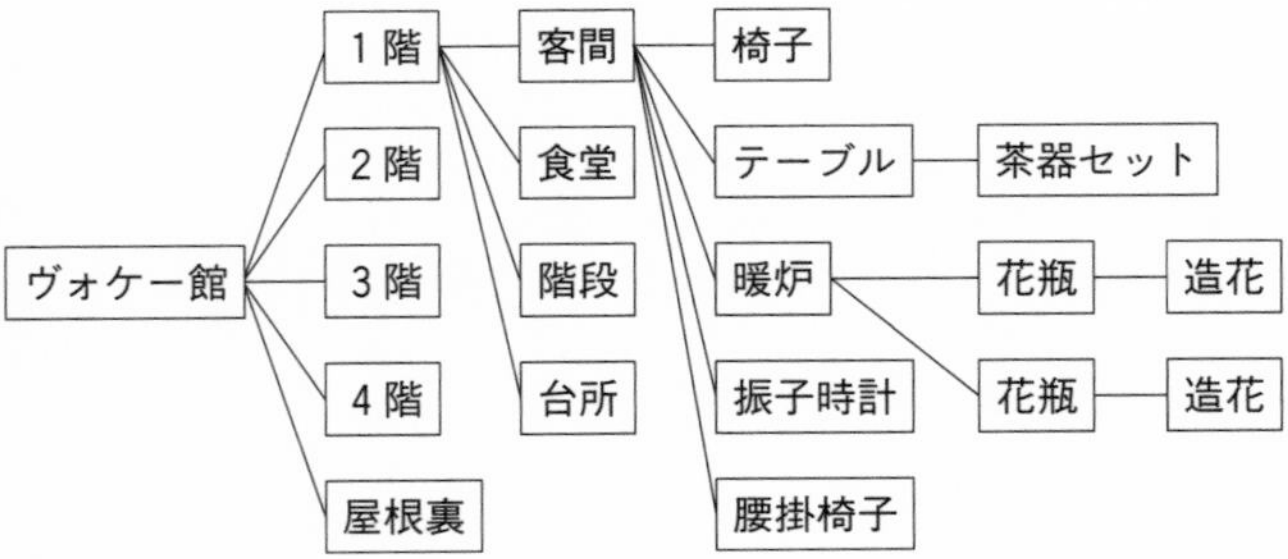

図：ヴォケー館１階の構成要素

・小屋と台所の窓の間に食品貯蔵用の戸棚あり
・中庭にヌーヴ＝サント＝ジュヌヴィエーヴ街に面する門あり

先ほどの建物の周囲と同じように、空間の造りとそこにある物が几帳面にと言いたくなる細かさで示されている。ここでも建物全体の様子（四階建て）を伝えた後で、正面から出発して、側面、背面へ、ぐるりと建物の周りを巡るように細部へ向かって移動している。現在の技術でいうなら、ヴァーチャルリアリティのヘッドセットを装着して、CGで制作された空間のなかを歩きまわるような感覚にも似る。バルザックの文章を面倒がらずに読むなら、読者は脳裡でヴォケー館がどのような建物なのかをイメージできるようになっている。

建物の描写が終わると、今度は間取りの説明が続く。ここも要約して示せばこうなる。

・一階：客間《サロン》／食堂／階段の吹き抜け／台所

以上のような一階を構成する部屋を並べたあとで、客間から順に部屋の様子やそこに置かれているものの様子が綴られる。全体と部分の関係、部分同士のつながりへという記述の手順は、どうやらバルザックが空間を描写するアルゴリズムのようだ。そしてもうお分かりかもしれないが、さらには各部分がどのような要素から成り立っているか、部分とその部分の関係が示される。例えば「客間」ならこんな具合に（以下では要素を抽出している）。

・客間：肘掛椅子／椅子／テーブル／白磁器製の茶器セット／床張りと壁紙／石造りの暖炉／造花入りの花瓶二つ／大理石の振子時計

ここでは省略しているが、茶器セットはテーブルに載っており、造花入りの花瓶は暖炉に載っている、という具合に物同士の関係も示されている。その空間記述は、物と物の包含関係を表してもいる。これを少し省略したかたちで図示した（八〇ページの図）。

図にはヴォケー館の一階についてのみ示したが、この要領で「パリ」や「ヌーヴ＝サント＝ジュヌヴィエーヴ街」、「ヴォケー館周囲」も反映できるのはお分かりだろう。バルザックが、空間や物をぽつんと単独で置かず、互いにどのような位置関係にあるのか、そのエコロジーを律儀に示しているために、このような図を描けるわけである。

また、ここでは大幅に省略して書いたが、これらの調度類を解説するに際して、バルザックは「侘しい」「お粗末」「悪趣味」といった形容を挟み、そこで供される「粗末な食事」やここに籠もった「かびくさい匂い、饐えたような匂い」を強調している。というよりも、ヴォケー館の客間がいかにみすぼらしいかを列挙するために、そこに空間や置かれた物を細々と書き出しているのだとさえ思えてくる。

さらに酷いという食堂はこんな具合。

・食堂：食器棚／水差し／ナプキンリング／陶器の皿（複数）／ナプキンとそれを入れる箱／晴雨計／額に入った版画／掛時計／陶器製ストーヴ／アルガン式ケンケ燈／テーブルクロス／細長いテーブル／椅子／靴ふきマット／足温器

右の一覧では省いたが、それぞれの物には「べとべとする」「艶の消えた」「脂じみている」「みじめったらしい」「みすぼらしい」といった形容がついている。要するに古びておんぼろの下宿屋であることがこれでもかと書かれているのである。いま、大幅に要約して書き出したことを、バルザックはここで参照している邦訳書でたっぷり三ページほどを費やして書き込んで、揚げ句の果てにこんなことを言う。

こうした家具類がいかに古び、ひび割れ、腐り、がたがたし、虫食い、片端で、めっかちで、半身不随で、息絶えだえであるかを説明しようと思えば、詳しい描写をしなければならないが、そうなればこの物語の進行をあまりにも遅らせるにちがいなく、そんなことはせっかちな人びとが許してくれないだろう。

（同書、一四ページ）

つまりは「今日のところはこのくらいにしといたるわ」というわけなのだが、バルザックがこう書いているのは小説の冒頭から数えて一〇ページめのことである。念のために言えば、舞台の描写がひたすら続き、まだ出来事らしい出来事は生じていない。

こうしたバルザックの描写は、そうしようと思えばこれを元にして建物と周囲の空間を図面に起こせるだけの材料を提示している。例えば、ソヴィエト連邦の映画監督、セルゲイ・ミハイロヴィチ・エイゼンシュテイン（一八九八―一九四八）は、モスクワの映画学校で行った講義で『ゴリオ爺さん』を取り上げて、学生たちに作中のある場面の演出を考えさせている。講義録には、ある学生が描いたヴォケー館の図面をもとに議論する場面がある。[*1]

また、フランス文学者の伊藤幸次は、そうしたエイゼンシュテインの講義に触発されてやはりヴォケー館の周辺と館内の各階の図面を起こし、検討を加えている。[*2] その結論だけ述べればヴォケー館は、一・二階と三階より上の辻褄が合わず「現実にはありえない建物」との由。見方を変えれば、バルザックが各階について図面を描いて比較できるだけの描写をしているためだとも言えるだろう。もしそこまで詳しく記述していなければ、階同士の矛盾が気になるようなこともなかったと思われる。

ここから推測するなら、バルザック自身はヴォケー館の各階の図面を描いた上で描写したのではなく、この小説の必要に応じて各階の様子を設定したのだろう。というのも、後でも触れるようにヴォケー館は一階が客間と食堂と台所などの共同スペースで、二階から上が下宿なのだが、二階が最もよい部屋で、三階、四階と上がるにつれて安くて狭い部屋というふうに、部屋の高さと家賃の安さが関係しており、当初は羽振りがよく、二階のよい部屋に住んでいたゴリオ爺さんが、次第に落ちぶれるとともに上の階へと部屋を替えてゆく、という小説上の仕掛けもあってのこと。

3. 人間の生態学

ヴォケー館の一階の様子をあらかた描写し終わったところで、ようやく人物たちにスポットがあたる。朝七時、食堂に飼い猫とまずは我らがヴォケー夫人が姿を現す。

めかしたつもりのチュールの帽子の下から、ゆがんだかもじを垂れ下がらせて姿を現わす。彼女は、形のくずれたスリッパを引きずりながら歩く、真ん中から鸚鵡《おうむ》のくちばし型の鼻が突き出ている。彼女のぼってりと脂ぎった老《ふ》けた顔、ふっくらとした彼女の小さな手、教会の鼠《ねずみ》みたいにまるまると肥《ふと》った身体《からだ》、はちきれそうにゆらゆら揺れる胸もとなどは、不幸がにじみ出、打算がもぐりこんでいるこの部屋とみごとに調和しており、夫人は、いやな匂いのするこの部屋の生暖かい空気を吸っても、べつに胸が悪くなることがないらしい。秋の初霜みたいに寒々とした彼女の顔、踊り子たちに要求されるようなお愛想笑《あいそわら》いから、手形割引人の苦虫を噛《か》みつぶした渋面へと、すばやく表情の変化する皺《しわ》だらけの目もとなど、要するに彼女の風貌《ふうぼう》全体がこの下宿を説明し、同時にこの下宿が彼女の風貌を予想させる。監獄は看守なしには成り立たないのであり、読者は、その一方なしには他方を想像できまい。この小柄な女が生白く肥っているのは、こんな生活の結果であって、それはチフスが、病院の発散する悪い空気の産物であるのと同じなのだ。ほころびた布地の裂け目から綿がのぞいている、古いドレスで作ったスカートの下からはみだした、彼女の毛編みのペチコートが、客間、食堂、小庭を要約し、台所を予告し、下宿人たちを想像させる。彼女の姿がそこにあってはじめて、この光景が完成する。

（同書、一四―一五ページ）

描写はさらに続くのだが、ここで切ることにしよう。随分な言われようだ。バルザックはヴォケー夫人の服装（帽子、スリッパ、スカート、ペチコート）と容姿と行動（歩き方、鼻、顔、手、胸もと、目もと、表情）の特徴を描いている。加えてここが面白いところで、ヴォケー夫人とヴォケー館の関係について、両者は「みごとに調和」しており、「彼女の風貌全体がこの下宿を説明し、同時にこの下宿が彼女の風貌を予想させる」とも指摘している。つまり、ヴォケー夫人が生活することによってこの館の周囲や内部の現状がつくられ、その館での生活によってヴォケー夫人がいまあるようになったということだろう。ヴォケー夫人とヴォケー館は、互いに互いを変化させあう環を描くように、照応しあっているというわけである。

ここには、環境が人をつくり、人が環境をつくるというバルザックのものの見方が反映されていると思われる。それこそエコロジカル（生態学的）な見方というものだろう。ヴォケー館やそこにある一つひとつの物が、ヴォケー夫人の生活やものの見方と関わりを持っている。

実際のところ、人間の生態は捕らえがたいものだ。人の性格や内面が、その言動や外面とどのように関わりあっているかということは、いまもって必ずしも自明ではない。だが、同じ職場でも机のまわりの様子は人それぞれだったり、都築響一の写真集『TOKYO STYLE』（一九九三）に写し取られた人びとの部屋に、それぞれの生活の仕方のちがいが現れたりしているように、あるいはどのような経験を重ねるかによって人の言動の仕方や服装も変わりうるように両者は無縁ではない。

バルザックが考えていたかもしれないことをもう少し明確にするなら、少し時計の針を巻き戻してみればよい。『ゴリオ爺さん』に描かれた時点でヴォケー夫人は五〇歳くらいで、小説冒頭に示されていたように下宿屋をはじめて四〇年だというから、そのくらい遡ればよいだろう。[*3] ヴォケー館は建てられたばかりで、これから新たに下宿屋を営み始めるというところ。仮にこのとき、室内やそこに置かれた調度品も新しいものだとしよう。そこに若かりしヴォケー夫人がいる。このヴォケー夫人はどのように行動するか。とりわけヴォケー館の内装やそこに置くもの、日頃の清掃や整理について、どんな好みや方針を持っているか。そうした好みやものの考え方自体、時とともに、他の人びととの交流やさまざまな経験を経て変わってゆくかもしれない。バルザックが描く客間や食堂の惨状を見る限りでは、ヴォケー夫人はあまり熱心に掃除をしたり壁紙を貼り替えたりするわけではないようだ。また、室内に置かれる道具や装飾は、もっぱらヴォケー夫人の折々の趣味と懐具合によって選ばれてきたのだろう。

ヴォケー夫人には起きてから寝るまでの日々の生活のルーティンがあり、下宿人の出入りや生活があり、それらが一日一日と積み重なることで、ヴォケー館は時間をかけて変化し、ヴォケー夫人も変化してきた。その時の堆積した結果がここには記されている。

4. TRPGのように

ところで、バルザックによるヴォケー館の案内を読んでいると思い出されることがある。まるでテーブルトーク・ロールプレイングゲーム（TRPG）で遊んでいるときのような気分なのだ。これは少し説明が必要かもしれない。

TRPGとは、人間同士で遊ぶゲームである。参加する人はそれぞれ、架空のキャラクターになりきって、そのキャラクターが生きている世界で冒険を楽しむ。ロールプレイングを「ごっこ遊び」と訳してもよい。例えば、J・R・R・トールキンの『指輪物語（The Lord of the Rings）』（一九五四―一九五五）の中つ国（ミドルアース）を舞台として、そこに登場する魔法使いのガンダルフやホビットのビルボ・バギンズとして旅をするという具合。もちろん、オリジナルの舞台とキャラクターでもよい。

こうしたゲームは、一九七四年にアメリカで発売された『Dungeons & Dragons』（Tactical Studies Rules、後にTSR）を嚆矢として、現在にいたるまで多様なルールブックがつくられ遊ばれている。ついでながら、コンピュータゲームの一大ジャンルとなっているRPGは、もとはといえば、このTRPGをコンピュータで一人でも遊べるようにしたものだった。

TRPGは複数の人で遊ぶ。そのうちの一人は「ゲームマスター（GM）」という語り部のような役割を担う。残りの人は「プレイヤー」として、先ほど述べたようにめいめいキャラクターを演じる。ゲームマスターは、遊びの舞台となる世界や、そこで生じる出来事をシナリオというかたちで予め用意しておく。いざゲームが始まったら、そうした設定に基づいてプレイヤーたちに口頭で状況を説明する。一例を示してみよう。

GM：いま君たちは「白い牝鹿亭」という宿屋の食堂にいる。陽はとっぷり暮れて外は真っ暗。食堂には君たち三人の他に、六人ほどいてめいめいテーブルで酒を飲んだり肉にかぶりついたりしているよ。三人とも旅の途中で今夜はこの宿に泊まることにしたところで、まずは腹ごしらえと食堂にいるわけだ。君たちはまだ互いに知り合いではないことに注意して。
A：食堂の広さとおおよそのものの配置はどうなってる？
B：私たちそれぞれの座ってる場所も知りたいな。
C：あと、メニューもね！
B：この世界って、ビールあるのかな。
GM：そうそう、それをいまから説明しようと思ってたところでね……

こんなふうにGMは語り部として、プレイヤーのキャラクターたちが置かれた状況を言葉で説明する。プレイヤーたちは、GMに状況のさらに詳しい説明を求めてもよいし、状況に応じてどんな行動をとるかを決めてGMに伝えることもできる。

GM：食堂の一角でガタッと椅子を蹴って立ち上がる音がするよ。「おい、バカにしてんのか？」という怒鳴り声も聞こえる。
A：やれやれ、おちおち飯も食っていられやしない……
C：そっちを見たいけど、因縁つけられそう。
B：私はそっと部屋に戻りたい。
GM：いいよ。Bさんは六面ダイスを一つ振って、二以下が出たら無事に部屋に戻れる。三以上が出たら……何が起きるかは起きてみてのお楽しみ。
B：ちょw　成功確率低くないですか？
GM：そうでもないよ。なにしろBさんの位置から部屋に戻るには、因縁男のそばを通らないといけないからね。それでもBさんは「忍び足」の技能を持ってるから成功確率も高いほうだな。はい、ダイスを振った振った。AさんとCさんもどうするか決めてね。

こんなふうに各プレイヤーは、自分のキャラクターの行動を選ぶ。ただし、現実世界と同じで、なんでも選べるわけでもなければ、なんでも選んだ通りになるわけではない。TRPGにはルールブックがあり、その世界がどのような場所で、そこでなにかが生じる際やキャラクターが行動する際に従うべきルールが決められている。例えば、天候の変化、季節の移ろいといった自然現象やものが落下したり衝突する際の物理法則（場合によっては魔法も含む）、動植物やその他の生物や種族の存在と相互関係、各種生物が形成する社会の居住形態や統治形態、経済の仕組み、あるいは発明・流通している技術や知識など、要するにその世界を動かすために必要となる要素全般に及ぶ。ときとしてＴＲＰＧのルールブックは何冊にもわたる架空世界の百科全書のようなものになる。

また、ここまでのところでは説明しなかったが、キャラクターにも各種の設定があって、「キャラクターシート」と呼ばれる紙に記されている。そこにはキャラクターの名前、種族（人間かエルフかドワーフかなど）、性別、年齢、職業、体力、知力、敏捷さ、頑丈さ、魅力、使える言語、習得している各種技能、持ち物といった、そのキャラクターを構成する要素が載っており、どのような人物で、なにをできるのかが示される。私たちの世界でいうところの履歴書のようなものだ。

以上に述べた世界設定とルール、キャラクター設定、ＧＭが用意したシナリオ、プレイヤーの行動選択が絡み合って、ゲーム中の出来事が生じ、その場面でなにができるのか、どのくらいの確率でうまくいくのか／失敗するのかといったことが決まるわけである。その際、ＴＲＰＧではしばしばサイコロが使われるが、これは出来事の不確実さ、「他でもありえた」という潜在性あるいは偶有性の感覚、プレイヤーの立場からすれば運の良し悪しという感覚をもたらす。

また、TRPGでは、しばしばGMが説明する空間の様子を、プレイヤーたちはマップとして描いたりする。部屋の広さ、入口はどこにあるのか、どこに何が置かれているのか、他の部屋につながるドアはあるか、窓はどうか、物音はするか、匂いはするか、といったGMによる描写を手がかりとして、そこがどのような場所なのかを図にしてみるわけである。

そうした場所や状況の描写は、なんのためにあるのかといえば、それを聞いたプレイヤーたちがどのような行動をとるかという行動選択の材料を与えるためである。GMはゲームで遊ぶのに先立って舞台とシナリオを用意しておくが、プレイヤーたちがどのような行動をとるかはあらかじめ決まっているわけではない。GMの説明を聞いたプレイヤーたちがその場で考え、思いつくことを試すので、GMからすれば「こういう状況を用意すれば、こんな行動をとる可能性があるだろう」といくつかの可能性を予想はできても確定はできない。どうなるかある程度は予想できる、しかし実際どうなるかは予想しきれない、というのがTRPGの醍醐味だ。

例えば、先ほどの具体例でいえば、酒場でケンカが起きる。プレイヤーはどうするか。見物を決め込む。巻き込まれる。仲裁に入る。その場を立ち去る。ケンカに加わる。無視して食事を続ける。といった行動をとるかもしれない。だが、これに尽きるわけではない。突然窓ガラスを割るとか、奇声を上げるといった行動を選ぶプレイヤーもいるかもしれない。とはいえ、なんでも可能なわけではない。この世界やキャラクターの設定と目の前の状況から生じうること、可能なことは制限を受ける。例えば、その世界に存在しないスマートフォンを使うことはできない。他方で、魔法が存在する世界であれば、呪文を唱えることで姿を消したり人を眠らせたりできる。

などと一見迂遠な説明をしたのはわけがある。ここまで見てきたように、バルザックは小説内世界でなにかしらの出来事が生じるのに先立って、少なからぬ文字を費やして空間や人物を念入りに描写してみせていた。これは言うなれば、そこがどのような世界なのかという設定だった。世界設定は、そこで生じうる出来事をある幅のなかに制限する。見方を変えれば、その範囲のなかでなら、多様な状態が生じうるのであって、そのうちのどの状態が生じるかは事前には予測し尽くせない。ちょうどTRPGのゲームマスターが、ルールブックの定めるルールを前提として世界や人物を設定し、生じうる出来事の可能性とその連鎖をシナリオとして準備するのと似て、バルザックは実在のパリという都市の特定の地域、あるいは同時代の住人たちの生き様や風俗、さらには逐一明示こそされないもののこの地球という惑星に働いていると考えられる自然法則や当時のフランスの社会を統べていた法律、各種の風習などを土台として、そこにヴォケー館やヴォケー夫人の設定を重ねている。さて、こうした世界の設定からなにが生じるだろうか、というわけである。

TRPGのゲームマスターは、プレイヤーの行動選択によって生じうる出来事を想定し、世界とシナリオを設計する。なんでもかんでも起きるのではなく、ある幅のなかで条件の重なり合いからなにかが生じる、そういう出来事の条件を設計している。これを一言で「潜在性のデザイン」と呼んでおこう。バルザックもまた『ゴリオ爺さん』の冒頭で、ヴォケー館や人物の設定を通じて、その作品内世界で生じうる出来事の潜在性をデザインしている。言葉を変えていえば、プログラムを組んでいるのだと言ってもよい。コンピュータの場合、プログラムはあるコンピュータがとりうる状態を、目的に合わせて制限するためのものだった。例えば、文字を入力して文章を作成するためのプログラムでは、オセロで遊んだり、音楽を再生させたりするのではなく、画面に入力された文字を表示したり修正したりするようにあらかじめ条件を設定している。

ここでバルザックに注目しているのは、彼が作品内世界のエコロジーに自覚的であり、また、世界設定というプログラムを明示する作家であり、その小説で行われていることは、直接的間接的に、さまざまなスタイルの小説を検討するためのモノサシのように機能すると期待してのことだった。こうしたバルザック作品の性質は、シミュレーションをつくるのにも適している。

では、そのように設計された潜在性は、小説の進行とともにどのように顕在化するのか。

多くの小説においては、世界や登場人物には解決したい課題や達成したい状態がある。ヴォケー館に集う面々も、それぞれがなにかしらの希望や欲望や課題を抱えている。ここまで検討した世界設定と小説開始時の初期設定から、各人の状態と行動はいかに生じるのか。次章でその様子を見届けよう。

第4章　社会全体に網を掛ける方法

1. 下宿の階は懐具合

ヴォケー館は四階建てで下宿人は七名。他に夕食だけ食べにくる契約の客もいるようだ。一階は、客間と食堂と台所と階段室などの共同スペースだった。バルザックは、それに続いて二階から上に向かって描写してゆく。人物をどのように描いているかという点に注目しながらその様子を見ておこう。こんなふうに記されている。引用中の❶という番号は、人物を区別するために山本がつけたものである。

二階には、この建物で最上のアパルトマンがふたつあった。❶ヴォケー夫人がその小さいほうに住み、もう一方は、❷共和国陸軍の支払命令官未亡人クーチュール夫人の住居になっていた。この未亡人は、彼女が母親がわりになってやっている、❸ヴィクトリーヌ・タイユフェールという、まだ非常に若い娘と暮らしていた。このふたりの女性の下宿料は、千八百フランだった。

三階のふたつのアパルトマンに住んでいるのは、❹一方はポワレという名前の老人、❺もう一方は、黒い毛の鬘《かつら》をかぶり、頰髯《ほおひげ》を染め、商人あがりと称している四十がらみの男で、ヴォートランさんと呼ばれていた。

四階は四つの部屋からなり、そのうちのふたつを、❻一方はミショノー嬢という名前の老嬢が、❼もう一方は西洋素麵《ヴァーミッセリ》やマカロニ類や澱粉《でんぷん》の製造業者あがりで、みんなからゴリオ爺《じい》さんと呼ばれつけている人物が借りていた。残りの二部屋は、❽渡り鳥たち、すなわちゴリオ爺さんやミショノー嬢同様、食費と住居費に月四十五フランしか使えない不運な学生たちに宛《あ》てられていた。

（『ゴリオ爺さん』平岡篤頼訳、新潮文庫、一六―一七ページ）

ご覧のように、大きくは二階から四階へと、ヴォケー館を下か

屋根裏		洗濯物干部屋	クリストフ	シルヴィー	
4階	45フラン	ミショノー嬢	ゴリオ爺さん	学生	学生
3階	72フラン	ポワレ		ヴォートラン	
2階	150フラン	ヴォケー夫人		クーチュール夫人 ヴィクトリーヌ・タイユフェール	
1階		台所	階段部屋	食堂	客間

表：ヴォケー館の各階下宿料と下宿人

ら上に階段を上ってゆくように進む。ここで改めて『ゴリオ爺さん』冒頭からの空間描写を振り返るなら、パリ↓ヌーヴ＝サント＝ジュヌヴィエーヴ街↓ヴォケー館敷地↓ヴォケー館↓一階↓二階↓三階↓四階と移動してきた格好だ。記述としては「ある場所」、「そのなかのこの場所」、「そのまたさらにそのなかのこの場所」という具合にマトリョーシカ人形めいた空間の関係が示されている。

では、二階から四階にかけての記述では、なにが記されていたか。要約すれば次のとおり。

・下宿料
・部屋の住人
・その階の部屋数

下宿屋という場所柄当然といえば当然かもしれないが、バルザックが逐一下宿料を明記しているのは面白い。これをまとめておけばこうなる（表）。ただし表では、右の引用部分以外の個所からも補ってある。また、二階の下宿料は「千八百フラン」とあり、これは年額だと思われる。表では比べやすいように、これを一二で割って月額を示した。

つまり、階が低いほど広くて下宿料は高く、階が高いほど狭くて下宿料も安い。このヴォケー館の垂直方向の位置が、下宿人の経済的状況を表すモノサシとなるわけである。

小説が始まる時点でこそ四階の住人となっているゴリオ爺さんだが、彼がこの館にやってきた当初は一二〇〇フラン（月額一〇〇フラン）を払っていたというから、二階に間借りしていたのだろう（三一ページ／以下ページ数は前掲の『ゴリオ爺さん』）。それが下宿を始めてから二年目の終わりには、三階に移って下宿料を九〇〇フラン（月額七五フラン）にしたいと申し出て、ヴォケー夫人をがっかりさせている（四二ページ）。そしてとうとう三年目の終わりには四階に移って月四五フランを払うようになった。という具合に、はじめはひと財産をつくって引退した商人として裕福だったゴリオ爺さんが、時間とともに経済的に没落してゆく様子がヴォケー館内の階から階への移動にも表れているのだった。

ついでに言えば、ゴリオ爺さんがヴォケー館に来た当初は、そんなわけで身なりも羽振りもよく、経済的にも安泰だったこともあり、ヴォケー夫人は「ゴリオ氏が彼女の下宿へ引越してきた日、（略）亡夫ヴォケーの経帷子《きょうかたびら》を捨ててゴリオ夫人として生れ変りたいという欲望に襲われ」たそうな（三四ページ）。彼女はしばらくの間、この夢を本気で実現させようと考えていたようで、その様子をバルザックは描いている。ただしゴリオ爺さんの経済的な零落とともに夢はしぼんでゆき、やがてヴォケー夫人がゴリオ氏に（勝手に）寄せていた好意は嫌悪に変わるのだった。この小説でなんらかの行動が記される人物たちは、それぞれが欲望を抱いている。それが時とともに、状況の変化とともにどのように変わってゆくのかを作家は記している。

そこでシミュレーション制作者としても、この世界の人間に、なんらかの「欲望」を設定する必要がある。ただし、人の欲望がどのように生じるのかについては、現実においてもいまだよく分からないところも多く、そのメカニズムのようなものをつくるのは難しい。そもそも人が抱く欲望は、自分だけでそうなるというよりは、暮らしている環境のなかでさまざまな出来事や他人の生き方に触れたりすることで生じたり変わったりする面がある。そう仮定するなら、欲望をシミュレーションするには、社会をシミュレーションしなければならないわけだが、「社会」といえば分かったような気になるものの、その実よく分からないこの概念を、いったいどのようにつくることができるか、これはなかなかの難題である。

そこは措くとして、どんな欲望を抱いているかという状態を設定することならできそうだ。つまり、なんらかの「なりたい状態」がある、ということにして、その状態をシミュレーションにおいて実現できるようにつくるわけである。先ほどの「ゴリオ氏と結婚したい」という欲望は分かりやすい例である。

とはいえ、ヴォケー夫人に秋波を送られたゴリオ氏が、どうしたら合意するのか、しないのかといった点については、これもまた実際の仕組みが分かっていないことでもある。

シミュレーションでもなんらかの意思決定のモデルを組み込んで、最後はサイコロでも振って決めるしかいまのところは手がないかもしれない。という具合に、人間の欲望や行動や意思決定という次元については、途端にシミュレーション制作が難しくなる。これは言うなれば、私たちが現実において自分を含む人間について、なにをどの程度理解できているのかということにも依存する。小説では、ただ人がそのような欲望を抱いたと書けば済むところなのだけれど。

ただし、シミュレーションの面白いところは、現実にはよく分かっていないことについても、仮にモデルや因果関係を設定して、その結果どうなるかを試してみることができる点にある。例えば、ゴリオ爺さんにとってのなによりの欲望（あるいはこの場合、願望というべきか）は、娘たちの幸福（ゴリオ爺さんから見た幸福）を実現することにある。そのためであれば、自分の経済的にゆとりのある快適な生活を犠牲にするほどだ。ヴォケー夫人がゴリオ氏と結婚するためには、ここに割り込むというか、共存する必要があり、またゴリオ氏の同意を得る必要がある。

2. 人物のどこを見るか

話をヴォケー館の住人たちに戻そう。先の引用で人物はどのように描かれていたか。そこではヴォケー館のどの部屋に誰が住んでいるかを示すのが主目的のためか、それぞれの住人についての描写はさほど多くない。ただ、そんな中でも描写の濃淡が見える。各人物の形容はこんなふう。行頭の番号は引用文中に入れておいた番号と対応している。

❷クーチュール夫人：共和国陸軍の支払命令官未亡人、ヴィクトリーヌの母親がわり
❸ヴィクトリーヌ・タイユフェール：非常に若い娘、クーチュール夫人と同居
❹ポワレ：老人
❺ヴォートラン：黒い毛の鬘、染めた頰髯、自称商人あがり、四十がらみ
❻ミショノー：老嬢
❼ゴリオ爺さん：西洋素麺《ヴァーミッセリ》・マカロニ類・澱粉の製造業者あがり

身分、性別、年齢に関する記述が中心であるところ、ヴォートランについては外見が、ゴリオ爺さんについては職業が少し具体的に述べられている。この二人は『ゴリオ爺さん』においてスポットライトが当たる人物でもあった。

人物の描写ということで言えば、いま引用した個所に続いて、ゴリオ爺さんやミショノーと同じく四階に住む学生に注意が向けられている。❽として「渡り鳥たち」あるいは「不運な学生たち」とまとめられていた人物の一人が、こう描写されている。

その二部屋の一方は、アングレーム近在からパリへ法律を勉強しに来た青年の住居になっているが、子だくさんの彼の家族は、彼に毎年千二百フランの仕送りをするため、この上もなく切りつめた生活を送っているのだった。ウージェーヌ・ド・ラスティニャックは、というのはそれが彼の名前だが、逆境のために刻苦精励に慣れたあの青年たち、若いときから両親が彼らにかける期待を理解していて、すでに彼らの学業の効力を計算し、また真っ先に社会から利益をしぼり取る人間となるために、あらかじめその学業を社会の未来の動きに適応させて、すばらしい出世を準備しているといった青年たちのひとりだった。彼の好奇心に満ちた観察や、パリの社交界に巧妙にはいりこむにいたったその手腕がなかったなら、この物語も真実味あふれる色調に色どられることはなかったにちがいなく、その真実味は、たぶん彼の聡明《そうめい》な精神と、ある恐るべき状況の秘密を探り出そうとする彼の欲望のおかげということになる。

（同書、一七―一八ページ）

本作のもう一人の主人公とも言うべきラスティニャック青年である。ここにはなにが記されているか。第一文で、アングレームという出身地、法律を学ぶという目的、家族の経済状態が記される。月四五フランの部屋に住んでいる彼は、下宿代だけで年に五四〇フランを必要とする。仕送りが一二〇〇フランだとすると、差し引きで六六〇フラン。下宿代には食費も含まれているので食と住にはとりあえず困らないといったところか。その一二〇〇フランの仕送りのために家族は生活を切り詰めているというから、裕福ではない様子が窺える。後に彼の実家の年収はおよそ三〇〇〇フランとも記されている（五二ページ）。

第二文では、家族の期待を背負って立身出世を狙う青年たちがおり、ラスティニャックもその一人という具合に、似たようなタイプの人びとがいることを述べてから彼をそこに属するものと分類している。同時代にいた典型的な人物の一種ということだろう。そして第三文は、好奇心、聡明な精神、欲望といったラスティニャックの性格について述べられている。社交界に入り込む手腕という表現は、この後の小説の展開を予示するものだ。

こうしたくだりの書きぶりを見ると、ここには直に姿こそ見せてはいないものの、語り手の存在が感じられる。というのも、当時のパリに野心を抱いた青年たちが集まっていたことや、これから読まれるはずの小説の行く末を踏まえてこんなふうに語ることができるのは、作者であるバルザックをおいて他にはいないわけだから。

そんな具合でヴォケー館の四階に暮らすラスティニャック青年までを一瞥したあとで、作家の筆はどこへ向かうのか。そろそろ話が動き始めるだろうか。そう思っていると、改めて各人物の紹介が始まる。

ミショノー、ポワレ、ヴィクトリーヌ・タイユフェール、クーチュール夫人、ウージェーヌ・ド・ラスティニャック、ヴォートランという順で、どうやら今度はヴォケー館の階とは別である。最初の二人、ミショノーとポワレについては外見を中心に描写され、どんな過去を送ってきたのかについてはいくつかの推測が並ぶばかりではっきりとはしない。タイユフェールとクーチュール夫人についてもやはり外見について細々と記しているが、それに加えて彼女たちの境遇も記されている。その次のラスティニャックについては、ヴォケー館の案内時にそれなりに説明があったためか、ここでの説明はこんなふうに比較的短い。

ウージェーヌ・ド・ラスティニャックは、色白の肌、漆黒の髪、青い目といった、いかにも南国人らしい風貌《ふうぼう》をしていた。彼の物腰、挙措、習慣的な姿勢は、幼時の教育が趣味のいい伝統的な躾《しつけ》だけから成り立っていたことを示していた。たしかに彼は衣服を大切にし、普通の日は去年の服をすりきれるまで着ていたけれども、それでもときには、上品な青年の服装で外出することができた。ふだんは彼は、古びたフロックコート、粗末なチョッキを着、色あせた、だらしなく結んだ、いかにも学生らしい安物の黒ネクタイを締め、これも似たりよったりのズボンに、半張りを換えた古靴をはいていた。

（同書、二五ページ）

なにが記されているか。肌、髪、目の色。物腰、挙措、姿勢。普段身につけている粗末な服の組み合わせ。こうしたことが並べられている。いずれも外見に関わる要素だ。バルザックは「これらの下宿人たちが、多かれ少なかれ外目にも明らかな不幸の重圧にあえいでいるらしいことを告げていた。だからこの下宿の内部の呈している侘《わび》しいながめは、やはりうらぶれた常連たちの服装にも反復されていた」（一九ページ）とも述べており、人びとの経済状態や精神の状態が外見に現れるとみていたようだ。

最後のヴォートランに至っては、外見に加えて性格や言動、日々の暮らしぶりを含めて、どんな人物であるかが詳しく記述されている。とりわけ「辛辣《しんらつ》な警句を発して、法律を愚弄《ぐろう》し、上流社会を罵倒し、そうした社会の行動が自己撞着《どうちゃく》していることを証明しようとするかのようだったが、そうしたことは、彼が社会に怨《うら》みをいだいていること、彼の生活の奥底に、念入りに隠されたある秘密があることを想定させるはずだった」（二八ページ）というヴォートランを紹介する段落の結びの一文は、強調のために少し大袈裟に書けばヴォートランと世界のあいだに解消せずには済ませられない火種のようなものがあることを示唆している。

バルザックは「このような人間の集まりは、小規模ながらも、完全な社会を形作るすべての要素を提示するはずで、事実提示していた」（二九ページ）と、その抱負を作中で述べている。「完全な社会」というのがどの範囲を指すのかは分からないが、範囲はともあれ、より広い複数の人間たちからなる社会がどのような要素からできているかを、このヴォケー館と住人たちが縮図として表しているというわけである。また、貴族に嫁いだゴリオ爺さんの二人の娘や、「上流社会」に食い込んでいこうとするラスティニャックの行動を通じて、ヴォケー館には直に示されていない社会のもう一つの側面もこの小説に描かれていることも言い添えておこう。バルザックは、パリという都市ひとつをとっても、到底描き尽くせないと弁えた上で、それでもなお限られた人びとの言動を通じて、社会のありようを捉えようとしているようだ。

さて、ここでは省略せざるを得ないが、右に見た人物紹介の最後にいよいよゴリオ爺さんが登場する。彼がもとは一財産をこしらえた商人であることやヴォケー館に来た当初のこと、次第に落ちぶれていったことは先に述べた通り。バルザックはゴリオ爺さんの来歴や彼にたいするヴォケー夫人の期待と失望の顚末、さらにはときどき若い女性が彼の部屋に訪れてくること、それは娘なのだが周囲の人びとは勝手に誤解していることなどについて、二〇ページほどを使って縷々説明している。

3. 世界の動態記述と静態記述

この段階ではまだ「作品内世界」は動き始めておらず、ヴォケー館という舞台とそこに暮らす人びとの顔ぶれを作者が紹介しているに留まっている点に注意しよう（ここで参照している邦訳では五〇ページまで進んでいる！）。なぜバルザックは、単刀直入に作品内世界の出来事から筆を起こさず、その手前で世界の状況設定を周到に記すのか。現在も多く行われている小説の書き方では、登場人物の言動やその背景を記すことで、いわば世界を動かしながら、その動きを通じてそこがどのような世界であるかを描写している。これを区別のために、仮に「世界の動態記述」とでも呼んでおこう。これに対してバルザックの場合、小説が始まる時点で世界に流れる時間をいったん止めて（多少そのなかでも時間を前後させることがあるとはいえ）、その状態で、そこがいかなる場所でありどのような状況であるかを記述する。これも名づけるなら「世界の静態記述」とでも言おうか。ただし、この静態記述は、それに続く動態記述のための準備である。動画再生に喩えるなら、一時停止した状態で画面に映る世界を詳しく眺めておいてから、再生してそれがどのように動いてゆくかを見るようなものだ。

あるいは、そのように言うのであれば、小説では動態記述であっても、そのつどの文はその作品内世界のある瞬間の静態を記述しているのかもしれない。小説の作品内世界と文章を流れる時間については、改めてまた別の作品を通じて検討することにしよう。ここではさしあたって、バルザックがヴォケー館と住人たちの静態記述を丹念に行ったあとで、ようやく動態記述へと移っているという構造を確認しておきたかったのだった。

ときに、これはそうした小説の記述からシミュレーションを制作するという観点から見てのことだが、バルザックは、その世界で顕在化した出来事、つまり人物たちの言動やその世界で生じたことだけでなく、その出来事を潜在させている状況ごと提示したいために、こうした設定を詳しく記述しているように思える。この点に関して、前章でテーブルトーク・ロールプレイングゲーム（TRPG）のルールとそのルールに基づいて生じる遊びと物語について触れたのは、いま述べた潜在性と顕在性の関係を目に入れるためだった。そこでは、こうした記述の仕方を「潜在性のデザイン」と仮に名づけてみた。

以上が、この小説開始時におけるヴォケー館の初期設定だとすれば、これからようやく登場した人びと、とりわけゴリオ爺さんとラスティニャックの行動と彼らの身に生じる出来事が中心に綴られてゆくことになる。

作品内世界が動き始めると、作者による描写と人びとの会話が中心となる。バルザックの筆は、特定の人物だけを追うのではなく、神の視点のようにそれぞれの人物に目を向けてゆく。例えば、ラスティニャック青年のある夜の行動を記していたかと思ったら、それに続いて翌朝寝坊をしているヴォケー夫人、そして使用人のクリストフとシルヴィーがコーヒーを飲みながら噂話をするかと思えば、ヴォケー館に入ってきたヴォートランの言動に注意が移る……という案配である。基本的には人物の言動のように傍から知覚できることを中心としながら、ときに人物の内心に触れることもあり、人びとの言動とそれによって変化してゆく各人の状態と人間関係の模様を描くことに眼目があるのだろう。

例えば、パリに出てきたラスティニャック青年は、後ろ盾となる女性を得ることが立身出世にとって重要であると見て、社交界に飛び込んでゆく。かつて宮廷に出入りしていたという伯母に書いてもらった紹介の手紙をボーセアン子爵夫人なる女性に送る。子爵夫人からは舞踏会への招待状が送られてきて、ラスティニャックは社交界へと入ってゆく。その舞踏会で目をつけたアナスタジー・ド・レストー伯爵夫人と何度か踊り、彼女を訪問する手がかりを得る。このレストー伯爵夫人とは、実はゴリオ爺さんの娘であり、奇しくもヴォケー館の住人として顔見知りのラスティニャックとゴリオ爺さんが、レストー伯爵夫人を介してそれと知らずに関係を持つことになる。

作品内世界のエコロジーという点で面白いのは、ヴォケー館についてはあれほど詳しく描写したバルザックでありながら、ラスティニャック青年が訪れる貴族の館については、どうしたことか実に素っ気ないところ。レストー伯爵夫人の屋敷は、表門、中庭、そこに停まっている馬車、控えの間、物置部屋、応接間といった場所の区別こそ記されるものの、そこがどのような内装であるとか、建築や構造であるかといった点はほとんど描写されていないのだ（九四ページ以下）。推測をお許し願えば、焦点の当たる人物の一人であるラスティニャック青年が訪れる先として、貴族の屋敷は描かれるものの、ラスティニャックにとってそこはヴォケー館のように馴染みのある場所、長い時間を過ごして隅々まで目に入っている場所ではないからかもしれない。あるいは作家が一旦動き始めた作品内世界の時間を、小説冒頭の静態記述のように止めないという判断をしているのかもしれない。いずれにしても、これを読む読者の意識内世界では、人によって具体的な屋敷の様子を思い浮かべたり、「応接間」という名称以上の具体的なイメージが浮かばなかったりするところだろう。記述を通じて読者になにを経験させるかという観点からすれば、人物の言動と関係の変化が大事であって、場所はもはやぼんやりしていても構わないのだとも言える。

『ゴリオ爺さん』の検討を通じて、世界の模型としての作品内世界を、バルザックがどのように書いているのかを確認するのがここまでの目的であった。通常の小説論であれば、むしろこの先の展開のほうに目を向けるところだが、ここでは以上の観察でいったん満足することにしよう。

4．社会シミュレーターとしての「人間喜劇」

さて、よく知られているようにバルザックは、一連の小説を「人間喜劇」という総題のもとにまとめている。そこでは、ある小説に登場した人物が、別の小説に登場するという手法が用いられており、これは「人物再登場法」などと呼ばれている。例えば『ゴリオ爺さん』に登場するゴリオ爺さん、ラスティニャック、ヴォートランをはじめとする人びとは、他の小説にも登場している。[*1]

これは「人間喜劇総序」で作家当人が解説しているように、一九世紀のフランス社会の全体を写し取るという構想を、有限の紙幅と文字とで実現するための工夫でもあった。バルザックは、自然、動物界の総体を一冊の本に表そうとした博物学者のビュフォン（一七〇七―一七八八）の企てに倣って、社会についても同様のことを考えたという。生物種を分類するように「社会種」という分類を使って、それぞれの典型的な人物を造形することで、社会の総体を描こうという企てである。

ただし、社会では自然にはない状態が多様に生じる。なぜかといえば、社会は、自然に重ねてあるものだからというのがバルザックの見立てだ。一個の生き物が生物種として変化することはないが、人間の社会では社会種の変動は日常茶飯事である。例えば「食料品屋がフランスの貴族院議員になることもあれば、貴族が時に社会の最下層にまで身を落とすことがある」[*2]。ある人がどんな社会種であるかは、一種の変数であり、条件次第で大きくも小さくも変化する可能性がある。こうした社会種の変化は、ここで見てきた『ゴリオ爺さん』でも、貧乏学生から法曹あるいは貴族の仲間入りを目指すラスティニャックや、豪商から貧窮老人へと身をやつすゴリオ爺さん、あるいは商人の娘から貴族になった娘たちという具合に描かれているのが分かる。このダイナミックな変化はなにによってもたらされるのか。欲望、人間関係（社交界における評価）、金といった要因は、小説にも繰り返し明示されているところだった。

また、もう一点、バルザックは他の動物と対比して人間の特徴を述べている。動物が身の回りに置く物はごくわずかだ。それに対して人間は「今後の探究に俟つべきある法則に従い、自らの風習を、その思想を、その生活ぶりを、自分の欲求に合わせて揃えるあらゆる事物のなかに反映させようとする」[*3]。だからこそ、彼はヴォケー館の内外に置かれた物に至るまで細々と描写し、それぞれの人の服装や容姿を漏らさず写すわけである。現代の小説で、登場人物がスマートフォンを持ち、チャットアプリで他人とメッセージを交換する様子がしばしば描かれるが、スマートフォンやアプリといった道具には、それを使う人の「風習」や「思想」や「生活ぶり」、あるいは「欲求」が表れている。ここでの関心に引き寄せて言い換えれば、人がいかなる環境をつくり、それに囲まれて生きているかというエコロジーの視点をバルザックは持っていたと言えるだろう。

そしてもう一点、「人間喜劇総序」で興味深いのは、バルザックが「社会現象の由って来る諸々の原因、あるいは唯一の原因を極めつくし、人物像や情熱や事件の膨大な集積の裏にひそんでいる隠された意味を摑み取ることに努めるべきではないだろうか」[*4]と指摘しているところだ。多様な社会現象についてその原因を探るとは、言い換えればそうした現象が生じる条件や原理を見出そうとすることだ。

これは先ほどの社会の全体を写し取るという野望を、有限の時間しか持たない人間がなんとか実現しようとする場合に採用できる有力な発想でもある。物理学が運動方程式によって、諸物体の運動を簡潔に記述して、それを用いて例えば（条件がつくとはいえ）天体の動きを予測できるように、人間の社会で生じる現象についても、それを統べる理があるという見立てである。シミュレーションを制作するという観点から言えば、社会のプログラムがどのようなものかを探る試みだ。

そう思って振り返ると、時はあたかもアドルフ・ケトレ（一七九六―一八七四）の『社会物理学試論』（一八三五）やオーギュスト・コント（一七九八―一八五七）の『実証哲学講義』第四巻（一八三九）といった著作を通じて、社会を体系的・科学的に捉える社会物理学（physique sociale）や社会学（sociologie）が提唱されていた時代でもあった。

後知恵であることを承知で言えば、バルザックの小説の構想と構造自体が、いわば社会シミュレーションの試みでもあった。この観点からすると、先に触れた人物再登場法もちょっと違って見えてくる。複数の小説にまたがって同じ人物が登場するのは、たしかに「人物再登場」なのだが、彼や彼女たちはある小説に登場しないときでさえ、同じパリのどこかで暮らして活動しているはずである。パリという都市があり、そこに多様な人びとが暮らしていて、バルザックは作品ごとにある人物なり場所にカメラを向けるようにして注目する。すると、その人物の行動に従うカメラに、街のさまざまな場所やそこにいる他の人物たちも映り込む。バルザックの筆が向かわないところでも、人物たちは活動しているわけである。先ほど「社会シミュレーション」と形容してみたのは、あらましこうした状態を指し示そうとしてのことだった。

ここで文学作品に描かれる作品内世界のエコロジーを検討してみようという試みの出発点として、バルザックの小説を検討したのは、これが文学のエコロジーを考える上で、一つのモノサシのようなもの、あるいは作品内世界のあり方を見て取るための母型《マトリックス》のようなものになると見込んでのことだった。次章では、このモノサシを手にしながらバルザックを離れて、さらに観察を進めてみよう。

第Ⅲ部　時間

第5章　文芸と意識に流れる時間

1．文芸に流れる時間

文芸作品に描かれる世界、作品内世界はどのようなエコロジーから成っているか。これが検討したいことである。ここまでのところ、バルザックの『ゴリオ爺さん』を材料として、もっぱら空間やそこに置かれたモノ、登場する人物などに焦点を当てて検討してみた。

次にもうひとつ、おそらくほとんどの文芸作品においてなんらかの形で表現されていると思われる要素、作品内世界にとって不可欠であると思われる「時間」について考えてみたい。文芸に描かれた世界で、時間はどのように流れているだろうか。

といっても、これは一筋縄ではいかないことが予想される。一口に「時間」といっても、それをなんと考えるかにもいろいろな見方がある。というのは、古今東西における神話や哲学をはじめとする各領域での記述や検討、あるいは物理的な時間と心理的な時間といった区別のことを思い浮かべても想像に難くないだろう。来月の予定や過去の歴史的な出来事の起きた年、あるいは電車の時刻や出退勤の時刻のように、暦と時計に代表される時間は、日常的におなじみのものである一方で、相変わらず「時間とはなにか」ということ自体が、探究を要する課題であり続けている。[*1]

ただ、ここでもっぱら検討してみたいのは、あくまでも文芸作品にかかわる限りにおいての時間である。さしあたっては、暦と時計で区切られ、確認される時間というお馴染みの時間の見方を念頭におきつつ、具体的な文芸作品の検討を通じてそのつど時間についても考えることにしたい。

というわけで、まずは短い文で様子を見てみよう。

2. 古池と蛙

古池や蛙飛こむ水のをと[*2]

よく知られた松尾芭蕉（一六四四—一六九四）の俳句だが、誰がいつ詠んだかといった背景や、蛙は池に飛び込んだか否か、あるいはこれは芭蕉の想像による描写であるといった既存の解釈は脇に置いて、記された文字に注意を向けてみよう。ここにはなにがどのように記されているか。その際は例によって、文字で表されている場面をコンピュータでシミュレートするというつもりで検討してみる。つまり、コンピュータグラフィクスや音、あるいはそれらを制御する物理法則その他のプログラムによってディスプレイに表示される擬似的な三次元空間において具体的に表現するとしたら、という前提である。こうすることで、文字に記されていないこと、記されていないが含意されていることなどを浮かび上がらせやすくなる、と睨んでのこと。

さて、まずは文頭から順に見てみよう。はじめに「古池」がある。具体的にどのような池かは不明だが、「古」と形容されており、ここにはその池が比較的長いあいだ存在していることが示唆されている。念のため『日本国語大辞典』（小学館）を見ると「古くからある池。年代を経ていて、ひっそりと水をたたえる池」と説明があり、歴史的な用例としていま見ている松尾芭蕉の俳句と、もう一つ「古池の水もあまらぬつつみより菊はかりこそ咲こぼれたれ」という歌が出ている。これは『出観集《しゅっかんしゅう》』という平安末期の歌集に見えるもの。鳥羽天皇の第五皇子である覚性法親王《かくしょうほっしんのう》（一一二九―一一六九）の家集だ。

話を戻せば、この「古池」はどのくらい古いものかも分からない。それはそうだとして、この池が出来て以来の時間の長さが「古」という文字に表されている。言うなれば、相対的な時間が表されているわけである。また、「古池」の大きさや深さや形状や水質や水面の色、周囲の様子などは一切省略されているので、これをシミュレーションに仕立てる場合、なんらかの具体的な形状や状態をつくる必要がある。

その「古池」に「蛙《かはづ》」が「飛こむ」。池に対してどのような位置からかは不明だが、池の水面の外側からその水に向かって「飛こむ」のだろう。「古池」がここで描写されている出来事の環境だとすれば、「蛙」はそこにいる生き物で、これがとった行動・動作が記されているわけである。

ところで、どのような種類の「蛙」かは分からない。一口に「蛙」といっても、現在七〇〇〇種以上が登録されているという。*3 この句を詠んだ人が生きた時代と場所に棲息していた蛙の種類が分かれば、可能性を絞ることはできそうだ。仮にそのようにして「蛙」の種類を特定できたとすれば、体の形や色や生態などもある程度分かるだろう。ただしその場合でも、オスかメスか、大きさはどのくらいか、何歳くらいの個体かといったことは、先の句からはやはり不明である。私などはこの「蛙」を一匹だと感じるけれど、何匹いるのかは明示されてはいない。例えば、この句を英訳したラフカディオ・ハーンは frogs と複数形に、ドナルド・キーンは frog と単数形にしている。*4 言い換えれば、具体的にどんな蛙なのかを想像することは読む者に委ねられている。

あるいはそのように具体的に想像しなくても了解できてしまうのが言語表現でもある。仮に「蛙」を知らない人がいたとしても、これが生物であると分かれば、「池」がどのようなものであるかを知っていれば、およそ生じていることは推定できるかもしれない。逆に言えば、これらの語からそうした連想が働かなければ、その人にとっては意味不明の文字列に留まる。

先ほどから（あるいは本書を通じて）繰り返し「不明」と書いている。念のために言えば、それが拙いという意味ではない。そのように省略しても表現できるのが言語である。ただ、言語で表現されたものをコンピュータのシミュレーションとしてつくるという立場から見ると、そこには省略されているために不明のことが山ほどあるという様子がよく目に入る。普段は逐一気にしたりしない言語表現の性質を、そんなふうに確認しているわけだ。

3．飛び込む／音がする

続きも同様に見ておこう。「蛙」が「飛こむ」とは、歩いて水に入るのではなく、転がり落ちるのでもなく、あるいはその他の仕方ではなく、他ならぬ「飛こむ」という仕方で「古池」に入る様子を表している。これも『日本国語大辞典』を見ておけば、四つある語釈のうちの筆頭に「身をおどらせてその中にはいる。勢いよくはいる。おどり込む」とあり、これがこの句での意味である。

この「飛こむ」という語には、「蛙」という生き物がどのような動きをとることができるのかも示されている。少々大袈裟に言えば、「蛙」の身体に潜在している運動能力、行動のあり方の一例が表されている。それと同時に「古池」は「飛こむ」ことができるものであるという次第も窺える。明示されていないものの、「古池」が水の塊であり、その水面に「蛙」が入り込めるという地球上の物理現象が前提となっているわけである。あるいは水は凍っていないことが前提されている。さらには「蛙」が、水に入ることのある生き物であるという認識も示されている。

では、どこから「飛こむ」のか。葉っぱか地面か石の上からかは不明だが、いずれどこかの足場からジャンプして、その結果水面に入り込むのだと思われる。もう少し詳しく言えば、この動詞には次のような一連の運動が含まれているだろう。

飛ぶ（踏み切る）↓（水面に向けて）空間を移動する↓水面に入り込む

「飛こむ」という語は、踏み切った瞬間を指すのか、水面に入り込むところを指すのかなど、読み手によって解釈や連想はちがうかもしれない。また、その運動の軌跡が、放物線を描いたのか、斜め下に向かったのかは不明である。場合によっては漫画のコマ割りのように、「蛙」が足場を踏み切った瞬間に続いて、水に入り込む瞬間をつなぐようにイメージする人がいるかもしれない。私たち読者が、この文字列からどこまで具体的に「蛙」の運動の様子を思い浮かべるか、思い浮かべないかは、人それぞれだろう。いずれにしても、それまでいた場所から跳ねた「蛙」は、途中でなにものかに邪魔されたり衝突したりすることなく、水面へと入っていったようである。そのような運動、あるいは変化、あるいは時間がここには示されている。加えて言えば、この「蛙」以外にもこの世界に存在する生き物やモノがなんらかの運動や変化を生じさせていたはずだが、「蛙」の飛び込みと同時に起きていたかもしれないそうした出来事はここには記されていない。喩えるなら、フレームに「古池」と「蛙」が収まるようにカメラを据えて撮影された映像のようなものである。フレームの外側に世界が存在しないわけではないが、ここには映っていない。

そして「蛙」が「飛こむ」の後には「水のをと」が続く（以下では「をと」の代わりに「音」と記す）。他の可能性を完全に排除するわけではないものの、何事もなければこの「音」は、直前の「蛙」が「古池」に「飛こむ」ことによって生じたものだろう。ある質量をもった「蛙」が、ある水の塊である「古池」の水面に衝突して、そこに音が生じる。どんな音であるかは明示されていない。「水の音」がしたという出来事だけが記されている。その音は「ポチャン」でも「ボチョン」でも「チャプン」でもなんでもよいが、ある時間の幅をもって生じ、変化し、消えるはずである。例えば、時間軸を横方向に、ピッチ（音高）や音量を縦方向にとって目に見えるグラフに表せば、無音の状態から、音が生じるとともにグラフの線が跳ね上がり、音の変化に応じたカーヴなり山を描いたあとで、再び無音の水平線へと戻ってゆくのを目にできるだろう。

と、このように考えるうちに、果たしてここに「水の音」の他に音はなかっただろうかと連想が働く。句に記されたのは「水の音」だけだが、それは必ずしも他に音がなかったことを意味するとは限らない。ここに記された情景、目に見えるものが「古池」と「蛙」だけではないはずであると想定されるのと同様である。「古池」の周囲にあるさまざまな事物、例えば風に揺れる草木の葉擦れや空をゆく鳥の声などがあるかもしれない。この光景を書き留めている観察者がそこにいるとすれば、その人が動く際に生じる衣擦れや呼吸音などもあるだろう。なにより当の「蛙」が「ケロケロ」「ゲコゲコ」と鳴いていたかもしれない。ただし、再び言えばここには「水の音」だけが記されている。この俳句の書き手が、そのような「音」を選び取って言葉にしたわけである。

「古池や蛙飛こむ水のをと」という文字列がなにをどのように表しているかについて少し詳しく検討してみた。ここには目に見える空間とそこで動く生き物の姿があり、その生き物の動きによって生じた音が記されている。言葉で示されているのは、言ってしまえば、場所（古池）、生き物（蛙）、動き（飛び込む）、音（水の音）だけである。見てきたようにこれ以上の具体的なことは書かれていない。そうであるにもかかわらず、これを読む私たちは、それぞれの文字列（語）を目にして、なにがしかの記憶を想起して、この場面を具体的に思い浮かべてみることもできる。

4．言葉に流れる時間／シミュレーションに流れる時間

では、ここにはどのような時間が流れているか。改めて検討してみよう。直に記されていることとして、「蛙」の「飛こむ」という運動と、その結果生じる「水の音」がある。「飛こむ」という運動は、時間とともに変遷する出来事だった。そのように記されてはいないものの、「飛こむ」という動作に伴って「蛙」の体の位置と、体の各部の動き（例えば右の前脚の動き）が変化するだろう。こうした動作を表す語には、その動作に要する時間が含まれていると見ることができる。また、着水した際に立つ「水の音」も物理現象であり、一定時間にわたって生じ、続いて、消えるものだった。これがどのくらいの長さかは不明だが、ある時間の幅をもって生じたに違いない。まとめれば、「飛こむ」「水の音」といった動作や現象を描写する語に時間が含まれていると考えられる。

この状況をシミュレートする場合を比べておこう。「古池」の地形モデル（周囲の植生なども）をつくり、手を抜くなら水面だけそれらしい見た目にする。細部まで凝るなら水流の運動モデルを用意して、物理演算によって池の表面の動きをつくる。池のなかにも砂や石が転がっていたり、藻やらなにやらが生えていたりするかもしれない。小魚や昆虫、

蛙の卵などもあるだろうか。これについて目下は省略しておこう。

　この「古池」に日光のような光を当てて、水面や周囲に反射する様子も表現する必要がある。と、こう書いてみて思い至るが、「古池」の出来事が生じているのは、どんな季節のどんな時刻だろうか。この俳句が載せられた『春の日』をはじめとする各種の文脈や背景などを鑑みると、なにかしらの解釈ができるはずだが、冒頭でも述べたようにここではその線を追跡しない。あくまで俳句の文字列に示されたことを材料として検討している。「古池」に当たる陽光を設定するには、適当にやるなら単にそれらしい光源を置いていかにもありそうな光景を表現すればよい。もっと本格的にシミュレートするのであれば、「古池」の地図上の位置を定め、一年のどの日のどの時刻かを設定し、そのときの太陽の位置に基づいて、ここに注ぐはずの光をつくるということもありえる。それをとことん追求するなら、各種の文脈や背景を確認することになる。

　こんなふうにして、コンピュータでシミュレーションを制作する場合、どのくらいの精度を目指すかという程度に幅があるわけだが、それとは別に「そもそもつくって用意しなかったものは存在しない」という原則に改めて注意しておきたい。例えば、いま述べたような光を設定しなければ、せっかく「古池」のモデル（形や見た目）を制作しても、真っ暗でなにも見えない。そしてだからこそ、この試論では「シミュレーションを制作する」という過程を置いてみているのだった。つまり、文章においては厖大な省略を伴って表されている状況が、実のところなにから構成されているはずかを検討する上で、「この状況をシミュレーションとしてつくるとしたら何が必要か？」という頭の働かせ方が有効というわけである。そして文章とシミュレーションの比較によって、文章のもつ性質を浮かび上がらせたいという心算であった。

シミュレーション制作についての検討を進めよう。「古池」をつくったら、そこに別途制作した「蛙」のモデルを配置する（初期位置を決める）。「蛙」のモデルには、およそ蛙がとりそうな各種の動き（モーション）もつけておく。例えば、歩く、跳ねる、顔を洗う、舌を伸ばすなど。これは蛙の種類に合わせて設計することになる。また、シミュレーション開始時の体勢も設定しないと、硬直した不自然な姿勢になってしまう（初期体勢を決める）。

また、「蛙」には行動もプログラムしておこう。つまり、時々刻々とどのような状態や行動をとるかをアルゴリズムとしてつくる。そうしないと動かない置物のようになってしまう。とはいえ、現実の蛙の生態を参考に設計すると、この「蛙」は必ずしも「古池」に飛び込まないかもしれない。場合によっては、ぴょこぴょこよそへ行ってしまったり、餌を探したり、その場でしばらく鳴き続けたり、眠り込んだりするかもしれない。それでは「古池や蛙居眠り音もなく」てなものである。

そこで先ほどの句の通りの出来事が必ず生じるようにしたければ、「蛙」の行動を「その場に待機」となんらかの条件で「古池」に向かって「飛こむ」の二つに制限する必要がある。その条件はなんでもよい。例えば「シミュレーションの実行開始から五秒おきにコンピュータ内でサイコロを振って、一の目が出たら飛び込む」とか「キーボードでXのキーを押したら飛び込む」とか。

「蛙」が「飛こむ」動作を開始したら、その体の各部を「ジャンプ」の際の動きにあわせて変化させつつ、空間内の「蛙」の位置を変えてゆく。三次元空間内における物体の運動を物理法則としてプログラムしておき、コンピュータによって自動的に演算させればよいだろう。やがて「蛙」が水面に達する。体のどの部位から水に入るかは、「蛙」の体全体の状態と空間内での向きや位置次第だ。「蛙」が接触した水の側にも変化が生じる。「蛙」に押しのけられた水が表面を跳ね、水面に波紋が生じるだろう。水面を手抜きでつくってある場合は、「蛙」が水面に到達するとともに、水が跳ねているかのような画像を使ってアニメーションさせることになる。水流の簡単なシミュレーションモデルを入れておけば、演算で処理できそう。なんにしても、水の動きを手作りするのは大変なことである。そもそも私たちは波や水しぶきといった水の動きをしかと知覚できているわけではない。

と、こう書きながら、私は実際の蛙がどのように水に入ってゆくのかを具体的に分かっていないことに思い当たる。実物に近似できているかどうかを確認したければ、実際に蛙が水に飛び入る場面を観察したり、撮影した映像をコマ送りで見たりすればよい。だが、

「古池や蛙飛こむ水のをと」という句を読むとき、人は逐一そのような細部を認識できなくても、生じている出来事を思い浮かべることができる。いい加減といえばいい加減だが、私たちが普段、世界で知覚する出来事や変化のほとんどは、そんな具合に経験しているのかもしれない。例えば、走る馬の四本の脚が、どのような位置関係にあるかを認識していなくても、走る馬の姿を想像できるように。

では、こうしたシミュレーションでは、時間をどう扱うか。先に言ってしまえば、設定次第でどのようにもできる。リアルタイム（即時）といって、現実世界と同じように時々刻々とこの世界（古池と蛙）が動くようにすることもできる。あるいは、時間の進む速度を倍速にしたり四分の一に減速したりと緩急も自在である。静止した映像を少しずつコマ送りするように時間を進めるという方法もある。コマ送りの際、一ミリ秒ずつ進めるのか、一秒ずつ進めるのか、五秒ずつ進めるのかといった設定をするわけである。いずれにしてもシミュレーションにおいては、一ステップ前の「古池」や「蛙」の状態をもとにあらかじめ設定された規則に従って、次のステップの状態を決定する、という形でシミュレートされた世界を動かすことになる。文芸のような言語表現が、いわば省略に次ぐ省略で成り立っているのに対して、いま述べたようなシミュレーションでは、モノ（水、蛙など）の状態変化や連続する動きを、時間に沿って生成することになる。

ついでに言えば、コンピュータの画面は三〇分の一秒、もしくは六〇分の一秒ごとに画面を描画している。これをフレームレートと呼ぶ。喩えるなら超高速紙芝居だ。コンピュータの画面では、そんなふうにそのつど静止した画像を画面に表示しているだけなのだが、この速さで切り替えると、人間は切り替えに気づかず、滑らかに動いているように認識する。

このようにコンピュータの装置としての挙動という観点で見た場合、右に記したシミュレーション（ソフトウエア）でどのような時間の流れを設定したとしても、最終的には装置（ハードウエア）によって制限されるフレームレート単位で表示を更新しているわけである。言い換えると、コンピュータを使った表現ではフレームレート単位でのコマ送りという時間が基本となっている。ただし繰り返せば、それを見る人間は、画面が切り替えられていることに気づかない。ここまではコンピュータ上で動くシミュレーションそのものに流れる時間の話だった。それを見る人間の側ではどうか。

5．意識に流れる時間

リアルタイムに動く古池シミュレーションの動きを眺めるとき、人は現実世界の古池での出来事を眺めるのと同じように、自分の意志とは関係なく目の前で生じる変化を目や耳を通じて受けとることになる。そして生じる変化をその順に知覚して、なにごとかを認識する。

例えば、古池の傍にある大きな石の上（というのもすでに認識の結果だが）にいるなにものかを目にして「蛙だ」と認識する。あるいは、「丸っこい小さな石があるな」などと蛙以外のなにかと勘違いすることもあるだろう。目から入ったもの（視覚）とそれをなんであると思うかという意味づけ（認識）とは必ずしも一致しなかったりする。それはさておき、そのなにものかが池に飛び込むのを見て「あ、跳ねた」と認識する、というように目や耳にした出来事を、その変化に沿って認識するわけである。そうした認識が生じる場を、仮に「意識」と呼んでおこう。「心」や「精神」と呼んでも差し支えない程度の大まかな意味である。

古池の傍の石の上にいる蛙がしばらく経って飛び跳ね、水面に飛び込む。そうした様子をリアルタイムに表現する古池シミュレーションは、それを眺める人の意識にも、いわばリアルタイムに一連の認識の変化をもたらす。

ただしこのとき、意識の上で生じる認識は、シミュレーションで表現される出来事に少し遅れて生じる。古池の出来事は、シミュレーションを動かしているコンピュータの画面から発せられる光が、それを見ている目に到達するだけの時間、あるいは同じそのコンピュータのスピーカーから発せられる音が、それを聞いている耳に到達するだけの時間の分だけ遅れる。感覚器官から与えられた刺激は、神経を通じて脳で処理されて意識の上に認識を生じさせるわけだが、これも時間を要するプロセスだ。大袈裟に言うなら、私たちは目の前でリアルタイムに生じている出来事から常にそれだけの時間の分、遅れて認識している。とはいえ、私たちは普段そのような遅れを自覚しているわけではない。むしろ世界と意識に映じる世界像とは同期していると感じていると思われる。というよりも、わざわざそんなことを考えたりしていない。

では、このような見方から翻ってみた場合、文章を読む人の意識ではどのような時間が流れていると考えられるだろうか。ここはいささか話が込み入ってくる。ここまで以上にうまく記述できる自信はないが試してみよう。

改めて句を眺めてみる。

古池や蛙飛こむ水のをと

先ほど検討したシミュレーションを眺める場合と違って、私たちはこの句を読むとき、並んだ文字を順に見る。このくらい短い文の場合、この一一文字を一度に見ることもできる。ただ、読む場合には、何事もなければ文頭から順に見るだろう。いま、黙読を前提に述べたが、音読する場合にも同様である。

文字を見るときの速さは人によっても違うし、同じ人でもどのように読むかによって違う可能性がある。じっくり一文字ずつ目を止めて読むこともできれば、さっと流すように読むこともできる。あるいは、文を構成する文字のあいだをあちこち行ったり来たりしつつ読むこともできる。例えば「古池」に続いて「水」を見るというように。また、この文を構成する文字を見慣れているか否かによっても、読む速さは変わるだろう。というのは、何語でもよいが、異言語を学び始めるとき、はじめのうちは慣れない文字を一つずつ確かめるように読むのを連想すればよい。いずれにしてもこの句を目にして読む人によって、これらの文字列が知覚され、認識される速さは、そのつどまちまちであると考えられる。

いま述べたのは、文字を「読む」という行為についてだった。そもそもこの行為には時間がかかる。その時間は人や場合によってさまざまだ。アイトラッキングなどの技術を使って、実際にその文字列を読んでいる人の眼がどこを注視し、その視線がどのように移動するか、その移動にかかる時間を計測することもできる。つまり、ここまでは観察できる。

問題はこの先だ。人がものを読むとき、目で文字を追うという物理的・生理的な行為の側面だけでなく、そうした知覚をもとに意識で生じる認識という外部からは観察しがたい現象が生じる。シミュレーションの場合なら、その映像や音の変化から少し遅れるとはいえ、意識においても映像と音をトレースするように変化が生じていると想像できる。だが、文字を読むときとなると、果たして意識でなにが起きているのかは捉えがたい。

この点について、デザイナーのピーター・メンデルサンドが『本を読むときに何が起きているのか――ことばとビジュアルの間、目と頭の間』（細谷由依子訳、フィルムアート社、二〇一五）という大変ユニークな本で、あれこれ想像と思考を巡らせている。[*5] 例えば、トルストイの『アンナ・カレーニナ』を読むとき、人は脳裏で彼女の姿をありありと思い浮かべるものだろうか。そうでないとしたら何を思い浮かべるのだろうか。トルストイの描写をもとにその容姿を思い浮かべる人がいるとしたら、顔はどうか、服装はどうか、あるいはどんな声だろうか、その行動はどうか、というわけである。

私たちは、文字を介してさまざまな小説や詩を読んで楽しんでいるが、メンデルサンドの問いかけに自信をもって確たることを言えそうもないことに気づく（いや、はっきりしてるよという方にはぜひご一報・ご教示いただきたい）。なにか思い浮かべているようでもあり、そうでもないようでもある。

例えば、表紙にキャラクターのイラストが載るライトノベルのような場合、読者は登場人物の見た目を、そうしたイラストの通りに思い浮かべるかもしれない。とはいえ、それはイラストであり、現実の人間とは異なる。その場合、仮に小説を読みながら脳裡で情景が映像のように思い浮かぶ人がいたとして、その人はアニメーションを見るような具合にものを意識のなかで見ているのだろうか。あるいは実写の映画をノベライズしたものを読むとき、例えば『スター・ウォーズ』の小説版を読むとき、人は「ヨーダ」という文字列から、映画で観たヨーダの姿や動きや声を想起するものだろうか。

自分の場合を言えば、小説や詩を読むとき、必ずしも映画のように連続した映像としてではないものの、ときおり視覚的・聴覚的な像が思い浮かぶように感じる。といっても、幻覚や幻聴のように目にありありと見えたり、聞こえたりするのではない。目覚めているとき、友人の顔を思い浮かべたり、好きで何度も耳にした曲を脳内で再生するときのように、あるいはどれだけ繰り返し遊んだか分からないゲームの映像と音を脳裡でプレイしている気分を味わえたりするように、いうなれば記憶と想像によって意識の上で、あたかも何かを見たり聞いたりしているかのような状態を味わうことができる。認知心理学方面で「心的イメージ（mental imagery）」と呼ばれる現象だ。[*6]

そうした意識内での現象は、これもまた自分の場合について言うなら、何事もなければ現実世界で経験する現象と同じような時間の流れで生じるように思われる。例えば、脳裡で好きな音楽を再生する場合、レコードやCDで耳にした原曲と同じテンポで聞こえる。あるいは、コーヒーをドリップする様子を思い浮かべるとき、上から注いだお湯は毎日目にしているのと同じような速さでドリッパーに置かれたフィルターを満たす豆を通ってサーバーへと抽出されてゆく。もっとも、それはコーヒーを淹れる場面に注意を向けて、その過程を思い浮かべようとした場合のことで、もっと簡単に「お湯を沸かす」「ドリッパーに注ぐ」「サーバーにコーヒーが落ちる」といった場面を断片的に思い浮かべることもできる。さらには視覚的な記憶を働かせることなく、抽象的に「コーヒーを淹れる」という文字列のまま、そこにしばし注意を向けることもできるように思う。ただし、こうした想像（と呼んでおく）は、放っておくとすぐ別の想像へと移ろっていったりもする。

いずれにしても、意識の上でなにかを思い浮かべる場合にも、そこではなにかしらの変化があり、時間が流れているように感じられる。もちろん、そのようになにかを思い浮かべているあいだ、時計で計れる時間も流れているわけである。ぼうっと想像をめぐらせて、気がついたら一五分ほど経っていたというように。

以上は自分を材料としたいわゆる内観の報告である。それだけにどこまで適切に捉えたり表したりできているかも覚束ない。また、第三者からは確認のしようもない。ただ、ここに記したことを読みながら、自分にもそうした経験があると感じてもらえていればと思うばかりである。

ここで確認したかったのは、人がものを読むとき、第一には文字を目から入れるという身体の動きと変化という時間が関わっており、第二にはその結果、意識に生じる出来事とその変化にも時間が関わっているのではないか、ということだった。このように二種類の時間を分けることが果たして妥当かどうかは分からないが、いったんは区別してみよう。

これは本章で見たような短文では違いが分かりづらいが、小説のような規模の文字列の場合、違いも明らかになると思われる。これについては次章で検討することにしよう。

まずは「古池や蛙飛こむ水のをと」という文について、言語による表現そのものに含まれる時間、そのシミュレーションを実行した際に流れる時間、それを読む人の意識における時間について検討してみた。作品内世界、コンピュータ内世界、意識内世界それぞれに流れる時間と言ってもよい。以上を踏まえて、次章では小説を題材として、さらに検討を進めてみよう。

第6章　二時間を八分で読むとき、なにが起きているのか

「私はこれで時間を探険する気だよ。わかるかな？　今ほど真剣になったことはかつてない」
——H・G・ウェルズ『タイムマシン』*1

1．その時間幅、三〇〇〇万年超

文芸作品にはどのような時間が流れているか。この問いについて考える場合、二つの水準を分けておくと紛らわしさが減る。一つは文芸作品そのものに表されている時間、もう一つはそれを読む読者が経験する時間である。

また、この問いは「時間が流れている」という素朴な感覚に基づいている。私たちは、生活や仕事などで、カレンダーや時計を使って互いの予定を合わせたり確認したりしている。例えば、昨日の出来事や五分前の出来事は過去であり、今夜や来月の予定は未来に属すると考える。

他方で「時間は実在するか」「時間は場所によって流れる速さが異なる」といった哲学

や物理学で検討される場合のように、時間といっても見方によっては必ずしも自明ではない側面もある。ここでは必要が生じればそうした議論にも踏み込むとして、基本的には日常生活で使われる意味での時間に注意を向けることにしよう。

さて、前章では、松尾芭蕉の句「古池や蛙飛こむ水のをと」というごく短い文を材料として検討してみたのだった。本章では複数の文が組み合わせられた小説を材料にしてみよう。H・G・ウェルズ（一八六六―一九四六）の『タイムマシン』（一八九五）を覗いてみる。[*2] 時間を扱っている小説ということもあるが、その時間の移動の幅も大きいので極端な例として物事をはっきりさせやすいと睨んでのこと。内容そのものというよりは、その構成に注意を向けて、そこでの時間の扱いを見てみようという心算である。

はじめに全体の構成を確認しよう。この小説は、エピローグを含めて全部で一三の節から成る。全体を通じての語り手は「私」と記される人物である。主人公と言うべき人物は別にいる。語り手の「私」が、名前を伏せて「タイム・トラヴェラー（時間旅行者）」と呼ぶ人物だ。

小説は、「私」を含む知人たちがタイム・トラヴェラーの家を訪れ、食事の後で談話を楽しんでいる場面から始まる。タイム・トラヴェラーは、時空間を四次元と捉える見方について話し、タイムマシンの試作品を披露する。みなが見守る前で、タイムマシンを現在ではない時間に送り込み、装置は目の前から消え失せる。居合わせた人びとはどう理解してよいか分からず、それがタイムマシンであることを信じない。

要するに、タイムマシンを開発したと称する人物（科学者）がいて、彼と交流のある人びとがその話を聞き、実演を目にした。さて、どうなるかというわけだ。これがいつのことなのか、時代は特に記されていない（場所は第二節で「リッチモンド」という地名が示されている）。以上が冒頭第一節のあらましで、状況が設定されている。

第二節はその翌週の木曜日のことで、またしてもタイム・トラヴェラーの家に人びとが集まって夕食を共にしようというところ。だが、肝心のタイム・トラヴェラーの姿は見えない。彼の書き置きに従ってみなは主人不在のまま食事を始める。そこへボロボロの姿になったタイム・トラヴェラーが入ってくる。聞けば、その日の夕方四時に研究室からタイムマシンで出発し、未来の世界で八日を過ごして戻ってきたという。話を聞きたがるみなに向かって、「どうか一つ、口を挟まず最後まで、黙って聞いてくれたまえ。いいかな？」（三三ページ）と前置きをして、タイム・トラヴェラーは時間旅行の顚末を語り始める。これが第二節で、いよいよ本題に入るための前置きである。

というわけで、続く第三節から第一二節の途中まで、一度の中断を除いてタイム・トラヴェラーによる談話が続く。そこでの記述で用いられる「私」はタイム・トラヴェラーを指す。ただし、第二節までの記述からお分かりのように、タイム・トラヴェラーが語った話を聞いた「私」が記したものを私たちは読んでいることになる。

タイム・トラヴェラーは、紀元八〇万二七〇一年に移動して、そこで人類の末裔と遭遇する。その詳細はここでは省く。到着からほどなくタイムマシンが何者かに盗まれてしまう。タイム・トラヴェラーは、知り合いになった未来人たちと過ごし、八日目にタイムマシンを発見してその時代を離れることに成功する。その際、彼は直に「現在」に戻るのではなく、さらに未来へと移動した。具体的な年は述べられないものの、途中経過で報じられることを踏まえると、三〇〇〇万年以上の未来のようだ。もはや人類は見当たらず、荒廃した地球を目にして、タイム・トラヴェラーは引き返す。タイムマシンが盗まれた際に位置が動いたため、出発した研究室とは別の位置に帰ってきたのが二〇時のこと。そしてボロボロの姿のままみなの前に現れたという次第。

以上のようなタイム・トラヴェラーによる語りが第一二節の途中で終わり、再び冒頭部と同じように、「私」から見た描写に戻る。タイム・トラヴェラーの話を約束通り遮ることなく最後まで聞いた人びとはどう感じたか。みな、作り話だと受けとったようだ。タイム・トラヴェラーが未来から持ちかえった花と、時間旅行を終えてあちこちが汚れ、手すりが曲がったタイムマシンの様子も、彼らを信じさせるには至らなかった。ただ、「私」だけを除いては。その翌日、「私」は再びタイム・トラヴェラーを訪れる。そしてある出来事が生じる。「私」はここまで述べてきたことが三年前のことだったと記す。そこで第一二節が終わり、最後にエピローグとして「私」の感慨が述べられて小説が終わる。

以上が『タイムマシン』の構成である。

2. 時間を分けてみる

では、改めて整理してみよう。

小説は、「私」の耳目を通じて経験されたことが、過去の出来事を振り返るように記されている。そのなかにタイム・トラヴェラーによる時間旅行についての語りも含まれている。また、「私」はここで語られたことを三年前の出来事として振り返っていた。

一見シンプルな構成であるものの、このように整理してみると、既になかなかややこしい。ここにはいくつかの時間が関わっているためだ。さらに整理してみよう。

まず、小説の設定を確認すると、『タイムマシン』の文章は「私」による聞き書きであることが第二節で述べられている。

> 聞き書きをしながら、私はこれを伝えるペンとインクの無力を、いや、それ以上に、私自身の力不足をつくづく思い知った。人はこの聞き書きに津々たる興味を覚えるはずだろう。
>
> （三三ページ）

「私」は過去のある時点でタイム・トラヴェラーの家を訪れて、彼が時間旅行の顚末について語るのを聞いた。これを区別のために「時間1：出来事の時間」としよう。ここで「出来事」とは、タイム・トラヴェラーの家で生じた出来事、この小説の大半を占める出来事を指す。また、「私」はいつの時点でそうしたのかは分からないが、「時間1」の出来事を聞き書きとして記した。「時間1」の出来事の最中にメモをとったのか、タイム・トラヴェラーの家から帰った後で話されたことを書き留めていたのかもしれない。それから三年後に思い出して書いている可能性も否定はできないものの、細部にわたって鮮明に記されているところを見ると、「時間1」に近い段階で記されたと考えたくなる。あるいは、「時間1」の当日からコツコツと書いたり直したりし続けてきたかもしれない。いずれにしても、どこかの時点で「私」は「時間1」の経験を書き留めているはずで、これを「時間2：執筆の時間」としておこう。仮に「時間1」の三年後とする。

以上は作中の時間についてだった。加えて言うなら、読者がそれぞれ、ある時この『タイムマシン』という文章を読む。これを「時間3：読書の時間」とする。『タイムマシン』では、以上の三つの時間には次のような順序がある。

時間1（出来事の時間）→時間2（執筆の時間）→時間3（読書の時間）

これは一見当たり前に見えるかもしれないが、あながちそうとばかりも言えない。例えば、小説によっては作中には姿を見せない語り手が、目の前で生じている出来事をそのまま報告しているような形式、つまり「時間1」と「時間2」が重なっていることもあれば、日記や書簡形式のように「時間1」と「時間2」とが交互に生じる場合もある。あるいは川本直『ジュリアン・バトラーの真実の生涯』（河出書房新社）のように、過去に英語で執筆された評伝を、著者が翻訳して解説をつけたという体裁の場合なら、話がもう一段複雑になりもする。

3. いつのことなのか

では、『タイムマシン』における「時間1」あるいは「時間2」はいつのことなのか。「時間1」は「時間2」の三年前という関係にある（と仮定した）ので、以下では煩わしさを減らすために「時間1」に注目しよう。

さて、「時間1」はいつのことなのか。作中には明記されていない。それだけに、読み手によって解釈が分かれる可能性がある。例えば、この小説が雑誌『ナショナル・オブザーヴァー』に連載された一八九四年から、単行本が出版された翌年にかけて同時代に読んでいた人にしてみれば、「時間1」はまさにその当時、一八九〇年代はじめのことと感じられるかもしれない。あるいは、二〇二二年にこれを読む人が、作品の発表年を知っている場合、同様に想像することもあるだろう。

他方で『タイムマシン』の発表年を知らなかったり気にしなかったりする場合、「時間1」がいつのことかは不明のままに置かれることになる。それなら、どの時代の人が読んでも、自分が生きている同時代の話として読めるかといえば、そうとも限らない。作品内世界のエコロジー、その世界がどのような要素から成り立っているかという点が関わってくる。

注意深く読む人であれば、冒頭の「暖炉の火は盛んに燃え、百合の花をかたどった銀の燭台から穏やかな光があたりを照らしてグラスに立ちのぼる細かい泡を捉えた」（七ページ）とか「小ぶりの笠をかけたランプの明かりが同じテーブルの装置をくっきりと照らし出した。暖炉には真鍮《しんちゅう》の蠟燭《ろうそく》立てが二つあり、壁面の張り出し燭台もあって、室内は隅々まで明るかった」（一七―一八ページ）といった描写、あるいはその手前でそこにいる人物の一人が「ランプの火で葉巻をつけようと」（一〇ページ）していることから、どうやらこの世界にはまだ電気が普及していないらしいと推測するかもしれない。「喫煙室に蠟燭はなかったから、聞き手一同は暗がりで、わずかに若手記者の片顔と無口な男の膝から下が照らされているだけだった」（三三ページ）という描写もそうした推測を裏付けるだろう。[*3]

もう少し作品内世界のエコロジーを見ておけば、ここには暖炉のある部屋に椅子やテーブルや燭台やランプがあり、人びとはグラスでワインを飲み、給仕される肉料理をナイフとフォークで食べ、葉巻を吸ったりしている。他にも時計や新聞、ペンとインクなども使われている。これは私たちにも馴染みのある道具だが、二〇二二年現在の日本に暮らす人であれば、スマートフォンやアプリを使う人が登場しないことに注意が向くかもしれない。現代の日本の小説でも、しばしば登場人物たちがスマートフォンでＬＩＮＥをしたり、Googleマップで位置を調べたりしている。また、『タイムマシン』に登場する人びとは、馬車で移動しているようだ（一五〇、一五二ページ）。

こんな具合に、仮に「語り手の現在」がいつのことなのかが分からないとしても、作品内世界を構成する事物の様子から、私たちはこれが電気や自動車やネット以前の世界（あるいはそれらが存在するとしても普及していない世界）であると想像できる。ただし、右に述べた作品内世界の構成要素をもとにして、それなりの確度をもっていつのことかと推定するには、もう少しあれこれ調べる手間を要するだろう。

ここでは作品内世界の時間のうち、「時間1：出来事の時間」に注目しているわけだが、それが具体的にいつのことなのかは読者によって解釈が分かれる可能性があると述べたのは、以上のような理由による。

4. ページと時間

次に時間がどのように流れているのかを検討してみよう。まず、時間の幅を確認してみる。小説の冒頭から結末までのあいだ、作品内世界ではどのくらいの時間が経っただろうか。

小説は、タイム・トラヴェラーの家に集まっての食事会から始まって（第一節）、その一週間後に再び同じ場所で食事会が催され（第二節）、そこで時間旅行について話されたのだった（第三節から第一二節）。ここまでのところで八日間。さらにその翌日、「私」がタイム・トラヴェラーを訪れているのでプラス一日で都合九日。さらに、以上は三年前のことだったと明かされて終わるので、これを仮にぴったり三年とすると都合三年と九日間となる。

ただしこれは、小説全体での延べ経過時間とでも言うべきものだ。ここで参照している邦訳で一五〇ページほどの分量のうち、一四八ページまでが三年前の出来事（時間1）を語ることに費やされ、それから三年が経ったと述べられるのは最後の二ページのことである。また、それを言うなら、そこで描かれる九日間にしても、時間が均等に流れているわけではない。

第一節は、およそ一七ページを使って小説の起点となる最初の夕食会の数時間を描いている。第二節の冒頭二ページ弱では、「私」が初日の出来事についての感想を述べており、それに続いて翌週の木曜日に催された夕食会の様子が八ページほど記されている。つまり、最初の夕食会から翌週の夕食会までのあいだの六日間はほとんど描かれず省略されている。

この「翌週の木曜日」の夕食会について時間の内訳を見ておこう。一九時前後に「私」がタイム・トラヴェラーの家に到着して食事が始まる。その後、二〇時過ぎに時間旅行から帰ったタイム・トラヴェラーが現れる。彼が着替えと食事をした後でいよいよ語り始めるまでどれくらいの時間が過ぎたかは不明だが、仮に一時間を要したとすれば、時刻は二一時頃だ。以上が第二節。

先に述べたように、第三節から第一二節の半ばまではタイム・トラヴェラーによる語りだった。第一二節の残りのうち、四ページほどで時間旅行についての話を聞き終わったメンバーたちの反応と解散するまでの様子が描かれている。この時点で人物の一人が「うわあ、もう一時じゃないか」（一五〇ページ）と述べているので、タイム・トラヴェラーの語りが先ほど仮定したように二一時から始まったとすれば、その時間旅行譚は四時間近く続いたと思われる。そしてその翌日、「私」が改めてタイム・トラヴェラーの家を訪れて短い時間滞在する様子が三ページ弱ほど記されて第一二節が終わる。以上をまとめれば、こんな具合だろうか。ページ数はおよその目安である（「〇」を入れたのは桁を揃えるため）。

・最初の夕食（数時間）　〇一七ページ
・翌週の夕食（二時間）　〇〇八ページ
・時間旅行譚（四時間）　一一四ページ
・その翌日　（数十分）　〇〇三ページ

一見バカバカしい比較ではあるものの、こんなふうに描写に費やされたページ数（文字数）と作品内世界で経過した時間の長さを比べてみると、当然ながらと言うべきか、両者は比例したりするものではないことが分かる。それもそのはずで、作家は一定の時間のあいだの出来事に好きなだけ文字を費やすこともできるのだし、たった数行で三〇〇〇万年を経過させることもできるのだから。小説の記述に使われる文字の数と、その文字によって記述される作品内世界での時間の流れの速さは必ずしも比例するわけではない。[*4]

5. 二時間を八分で読む

それはそうだとして、他方で読者の意識を流れる時間を考慮するとなると、話はいささか違ってくる。前章で「ものを読むとき、第一には文字を目から入れるという身体の動きと変化に要する時間が関わっており、第二にはその結果、意識に生じる出来事とその変化にも時間が関わっているのではないか」[*5]と述べた。いま区別のために前者を「身体の時間」、後者を「意識の時間」と呼んでみよう。言い換えれば、本のページに目を通して読むのにかかる時間（身体の時間）と、そうした読書によって意識に生じる変化を通じて感じられる時間（意識の時間）とは必ずしも一致しないという仮定である。

ものを読むとき、一般に文字数が多いほど目を通すのにかかる時間は長くなる。例えば、一〇ページの短篇小説を読むのと、三巻本の長篇小説を読むのとでは、かかる時間の長さが違う。いまここでは話を簡単にするために、特に躓いたり戻ったりせず、冒頭から文章に沿って一定の速さで読み進めるような読み方について考えてみる。[*6]また、途中で読むのを中断してなんらかの間を置いた後に続きを読む場合も中断中の時間は考慮しないことにする。

このとき、読者が経験する「身体の時間」は、その小説のページ数（文字数）に比例すると考えられる。仮に『タイムマシン』の一ページを一分で読む場合、先ほど示したページ数をそのまま分数に置き換えることができる。いちいち示すまでもないかもしれないが、ここで確認したいことを意識するためにも「ページ」を「分」に置き換えて眺め直してみよう。

・最初の夕食（数時間）〇一七分
・翌週の夕食（二時間）〇〇八分
・時間旅行譚（四時間）一一四分
・その翌日（数十分）〇〇三分

こうしてみると明確になるように、作品内世界で経過する時間と、それを読む読者の「身体の時間」の組み合わせは、小説のパートによってまちまちである。例えば「翌週の夕食」の二時間の出来事を、読者は八分で読む一方、「その翌日」の数十分の出来事を三分で読むという具合だ。

では、このとき「意識の時間」はどう流れるのか。つまり、小説を読み進める読者が意識のなかで思い描く作品内世界の出来事は、どのような時間で進むのか。率直に言えば分からないと言って終わりたいところだが、ここまでの試論に触れて誰もが思い浮かべるかもしれないことを述べておこう。ダメでもともとで、いったんこんなふうに考えてみることができる。

例えば、「翌週の夕食」パートでは、作品内世界での二時間を、読者は現実世界での八分で読む。これまたラフな計算をお許しいただくなら、現実世界の八分によって作品内世界の二時間が経過したのだから、読者は現実世界での一分ごとに作品内世界で一五分を経験していることになる。要するに一二〇分（二時間）を八分で割るという単純な計算である。これは随分乱暴な平均を出しているだけだが、後でさらに詳しく考えることにして、いまはこの大まかな概算をもとに考えを進めよう。

では、このとき読者の意識では、現実世界の一五倍速で作品内世界の出来事が経験されるのだろうか。喩えるなら、映画を観る人が「今日はひとつ一五倍速で観てみようか」と試すようなものか。このように想像してみると、この計算の限界が見えてくる。私たちが小説を読むとき、八ページで作品内世界での二時間が過ぎるからといって、一五倍速でその世界を経験しているわけではない。おそらくなにごともなければ（とはつまり、作品内世界がなにかしらの原因によって普段の三倍速で動くようになってしまったといったことでもなければ）、現実世界での時間と同じような感覚で、作品内世界の時間を感じているのではないだろうか。分かりやすいのはセリフの部分だ。

6. セリフの特異さ

小説の冒頭近く、集まった一同を前にしてタイム・トラヴェラーがこんなことを言う。

「ここは一つ、注意して聞いてくれたまえ。いくつかの点で、世間一般がほぼ無条件に認めている考え方と食い違うことになるのでね。例えば、学校で教わった幾何学。あれはおよそ間違った概念の上に成り立っているのだよ」
（八ページ）

小説のなかを流れる時間を検討する立場から見ると、セリフは小説を構成する他の要素と比べて、特異な性質を備えている。どういうことか。

小説は、厖大な省略によって成り立つ。ある場面や人物を描写するとき、同時に地球上のあらゆる場所で生じている出来事をすべて省略しているし、その場面や人物の描写にしても、書き尽くすことはできない。例えば、人物の体の状態を隅々まで書こうと思ったら、足のつま先から頭の天辺まで、各部位がどのような位置や状態にあるか、おのおのがいかに変化するかを記述するということになりかねない。コンピュータで人物を表現する場合なら、実物に比べるとそれでもなお多くを省略しているとはいえ、全身と各部を表現する必要がある。だが、小説では普通、そのようなことはしないし、文字で行うには無理がある。つまりほとんどを省略して、「走った」と書けば手足や頭などの動きを逐一描写しなくてもよいし、「寝た」と書けばどんな姿勢かを書かなくても人物が寝たことになる。

そのような小説のなかでもセリフは、相対的に省略が少ない要素である。もちろん、現実の人びとの話しぶりと比べれば、たいていの小説では人物の話し方は整えられている。

作家は、なにか意図がなければ、「ええと、ここは一つですね、ここは一つ、注意して、その、聞いてくれたまえ」とはせず、「ここは一つ、注意して聞いてくれたまえ」と書いて済ませるわけである。

そのような意味では、セリフについても省略が施されるわけだが、それにしても地の文と比べれば省略の度合いは少ない。セリフには、現実世界で人びとがしゃべるときと同じような時間が表されていると言ってもよい。

こうしたセリフを人が読むとき、例えば音読するような速さ、実際にこのセリフを誰かが口にするときのような速さで読む、という状態が考えられる。もっともこう書いてみてすぐに気づくのだが、そうしようと思えば人びとが実際に話すより速く読むこともできる。結局は読者次第で変化するのだろう。私自身の習慣を言えば、なんらかの用事があって先を急ぐようなことでもない場合、小説を読むときには内心で音読するような速さで読んでいるようだ。他方で、意識して速く読み進める場合、内心での音読を断念して、言い換えれば音の要素を無視して、文字から意味だけを取り出すようなつもりで目を動かすことになる。あなたの場合はどうだろうか。例えば、セリフを中心に記された戯曲の台本を読むような場合で想像してみると考えやすいかもしれない。

7. 時間を忘れる

地の文はどうか。小説を構成する要素のうち、セリフではない部分を読むとき、読者の意識ではどのような時間が流れるだろうか。具体例で考えてみよう。

❶タイム・トラヴェラーは一同を前に難解な議論を切り出した。❷灰色の目は炯々《けいけい》として、日頃はくすんで生気に乏しい顔も、この時ばかりは熱を帯びて赤みが差していた。❸暖炉の火は盛んに燃え、百合の花をかたどった銀の燭台から穏やかな光があたりを照らしてグラスに立ちのぼる細かい泡を捉えた。（七ページ／❶❷❸は山本による）

これは小説の冒頭近く、「私」が話し始めようとしているタイム・トラヴェラーの様子を描いた場面である。ここではどんな時間が流れているだろう。

❶ではタイム・トラヴェラーが「議論を切り出した」と行動の起点が示されている。いままさに語り出したところ、という動作の始まりを捉えている。❷はその際のタイム・トラヴェラーの顔の様子で、これは「私」の目に入った状態だ。映画なら語り出そうとするタイム・トラヴェラーの表情がぱっと画面に映ったというところか。具体的な持続時間は

不明であるものの、❶の瞬間を捉えているとも読める。❸はやはりタイム・トラヴェラーが語り出した時の部屋の様子を写した文である。暖炉で火が燃える。蠟燭の火がグラスを照らす。グラスの中ではシャンパンが泡を立てている。やはりどれほどの時間かは分からないものの、火が揺れ動き、グラスのなかを泡が動くだけの時間が経過しているはずだ。

また、❶❷❸の文章は、こうしてみると同時に生じている出来事や状態を記述しているように見える。[*7] コンピュータでこの場面のシミュレーションをつくるなら、暖炉と燭台のある部屋にシャンパンの入ったグラスが置かれ、タイム・トラヴェラーが立ってか座ってかしながら話し始める、という場面を用意することになる。そこでは文章でなら❶→❷→❸と順に並べる外はないことも同時に表現できるだろう。

ところで、いま引用した文章を読むとき、読者の意識ではどのような時間が流れるか。まず、これらの文章で描かれた作品内世界での出来事が、仮に三秒ほどのことだとしよう（この長さはお好みで変えてよい）。それが一三五文字で記されている。「身体の時間」としては、これだけの文字を目に入れるための時間がかかる。およそ一〇秒かかるとする（これも人によって、読み方によって変化する）。一〇秒をかけて作品内世界の三秒の出来事を読むとき、「意識の時間」では何が起こるのか。

少なくともこの❶❷❸の文章を読むあいだ、読者はそこに記された動きや状態を思い浮かべていると思われる。タイム・トラヴェラーが話を切り出した↓顔には赤みが差している↓暖炉では火が燃え、蠟燭の光がグラスを照らしている、と読み進めながら、意識の焦点も移動してゆく。一〇秒という時間をかけて。素直に考えるのであれば、仮にこの文章で表された作品内世界での出来事が三秒のことだとしても、読者はそれを一〇秒という時間をかけて思い浮かべている。三秒という仮定が不適切だと感じる向きは、これをn秒（ただしnは任意の自然数）で考えてもよい。nが一〇のときは、作品内世界での時間と文字を通じてそれを読む読者の時間（身体の時間）とは一致するが、それ以外の場合にはいずれにしても両者はズレる。

加えて言えば、これは日本語で読んだ場合だ。原文の英語やその他の言語の翻訳で読むとなると、読むのにかかる時間も変わってくると思われる。その違いを実感するために、先ほどの引用個所の原文を掲げてみよう。テストではないので、理解が覚束ないという場合でも英文を目で追ってくださるとうれしい。

THE Time Traveller (for so it will be convenient to speak of him) was expounding a recondite matter to us. His grey eyes shone and twinkled, and his usually pale face was flushed and animated. The fire burnt brightly, and the soft radiance of the incandescent lights in the lilies of silver caught the bubbles that flashed and passed in our glasses.*8

英語をどのくらい読み慣れているか、そうでないかによって、読むのにかかる時間は人それぞれだろう。翻ってみれば、母語であってもこうした種類の文章をどの程度読み慣れているかによって、読むのにかかる時間は変わるはずである。

と述べておいてなんだが、特別になんらかの用事でもなければ、人は小説を読む際、どのくらいの時間をかけて読んでいるかといったことを気にしていないものだ。小説の文章を追いながら、いちいち「いま自分は、一〇秒をかけて小説内の三秒の出来事を読んでいるぞ」などと考えたりはしない。むしろ文字通り時間を忘れて読んでいると思われる。

仮に、私たちが、文章を読むために必要な時間の長さ（身体の時間）を意識していないとすれば、先ほど述べたような作品内世界での出来事にかかる時間と、それを読むための時間とのズレはそもそも問題にならないとも考えられる。

他方で、本から目を上げて時計を見てみたら、読み始めてから四時間が経過しており、「一五〇ページくらい読み進めてきたけど、小説内ではまだ一時間くらいしか経ってないみたい」と感じるようなことはある。だからといって特にそれが奇妙なことであるとは感じない。

それにしても、作品内世界の時間はどのように流れるのかという点については、まだまだ考えてみたいことがある。それは言語が時間をどのように扱いうるのかということと大いに関わるのだが、これについては次章で、紀元八〇万二七〇一年の未来世界を旅してきたタイム・トラヴェラーの語るところを材料に検討してみることにしよう。

第7章　いまが紀元八〇万二七〇一年と知る方法

「(……) 右も左もわからない中で一つことに凝りかたまっていてもはじまらない。執着は判断をまどわせる。ともあれ、この世界を直視することだ。勝手が違うことをよくわきまえて、早合点は避けなくてはならない。そのうちには、疑問をすっかり解く鍵も見つかるだろう」

——H・G・ウェルズ『タイムマシン』*1

1．改めて時間を分けてみる

さて、タイム・トラヴェラーの家で開かれる夕食会の席に人びとが集まった。この小説の語り手である「私」も同家を訪れた。ところが肝心の主人であるタイム・トラヴェラーの姿が見えない。その書き置きに従って集まった人びとは主人不在のまま食事を始める。そこへボロボロになったタイム・トラヴェラーが現れる。

夕方四時には、研究室にいた。あれから、八日……。いまだかつて誰一人、生きたことのない八日間を体験して心身ともにもはや疲労の極限だけれども、すべて話さないことには枕を高くして寝られない。すっかり話して胸の閊《つか》えが下りれば、心おきなく横になれるというものだ。どうか一つ、口を挟まず最後まで、黙って聞いてくれたまえ。いいかな？

（三二―三三ページ）

こう前置きをして、時間旅行で経験したことを語り始める。

その前に確認しておくと、時間旅行という出来事の性質上、作品内世界での時間をさらに区別しておくと紛れを減らせそう。まず、この小説全体は「私」という語り手による回想だった。「私」は過去の出来事を後に振り返って記している。この点について大きく二つの時間を区別できる。前章で提示した区別を改めて記せばこんな具合。

・時間１：出来事の時間（過去の出来事が生じている時間）
・時間２：執筆の時間（「私」がその出来事を書いている時間）

ただし小説の冒頭から結末まで、動詞が過去形で記されていることを除けば、読者に「時間２」を意識させるような記述はほとんど見当たらない。読者は小説の記述に沿って「時間１」の出来事がいま目の前で生じているかのように読み進めると思われる。そして最後に至って、読んできた出来事が、後から書かれたものであると知らされて、「時間2」を意識することになる。

この二つの時間のうち、本章では「時間1」に注目する。その「時間1」は、大きく見ると、三つの日を中心に構成されている。つまり、❶最初の夕食会、❷その翌週に行われた夕食会、❸そのまた翌日、という三日だ。時間の幅としては九日にわたる。といっても、九日間が均質に記述されるわけではなく、いま述べた三日のうち、主に記されているのは、「私」がタイム・トラヴェラー宅を訪れて食事や会話をする間の様子だった。❶❷❸の各場面で描かれた作品内の時間は、正確には分からないものの、長く見積もってもあわせて一〇時間前後といったところだろうか。

さて、そこまではよいとして、時間旅行という出来事の性質上、「時間1」の内部をさらに区別しておくと話を整理しやすくなる。つまり、タイム・トラヴェラーの家で夕食会が行われている時間と、タイム・トラヴェラーがタイムマシンで訪れた紀元八〇万二七〇一年の時間という二つだ。これを「時間1現在」と「時間1未来」としよう。

タイム・トラヴェラーが述べていたように、彼が「時間1現在」を不在にしていたのは一六時から二〇時ころまでだとすれば、およそ四時間。それに対して「時間1未来」で八日を過ごしてきたという。これを仮に丸八日とすれば、八×二四＝一九二時間である。単純に対比してよいかどうかは別として、現在の四時間で、未来の一九二時間を過ごしてきたという勘定になる。

ただし、タイムマシンを使っているのだから、移動先を設定できるとすれば、出発した時刻に戻ることもできそうだし、一六時ではなく一七時とか二一時といった別の時刻に戻ることもできそうだ。そう考えると、「時間1現在」の一六時に出発して二〇時に帰ってきたという時間の幅は、任意に選ぶことができるもので、さほど大きな意味はないのかもしれない。あるいは、タイムマシンの操作法を見る限りでは、そこまで細やかに調整できないのかもしれない。いずれにしても「時間1現在」と「時間1未来」を区別しておくことにしよう。

2. 人はどうやって時間を知るのか

では、タイム・トラヴェラーによる時間旅行の様子は、なにがどのように記されているのか。時間に関わる要素に注目しながら眺めてみることにしよう。

タイム・トラヴェラーによると、タイムマシンが完成したのは「今朝」のこと。ここで「今朝」とは、彼が時間旅行に出発して帰ってきた当日を指す。そして、完成したタイムマシンを初めて始動したのは午前一〇時だという。その様子を見てみよう。

発進レバーに手を置いて、こっちの手で制動レバーをつかんでね、発進とほぼ同時に制動をかけた。体がぐらりと揺れて、夢の中で底なしの深みへ落ちこむような感覚に襲われたよ。はっとあたりを見まわしたが、研究室は普段のままで、何の変化もない。はて、どうしたことだろう？　今のは気のせいか、と思って時計に目をやると、ついさっき十時をまわったかどうかだったはずが、何と、かれこれ三時半だ。

（三四―三五ページ）

車で言えば、アクセルと同時にブレーキを踏んだという状態だ。そのような操作を行った。それと共に彼が味わった感覚が表現されている。この間、どのくらいの時間が経ったかは不明だが、発進と制動のレバーを同時に操作するのにかかった時間はせいぜいのところ数秒程度と思われる。体がぐらりと揺れてなにかを感じたのも数分にわたってという長さではない様子。いずれにしても、さほど長い時間ではなさそうだ。しかし時計に目をやると、三時半になっていたというから、一〇時から数えて五時間半進んだわけである。

ここで注意したいのは、タイムマシンを使って時間を移動したタイム・トラヴェラーの実感と、時間の確認の仕方だ。「夢の中で底なしの深みへ落ちこむような感覚」こそ覚えたものの、どのくらいの時間が経過したのかという感覚は乏しそうだ。というのも「研究室は普段のままで、何の変化もない」と述べている。それどころか「ついさっき十時をまわったかどうかだったはず」であるという。「ついさっき」というとても近い過去についての記憶に基づいた感覚で、当人はそれ以外に時間の経過を感知していないようだ。それどころか「今のは気のせいか」とさえ感じている。つまり、なにも起きていないのではないかという疑念さえ抱いている。なにも起きていないとすれば、時間の経過は普段通りであり、タイム・トラヴェラーは「発進レバー」と「制動レバー」を操作する以前から続く「時間1現在」を生きているはずだ。この場合、タイムマシンは機能しておらず、タイム・トラヴェルは失敗である。ところが実際は「何と、かれこれ三時半だ」と時計で確認している。

ここはつい読み飛ばしそうになるところだが、存外重要なことが記されているように思う。私たちは時計を見なければ、正確な時刻を知ることができない。もちろん陽光などから大まかに推測はできるとしても、絶対時間感覚のようなものを持つのでもなければ、時計の針がいま何時何分を指しているかを把握できないだろう。

そこで時計に頼るわけだが、いま見たようにタイム・トラヴェラーの実感と時計の時刻にはずれが生じていた。つまり、タイム・トラヴェラーは「ついさっき」と言いたくなる程度にしか時間が経っていないように感じた。他方で、時計は五時間半が過ぎたことを示している。言い換えると、タイム・トラヴェラーは時計のような時間を計る装置がなければ、タイムマシンによって経過した時間の長さを知ることはできない。タイム・トラヴェラー自身にとっては自分が生きているただいま現在の時間の流れだけがあって、タイムマシンは彼を別の時間帯に移動させているわけである。さらに言うなら読者もまた、文中に「かれこれ三時半だ」という記述がなければ、作品内世界でそれだけの時間が経過したことは分からない。

ともあれ、タイム・トラヴェラーは、この試運転によって五時間半ほど未来へ移動したわけである。

3. 未来に行くのはどんな気分か

次に、タイム・トラヴェラーは「発進レバー」だけを押す。いよいよ本番だ。そこで生じた出来事は次のように描写される。例によって、なにがどのように記されているかに注意しながら見てみよう。

深呼吸一番、意を新たに両手で発進レバーをぐいと押すと、研究室は靄《もや》がかかったように薄暗くなった。と、そこへ家政婦のウォッチェットがやってきて、私には目もくれずに、庭へ出るドアの方へ向かったがね、部屋を横切るのに一分やそこらはかかるだろうに、まるで空《くう》を切って飛ぶロケットだったよ。レバーをいっぱいまで倒すと、ランプを消したと同じで、夜が来た。と思う間もなく次の日で、研究室の何もかもが遠くに模糊と霞《かす》んで見えた。夜の闇があたりを閉ざして、ふと気がつけばもう翌日だ。暮れれば明ける夜昼の交替はいよいよ速くなる。渦潮に似た耳鳴りがして、何とも言いようのない不思議な心持ちはほとんど意識の混濁に近かった。（三五ページ）

ここに記されているのは、もっぱらタイム・トラヴェラーの目に映った光景（視覚に生じた変化）と、意識の状態である。研究室が薄暗くなる。家政婦のウォッチェットが「ロケット」のように部屋を横切る様子が描かれる。さらにレバーを倒す。夜になり翌日になる。夜昼の入れ替わりが加速する。これは彼の目に見えたものだ。私たちが経験したことのあるものに喩えるなら、動画の再生速度を上げてゆく状態がこれに近いだろうか。しかも時間の進み方がどんどん速くなっているということは、時間が加速しながら進んでいるようだ。夜昼の交替とは一日のことで、さほどの時間でもない間にどんどん夜昼が入れ替わっていく。

ここで先ほど注意しておいたことを思い出そう。タイム・トラヴェラーが生きている時間の流れ、当人が意識している時間の流れそのものは、タイムマシンで時間を移動し始める前と後とで変わらないと思われる。つまり、時間が加速したからといって、それに合わせて自分の心拍数や体の動きや思考の速さといった生体としての変化も加速しているわけではない（少なくとも自覚の上では）。

先ほどの動画の喩えを使おう。タイム・トラヴェラーが映っている動画があるとする。この動画を倍速で早送りする。このとき普通の動画なら、彼も含めて映っているものすべてが倍速で再生される。これに対してタイムマシンに乗ったタイム・トラヴェラーはそうならない。画面に映っている世界のうち、タイム・トラヴェラー以外の要素は倍速で動いてゆくが、当人だけは等速再生の速さで動いている。

事態をさらにはっきりさせるために、そんなふうにして倍速再生で二時間分先まで動画を進めた場合、動画内世界では二時間が経過しているが、タイム・トラヴェラーにしてみれば、倍速再生で二時間分を進めるのに要した一時間だけ経験したことになる。これをさらに極端にしてみる。一〇〇年分を一分で早送りする場合、タイム・トラヴェラーの意識の上で経過した時間は一分であり、その周囲の世界で経過した時間は一〇〇年ということになる。そんな状態である。

いましがた引用した個所によれば、タイムマシンの作動によって生じた変化は、第一に視覚を通じた経験として記されていた。そして最後に「耳鳴り」と「意識の混濁」といった視覚以外の要素にも触れられている。その機序は不明だが、タイム・トラヴェルならぬスペース・トラヴェルによって時差ぼけを味わうときのような感覚だろうか。

4. シミュレーションを流れる時間

ところで、こうした状態をコンピュータでシミュレートするにはどうしたらよいか。実際につくるのは大変なことだが、つくり方だけなら考えられる。まずは舞台となる空間を、三次元のグラフィックスとその世界を動かす物理法則によって表現する。さしあたってはタイム・トラヴェラーが暮らしているリッチモンドの周辺だけでもよいだろう。また、タイム・トラヴェラーをはじめ、その地域に暮らしたり訪れたりする人びとを用意する。この人物たちの行動をどこまで細かくつくるかは別として、場所から場所へと移動したり、座って食事をしたり、語り合ったりする、そんな動作をとるようにしよう。

そしてタイムマシンによって生じる変化に対応するためには、いまつくったリッチモンドの街やそれを構成する物質が、時間とともに変化する様子をシミュレートする必要がある。そこには太陽や月などの天体の動きをはじめとして、建築物や各種の道具類が古びていくこと、風雨によって地形や植生などが変化すること、人びとが建物や道を壊したり造ったりすること、場合によっては戦場となって弾丸が飛び交い物が破壊され、人が死んだりすることなど、現実世界で生じうるさまざまな変化が含まれる。

こうした物理的な変化を表現するのはまだしも、おそらく一番難しいのは、長い時間のなかで地球や人類にどのような変化が生じるかを考えることだろう。それはほとんど未来の地球の状態を予想することであり、言ってしまえば無理な相談だ。例えば、シミュレートされた世界内の時間が、二〇二二年のある日だとして、「では、そこから五〇〇年後まで時間を進めたらどうなるかな」と言われても、シミュレーションの作り手としては困ってしまう。当たるかどうかは別として、とにかく世界が時間とともに変化してゆく様子を生み出す、ということでよければどうにでもなる。生物の進化のようなアルゴリズムを用意して、多様な状態が生じてはその一部が存続し、他は滅してゆくといった変化を自動生成するようにはできる。

とまあ、未来の世界をシミュレートするのは適当にごまかすしかないわけだが、そこを表現できれば、タイム・トラヴェルの様子はむしろ簡単に表現できる。タイム・トラヴェラーも時間とともに生物として成長あるいは老化したり、経験に応じて知識を得たりといった変化をするようにつくる。そして、彼がタイムマシンに乗って操作すると、このコンピュータ内世界全体の時間の進みが加速する。その様子は、コンピュータ内世界での日の昇り降りや、日時を示すカレンダーと、タイム・トラヴェラーがいる場所での時計の進みなどで表現できる。また、先ほど述べたようなやり方で、世界そのものがアルゴリズムによって変化してゆく。

ただし、タイムマシンでぐんぐん時間を進めて世界が変化しているあいだも、タイム・

トラヴェラー自身の時間の進み方は等速とする。もしタイムマシンによる時間の加速に合わせてタイム・トラヴェラーも年をとってしまうと、それは彼も含めて時間が速く流れているだけで、ほどなくなんらかの原因でこの世からいなくなってしまうだろう。*2

そうならないようにするには、タイム・トラヴェラーを、コンピュータ内世界の時間から切り離す必要がある。例えば、コンピュータ内世界の時間の速さについて、ある初期状態が設定されているとして、これを初期速度（一倍速）とする。タイムマシンによって昼夜が瞬く間に入れ替わるような速さで時間が進むとき、コンピュータ内世界の時間が例えば初期速度の二〇倍速だとして、その場合でもタイム・トラヴェラーについては相変わらず初期速度で処理するわけである。

そして、この『タイムマシン』シミュレーションを使う利用者の時間、つまり現実世界での時計の時間と、コンピュータ世界内の時計の時間（初期速度）を一致させておけば、これを眺める人はタイム・トラヴェラーと同じように、コンピュータ世界内の時間旅行を経験することになるだろう。

時間に関して小説との大きな違いとしては、シミュレーションの場合、利用者が誰であっても同じだけの時間をかけて、コンピュータ内世界で生じる連続的な変化の様子を見聞きすることになるが、小説ではどのくらいのペースで読み進めるかは人によってまちまちであり、そこで記述される変化は連続的というよりは離散的であるという点がある。離散的とは言い換えれば、断片が並ぶような状態である。そのつもりで先ほど引用した個所を見直しておこう。

❶深呼吸一番、意を新たに両手で発進レバーをぐいと押すと、研究室は靄《もや》がかかったように薄暗くなった。❷と、そこへ家政婦のウォッチエットがやってきて、私には目もくれずに、庭へ出るドアの方へ向かったがね、部屋を横切るのに一分やそこらはかかるだろうに、まるで空《くう》を切って飛ぶロケットだったよ。❸レバーをいっぱいまで倒すと、ランプを消したと同じで、夜が来た。❹と思う間もなく次の日で、研究室の何もかもが遠くに模糊と霞《かす》んで見えた。❺夜の闇があたりを閉ざして、ふと気がつけばもう翌日だ。❻暮れれば明ける夜昼の交替はいよいよ速くなる。❼渦潮に似た耳鳴りがして、何とも言いようのない不思議な心持ちはほとんど意識の混濁に近かった。

（三五ページ／❶〜❼は山本による）

今度は文ごとに番号を振ってみた。要約するとこうなる。

❶レバーを押す⇒薄暗くなる。
❷家政婦がロケットのように移動するのが見える。

❸レバーを倒す⇓夜になる。
❹すぐ翌日になる。
❺すぐ夜が来てまた翌日になる。
❻夜昼の交替が加速する。
❼耳鳴りがする。意識は混濁に近い状態。

この七つの文は、❶から❼へ向かってほぼ時間の順に並んでいる。シミュレーションであれば、ここに示された変化は、連続して表現される。例えば、❷に示されるウォッチエットが現れる場面なら、その間、彼女の様子を眺めるタイム・トラヴェラーの様子や体の動きをはじめ、同時に生じていることも画面に表現されるだろう。それ以前にこの「研究室」なる場所がどのような間取りで、どこに窓やドアがあり、どのような物が置かれているのかをシミュレーションでは表現している。それらの物に生じる変化があるとすれば、それもまた表現されるはずである。例えば、タイムマシンの傍に工具が置かれているとして、それがタイムマシンの作動とともにぶるぶると震えるとか、見る間に錆びていくとか、あるいはウォッチエットか誰かが片付けてすぐに見えなくなるとか。

これに対して小説では、語り手が意識を向けて記述したもの以外はすべて省略される。時間的な変化も例外ではない。いま見ているくだりは、文同士が比較的間をおかない出来事を描写しているが、それでも例えば、❷と❸のあいだにどのくらいの間があるのか、❼の症状はどの時点から始まったのか、といったことは不明に留まっている。それぞれの文は、シミュレーションでなら連続した変化であるはずの出来事を、断片として提示しており、言うなれば、句点で区切られる文と文のあいだには時間や隙間がある。読者はそうした断片を順次受け取りながら、場合によっては記述されていないものも含めて補完して、描写されている状況を思い浮かべるわけである。

5. なぜ紀元八〇万二七〇一年だと分かるのか

タイムマシンが稼働して、タイム・トラヴェラーは未来に向かって運ばれてゆく。「どう言ってみたところで、時間旅行のあの異様な感覚は伝わらないだろうね」（三五ページ）と言いながら、彼は目にしたものを語る。要点をかいつまんでおくと、一分が一日に相当するような速さで動いてゆく状態で、出発点となった研究室もやがて取り壊されて更地になり、建築用の足場が組まれていたようにも見えるが、どんどん加速するのではっきりとは見えなかったという。やがてさらに加速して、昼夜の入れ替わりも感じられないような状態になる。「木々の変化は蒸気の沸騰を見るようだ」（三六ページ）とは言い得て妙。やがて一分で一年が過ぎるようになる。もちろん前者の一分は、タイム・トラヴェラーが体感する時間であり、後者の一年は世界の側で経過する時間だ。具体的にはどうなっているのか不明だが、タイムマシンには「速度計」もついているようだ。

こうした描写が示すのは、タイム・トラヴェラーが時間の流れを、世界に生じる視覚上の変化（建物や樹木などが現れては消える様子、天体の動き）と、速度計というこれもまた視覚で確認できる変化を通じて知覚・認識しているという様子である。仮に、タイム・トラヴェラーの目に、もはやなにも変化が見えなくなったらどうか。周囲が色も形も識別できない白い光（あるいは真っ暗闇）に包まれて、手元の速度計も見えないとしたら、それでも彼は時間の経過を感じるだろうか。

想像してみるに、それでもなお感じられる変化はある。自分の体から発せられる心臓の鼓動の響きやときおり胃のあたりから聞こえてくる音、あるいは頬に生じたり消えたりする痒み、あるいは虫歯の痛みとか、瞬きをはじめとする体の各部の動きなど、自分の身体で生じる変化がある。とはいえ、果たしてそうなってみたとき、それでもなお、私たちが「時間」という言葉で思い浮かべているような感覚が残るのかどうかは分からない。

タイム・トラヴェラーは、時間旅行中の混乱した意識について語り、どんどん未来へ向かいながらも、どこかでタイムマシンを止めることについて考える。もし停止した場所に他の物質があったら、自分はその物質と重なって無事では済まないだろうと想像される。だが、最後には思い切って制動レバーを引く。彼は紀元八〇万二七〇一年の世界に降り立つ。タイムマシンの計器がそう示しているという（五一ページ）。繰り返しになるが、タイム・トラヴェラーはこの計器が示す年代がなければ、自分がどのくらいの未来にいるかを認識できないと思われる。

また、紀元八〇万二七〇一年という年代は、タイムマシンの計器が適切に作動した結果であると前提した場合にのみ信じることができる数字だ。慎重を期すのであれば、タイムマシンとは独立に、いま自分がいるのがいつの時代であるかを示すような時間の指標を見つける必要がある。そんなものがあるかどうかは分からないが、例えば、私たちが使っているカレンダーやスケジュールアプリが表示する西暦による年月日のようなものが、その未来の世界でもそのまま使われていたなら、そこで示されている数字を見ればよい。とはいえ、その場合でも、果たして自分が後にしてきた時代から、紀元八〇万二七〇一年まで、暦や日時の数え方が変わっていないかどうかは分からない。その規模の時間にもなると、天文学的な変化があってもおかしくはない。実際、過去二七〇〇年ほどを通じて、地球における一日の長さは一〇〇年ごとに平均で一・七ミリ秒ずつ長くなっているという推定がある。[*3] こうした変化をタイムマシンがいかに処理しているかは不明だが、話を戻せば、時間旅行で未来へ移動したとき、私たちはいかにしてそれがいつの時代であるかを特定できるかといえば、なんらかのカウントに頼る他はない。時計や暦は、そうした道具の最たるものだ。

なにを言いたいのか。タイムマシンの計器が示す年代を信じるなら、タイム・トラヴェラーが訪れたのは紀元八〇万二七〇一年ということになる。だが、それ以外にこの年代の妥当性を確認する手立ては見当たらない。逆に言えば、タイム・トラヴェラーも読者も、作家が記したこの年代以外にここがいつの時代であるかを知る術はないわけである。手元に時計が一つあって、それ以外の時計を参照できないとき、私たちはその時計が遅れたり進んだりしていないかを知ることはできないのと似ている（仮に自動調整機構が備わった電波時計であっても同様である）。

6．言動の記述は未来でも同じ

実を言えば、時間の観点からすると、紀元八〇万二七〇一年の世界を訪れたタイム・トラヴェラーの体験談には、さほど見るべきものはない。

というのは、当然と言えば当然のことながら、舞台が未来（時間1未来）になっただけで、彼の行動は元の世界（時間1現在）と大きく変わるわけではないからだ。歩く、見る、観察する、考える、休む、悩む、失う、焦る……といった行動が記され、彼が見聞きしたもの、感じたり考えたりしたことが綴られている。そうした行動のそれぞれは、いかほどかは分からないがある時間の幅を持って行われる。また、月や太陽が昇ったり沈んだりする昼夜の変化も描かれており、これによってタイム・トラヴェラーは時間の経過を知るが、それ以外に時刻を知るような手段は持ち合わせていない。「朝の八時か九時」と述べる場面もあるが、時計を携えているわけではないので、これはおそらく日の出や太陽の位置からの推測であろう（一三二ページ）。

作家が「紀元八〇万二七〇一年」といった年代を記さなかったら、ここに記述された世界が「紀元五四〇〇年」なのか、「紀元一二五万年」なのかは不明であり、私たちは作品内世界における時間についての見当識を持つことができない。それが拙いわけではない。ただ、いつのことかが不明の状態に留まるわけである。もう一度言い直せば、私たちは文芸作品を読むとき、作家が文中で示した時間の手がかりによって、あるいは作中人物の時間についての見当識の描写に基づいて、それがいつ頃のことかを認識するのである。

7．精神のほうへ

タイム・トラヴェラーは紀元八〇万二七〇一年の世界で、こともあろうにタイムマシンを奪われてしまう。紆余曲折を経て奪還し、そのまま元いた世界（時間1現在）に戻るのかと思えばそうではない。焦って操作したためか、レバーを未来方向へ倒してしまう。ついでながら、そこでは計器について少し触れられている。どうやらその計器は、一日単位、千日単位、百万日単位、十億日単位で時間をカウントするようだ。

　彼はときどきタイムマシンを止めて寄り道をしながら、三〇〇〇万年以上の未来へと移動する。その道すがら報告されるのは、月がなくなったり、太陽が大きくなったり、地上に生き物らしきものがいたり、いなかったりといった、目に映る光景である。言うまでもなく、自分がどの時代にいるのかは、タイムマシンの計器が示す数字のほかに手がかりはなく、時刻も知りようがない。

　そうしてタイム・トラヴェラーは来た道というか、来た時間を戻ることにして、今度はタイムマシンのレバーを過去のほうへ倒す。未来へ向かうときに動画を早送りしたのとは反対に、過去へ向かう場合には動画を逆再生したような現象が目に入る。

　やがて出発点に戻った（ただしタイムマシンは奪略者によって移動されていたので、その分だけ位置は変わっていたのだが）タイム・トラヴェラーが最初にしたことの一つは、時間の確認だった。


　そこの戸口のテーブルに「ペルメル・ガゼット」があって、日付はまさしく今日だ。時計を見ると、かれこれ八時。　（一四七ページ）

ここには直に記されていないが、彼の家では戸口のテーブルに「ペルメル・ガゼット」

の外ならぬ当日号が置かれているのが習慣なのだと思われる。前日や過去の号が置きっぱなしになっていたという可能性はゼロではないものの、ここでは家主であるタイム・トラヴェラーの判断を疑わずともよいだろう。実際、この後で夕食に来ていた人びとと再会し、「今日」経験したこととして時間旅行について語って聞かせているが、人びとの日付の認識とタイム・トラヴェラーのそれとがズレているという指摘はなされていない。

ところでこれは『タイムマシン』の作品内世界ではなく、作品外世界のことだが、「ペルメル・ガゼット」は一八六五年創刊で、一九二三年に「イヴニング・スタンダード」紙に吸収されるまで存在したロンドンの夕刊紙だった。*4『タイムマシン』が雑誌での連載を経て本として刊行されたのが一八九五年のことで、作中で言及される「ペルメル・ガゼット」が現実世界と同じものを指すとすればだが、作中の時代設定もこのあたりだったと推定する手がかりになる。

話を戻せば、時間を行き来してきたタイム・トラヴェラーが新聞の日付と時計によって、いまがいつなのかを知る。これは、彼が確かに「時間1現在」に戻ってきたことを読者に示すために必要な要素であるとしても、人間と時間の関係を考える上でも大変示唆的である。繰り返しになるが、人はこのようにしてしか時間を知ることがない。もっとも私たちはタイム・トラヴェラーのように時間を移動しないので、こんなふうに年代や日時を気にする機会は少ない。時間の見当識を失うケースとしては、例えば、全身麻酔を施しての手術後や、昏睡状態から意識が戻ったときなどは、似たような状況に置かれるだろうか。見方を変えて言えば、現代の私たちは常に今日が何年何月何日で、いまが何時何分なのかを確認しながら生きていると言えるかもしれない。暦や時計に頼って絶えず確認することで、生身の体には備わっていない日時の感覚を保てているのではあるまいか。タイム・トラヴェラーの時間旅行譚に耳を傾け終わった後で、「うわぁ、もう一時じゃないか」（一五〇ページ）と驚く新聞記者のように、時間を忘れることは私たちにとっても日常茶飯事である。以上、H・G・ウェルズの『タイムマシン』を材料にして、文芸作品を流れる時間について検討してみた。

さて、ここまでのところ、文芸作品に記される空間と時間のあり方について、ごく簡単にではあるが、その例を眺めてきた。これらはもっぱらのところ、物質とその変化に関わる要素だった。もちろん空間にせよ、時間にせよ、それを認識する人間（あるいはそれに類する存在者）がいてこそ成り立つものだ。では、そうした認識をする人間の精神について、文芸作品はなにをどのように記しうるのか。次はそのことを検討してみることにしよう。

第Ⅳ部　心

第8章　「心」という見えないものの描き方

文芸作品には、なにがどのように書かれているのか。この問いを巡ってこれまでのところ、大まかに言えば、空間と時間について具体的な作品を検討してきた。

空間や時間といえば、なにやらつかみどころもないようだが、ここでそうしてみたように、例えばバルザックの『ゴリオ爺さん』や、芭蕉の俳句、あるいはウェルズの『タイムマシン』をそのつもりで眺めてみれば、その多くは、人が目にするもの、耳にするものを中心として、五感で経験する状態や出来事とその変化を記述するものだった。

例えば、ある建物がどこに位置するのか、その敷地にはなにがどのように配置されているのか、建物は何階建てでどのような間取りなのか、それぞれの部屋にはなにが置かれており、誰がいるのかなど。あるいは、私たちが日時を知るには、太陽や空の状態、自分や周囲に生じるさまざまな変化もさることながら、カレンダーや時計といったモノにも頼っているなど。

他のどのような文芸作品を材料に選んでも、ここまで検討してきたようなやり方で、そこでは空間や時間がどのように書かれているかを見てとることができるだろう。

1. 目には見えない「心」のほうへ

さて、次にもう一つ、文芸作品を構成する要素で目を留めておきたいものがある。それをなんと呼ぶのが適切かはともかくとして、私たちが日頃、「心」とか「意識」と呼んでいるなにごとかだ。などと持って回った言い方をするのは、「心」にせよ「意識」にせよ、あるいは「精神」と呼ぶにしても、さらには「無意識」を考慮に入れるとしても、私たちは依然としてこれがなんであるのかを十全に理解しているとは言いがたい状態にあるように思うからだった。以下では必要に応じて使い分けるとして、まずはまとめて「心」と呼んでおくことにしよう。

「十全に理解しているとは言いがたい」と述べたが、古来の哲学や心理学、あるいは認知科学や神経科学をはじめとする、諸学問において、「心」というなにかが探究されてきた。例えば、私たちが今日、「思考」や「感情」や「意欲」、「理性」「知性」「感性」、「認知」「記憶」などと呼び分けているものは、言ってみれば「心」が備えている働きやあり方を分類する試みのなかで生じてきた区別だった。それは時代や場所や言語によって、さまざまに表されてきた。他方で、「人工知能」というときの「知能」という精神の働きが、その実なんであるかが分かっていないように、こうした区別や呼び方は、必ずしもなにを指しているか明らかであるとも限らないのだった。

「心」で生じている出来事について、「楽しい」「悲しい」という表現がしっくりくると感じることもあれば、手持ちの言葉では表しようがないと感じることもある。例えば「もやもやする」とは、その原因や正体は分からないものの、違和感や不満のようななにかを感じている状態であろう。そもそも自分の「心」の状態は、自らそうしようと意図して変えることもできなくはないものの、そのつど経験することがらに応じて、言うなれば、自分の体がそのような状態をとるのだ、とも言える。例えば、表を歩いているとき、ある香りを感じて、そんなつもりはなかったのに、何年か前に旅先で飲んだお茶のことを思い出したりする。SNSで政治のニュースを目にして、にわかに怒りが湧いてくるなど。

自分の「心」の状態でさえそんなふうに捉えがたいところ、自分以外の人についてはなおのこと分からないとしても無理はない。私たちは、互いに他人がいまどのような「心」の状態にあるのかを、自分の「心」に生じている出来事のように直には体験できない。できるのは、他人を外から見て感知できること、身体の状態、身振り、表情、発話などを手がかりに想像すること、あるいは自分の場合を手がかりとして他人の場合を類推することである。

文芸作品の大きな特徴の一つは、そうした「心」の状態を言葉によって表現するところにある。例えば、こんなふうに。

着陸体勢に入ったという機内アナウンスに詩婷《Shiting》はじっと耳を澄ます。まもなく東京国際空港です、という日本語が想像以上にくっきりと聞き取れたことにうれしくなる。

でも、これぐらいで喜んでいたらいけないとすぐに思う。今回は遊びに来たんじゃない。わたしは日本語を勉強するんだから、と狭い座席で誇らしげに背筋をのばす。

（温又柔『空港時光』河出書房新社、二〇一八、一六ページ）

ここには、詩婷という人物が飛行機に乗っており、機内アナウンスの音声が耳に入り、それを日本語として認識でき、うれしさを感じた、という状態が記されている。また、すぐさま喜んだ自分を戒め、しかし誇らしさを感じなくもないという様子が示されている。最後の「誇らしげに」は、第三者による観察のようでもある。ともあれ、このようにして、ある人物の置かれた状況と、その人物が周囲を知覚し（この場合なら聴覚）、「心」に変化が生じる様子が文芸作品では記されている。

2. 視覚表現で見えないものを表す方法

先に進む前に、他の表現法と少し比べてみよう。映像やマンガのような文字以外の視覚要素を用いる場合はどうか。身体や身振りや表情や発話といった外から感知できることを表すのに加えて、「内心の声」を表すこともできる。そこでは言語が使われる。映像なら、人物の口が動かずにその人の声だけが聞こえる。マンガなら、やはり発話している様子もないのに、吹き出しでセリフが示される。例えば、にこやかな笑顔を浮かべて相手の話に同意するような素振りを見せながら、腹の中では「ああ、この話、はやく終わらないかな」と考えているという具合。人が必ずしも外からは分からないようななにごとかを、心の中で考えたり感じたりしている様子を表そうと思えば、そのようなやり方がある。

ここにコンピュータゲームを加えてもよい。コンピュータゲームでは、画面にグラフィック(映像)を表示し、スピーカーから音声や音楽を流し、コントローラーを振動させるなど、複数の表現手段をあわせて使う。映像やマンガのような表現もできれば、画面に文字を表示して文芸のように言葉を使うこともできる。いずれにしても、言語を使わずに、言語でなら表せるようなかたちで「心」の状態を表現するのは難しい。これは表現の優劣の問題ではなく、単に違いを述べているだけである。

こうした要素に注目する場合、映像やマンガやコンピュータゲームもまた、文芸作品の一種と見なすことができる。それらは言語のみでつくられているわけではないものの、言語を使った文芸の要素を持ってもいるからだ。そう分類したからといってなんになるのか。すでに試みられてきているように、相互の比較を通じて、例えば文字表現でなにができるのかを検討する手がかりが増えたりするだろう。では、文芸作品では「心」について、なにをどのように書いているのだろうか。これがここでの関心事である。

ところで、ここまでのところ、文芸作品の性質をいっそうよく浮かび上がらせるために、文芸作品に描かれた世界を、コンピュータでシミュレーションするにはなにをどうつくればよいかについても検討してきた。先に申せば、ここから先、このやり方はうまく働かない可能性が高いと睨んでいる。なぜなら、「心」をシミュレーションするとはなにをすることなのかさえ、よく分からないからだ。とはいえ、これについてはデジタルコンピュータの誕生以来、さまざまな試行錯誤がなされてきたところでもある。必要があれば、そうした話にも触れることにしよう。また、コンピュータでは「心」をうまくシミュレーションできない次第を眺めてみることによって、むしろ文芸作品で実現していることが、よりよく見えてくるかもしれない。そういう意味では、これまでと同様、文芸とシミュレーションを並べてみる意味はあるのかもしれない。ともあれ試してみることにしよう。

3. サンプリングについて

さて、どこから始めよう。それこそ無数に書かれてきた文芸作品だけに、事例は見切れないほどある。まずは観察の準備として、二つのケースについて検討してみるのはどうか。一つは、古代の文芸と呼べそうな作品。もう一つは、「心」の描写を極力少なくしようとしている作品である。

なぜ古代の文芸作品かといえば、古代人のほうが現代人より素朴だったはずで、従って「心」の記述もシンプルだったに違いない――ということを考えているわけではない。そのような予断はむしろ退けよう。そうではなく、歴史的に自分たちから遠い世界では、「心」がどのように記述されていたのかを見てみようという心づもりである。時間的に遠いからといって、「心」の記述が現代と大きく違っているとは限らない。本当は可能であれば、別の惑星の生物、地球人ではない生物と比べてみたいところだが、これは叶えようもないのでさしあたっては諦めておく。ただし、地球人ではない存在を描写しようとする文芸作品は多々つくられてきており、そこで「心」がどういった言葉で記されているかを見てみるのは無駄でないように思われる。

というわけで、さしあたり二つのケースを見ることにしよう。改めて言えば、(1)古代の文芸作品、(2)「心」を極力描かない文芸作品である。と、こう並べてみてもう一つ比べてみたくなる。(3)文芸ではない文章での「心」の記述はどうなっているのか。*1

4. 古代ギリシア文学の「心」

まずは古代の文芸作品をそのつもりで覗いてみよう。文字で書き残された古いものとしては、古代エジプトの物語と呼べそうなものや、古代シュメールの『ギルガメシュ叙事詩』などがある。より古い例については、機会があれば触れることにして、ここでは例えば、古代ギリシアのホメロスの叙事詩『イリアス』はどうか。というのも、この叙事詩は、英雄アキレウスの「怒り」から始まるのだった。

(1) 怒りを歌え、女神よ、ペレウスの子アキレウスの――アカイア勢に数知れぬ苦難をもたらし、あまた勇士らの猛《たけ》き魂を冥府《アイデス》の王に投げ与え、その亡骸《なきがら》は群がる野犬野鳥の啖《くら》うにまかせたかの呪うべき怒りを。かくてゼウスの神慮は遂《と》げられていったが、はじめアトレウスの子、民を統《す》べる王アガメムノンと勇将アキレウスとが、仲違《なかたが》いして袂《たもと》を分つ時より語り起して、歌い給えよ。(『イリアス』上巻、松平千秋訳、岩波文庫、岩波書店、一九九二、一一ページ／ただし冒頭の(1)は山本による。以下同様*2)

冒頭の詩神（ムーサ）への祈りからしてアキレウスの怒りに触れている。しかもただの怒りではない。「アカイア勢に数知れぬ苦難をもたらし」たという。これはトロイア戦争の顚末を語る叙事詩で、アカイア人たちがトロイア（イーリオス）に攻め入るのが大きな筋立てだ。作中で「アカイア人」とはギリシア人のこと。

アキレウスは、そのアカイア側の英雄である。アキレウスの怒りが、味方の陣営に苦難をもたらすというのだから、ただごとではない。また、「あまた勇士ら」が死ぬことになり、遺体は放置されることになる、そんな事態の発端となったのも、アキレウスの怒りだという。ますます剣呑だ。

「怒り」とは、現在通用している分類でいえば「感情」の一種。喜怒哀楽その他、感情はさまざまに分類されている。そして「感情」は、「心」がとる状態の一種である。あるいは「腸が煮えくり返る」という表現があるように、身体に根ざした「情動」といってもよいかもしれない。そうした現代の見方を過度に押し付けないように注意しながら、『イリアス』に描かれるアキレウスの「怒り」を中心に眺めてみよう。もちろん、それ以外にも「心」にかかわると思われる記述があれば目を留めるつもり。さて、具体的にはどのような「怒り」だったのか。

まず、状況を見てみよう。先ほど引用した冒頭部にもあったように、事の発端は、アカイア軍を率いるアガメムノンとその配下であるアキレウスの仲違いだった。なぜそのようなことになったのか。詩人は冒頭部（1）に続いて、その成り行きを語る。まずは筋道を頭に入れておくために、要約してみる。詩人は「そもそも二人を争わしめたのは、いかなる神であったのか」という問いを発した上で、次のように述べている。

❶アガメムノンが祭司クリュセスを辱めた
❷アポロン神がこれに憤って陣中に疫病を起こした
❸クリュセスが、アガメムノンらに捕らわれた娘を身の代と交換したいと交渉にきた
❹クリュセスの歎願を聴いたアカイア勢はみな、受け入れるべしと叫んだ
❺アガメムノンは、クリュセスの申し出が気に入らず罵倒して追い返した
❻クリュセスは脅えて引き下がった
❼クリュセスはアポロンに、アガメムノンらにこの償いをさせて欲しいと祈った
❽願いを聴いたアポロンは怒り、アカイア兵たちに矢を射ち込み殺し続けた

いったんここで区切ろう。この要約は、『イリアス』に記された順を入れ替えず、補足もせず、要約したものだ。敢えて文脈などを補足していないので、この要約だけを読んでも理解しづらいかもしれない。その飲み込みづらいところも含めて眺めてみたいと考えて

のこと。

❶と❷は、先の問い「そもそも二人を争わしめたのは、いかなる神であったのか」への答えだ。冒頭で、アキレウスの怒りによってアカイア軍はえらい目に遭ったのだが、その発端となったのはアカイア軍の大将アガメムノンと配下のアキレウスの仲違いに始まると示されていた。この仲間割れはなぜ起きたのかというわけだ。詩人の問いが、その仲間割れを生じさせたのはどの神だったか、であることに注意しよう。

ここには、私たちの発想とは随分と異なる見方が示されている。アガメムノンとアキレウスがケンカをしたとすれば、原因はこの二人の人間のやりとりや、その背景にある状況などに求めたくなる。ところが、ホメロスは、二人の人間のケンカという出来事が生じるきっかけは「神」なのだという。詩人はそれ以外の原因を考慮するふうでもなく、まっすぐに「そもそも二人を争わしめたのは、いかなる神であったのか」と問うている。これは、「アガメムノンとアキレウスはなぜケンカをしたのか」という問いとは、すでに出発点が違っている。

このように問う場合、そこで期待される答えは、神々のうち、どの神かという特定である。❶と❷にさっそく記されていたのは、その神が外ならぬアポロンであるという答えだった。再掲しておこう。

❶アガメムノンが祭司クリュセスを辱めた
❷アポロン神がこれに憤って陣中に疫病を起こした

ただ、その時点では、なぜアガメムノンとアキレウスがケンカをしたのかはまだ分からない。ただ、アキレウスがそれを生じさせたということだけが示されている。しかも面白いことに、❶で言われている「アガメムノンが祭司クリュセスを辱めた」という出来事を見ただけでは、なぜアキレウスが怒ったのかは分からない。それどころか、新たな人物が登場して、事態が複雑になりそうである。この段階で分かるのは、❶❷に要約した通り、アガメムノンが祭司クリュセスなる人物を辱めたために、アポロン神が憤って（アガメムノンたちの）陣中に疫病を起こした、ということだけである。ここで注目したい「心」について言えば、どうやらアポロンという神もまた、人間たちと同じように感情をもっており、憤りや怒りを感じるらしいことが伝わってくる。

5. アポロンはなぜ憤ったのか

では、アポロンはなぜ憤ったのか。それが❸以下に書かれていたことだった。❸を改めて示しておこう。

❸クリュセスが、アガメムノンらに捕らわれた娘を身の代と交換したいと交渉にきた

この展開は、やや唐突に感じられる。といっても、要約では伝わらないかもしれない。そこで先ほどの引用（1）「怒りを歌え、女神よ……」の続きを見てみよう。

（2）そもそも二人を争わしめたのは、いかなる神であったのか。これぞレトとゼウスの御子（アポロン）、神はアトレウスの子が祭司クリュセスを辱《はずか》しめたことを憤《いきどお》り、陣中に悪疫を起し、兵士らは次々に斃《たお》れていった。クリュセスは捕われの娘の身柄を引き取るべく、莫大な身《み》の代《しろ》を携え、手に持つ黄金の笏杖《しゃくじょう》の尖《さき》には遠矢の神アポロンの聖なる標《しるし》、羊の毛を結んで、船脚速き軍船の並ぶアカイア勢の陣営に現われ、アカイア軍の全員、わけても軍を統率するアトレウス家の二兄弟に歎願していうには、

（同書、一一ページ）

ご覧の通りである。改めて、ここにはなにがどのように書かれているかに注意してみる。まずこの文章は、すでに起きた過去の出来事（アガメムノンとアキレウスの仲違い）を振り返る、という視点で書かれている。少なくとも文章を見る限りでは、どこの誰がこ

れを語っているのかは不明だ。ただし、この叙事詩は文字に書き留められる以前、口承されていたと考えられている。そのことを踏まえると、どこかの詩人がこれを人びとの前で朗誦している場合なら、語り手はその詩人ということになるだろう。「さて、みなさん、そもそもあの二人を争わしめたのは、いかなる神であったのでしょうか……」というふうに。

そして、これぞアポロンであると明かされる。先ほどの要約で示せば、❶アガメムノンが祭司クリュセスを辱め、❷アポロン神がこれに憤って陣中に疫病を起こしたのだった。❶の出来事によってアポロンが憤って❷の行動に至る。

引用（2）の前半はアポロンの行動をなぞっている。具体的にいつ、どこでのことかは不明だが、アポロンが「陣中」に「悪疫を起」こす。その結果、「陣中」にいた兵士らが「斃れていった」。たいへん手短に、神の行いと結果が記されている。これは、いま目の前でアポロンがなにかをしている場面に立ち会うというよりは、すでに起きた出来事について、新聞報道を読むのと同じように、なにが起きたのかの報告を聞くような状態だ。

ここでやや分かりづらく感じるのは、そうしたアポロンの行動を述べた後で、そのまま時間が進んでいくかと思えばそうではないところ。そのまま時間を進めるなら、兵士たちがバタバタと斃れてゆき、そうしてどうなったのかという先の出来事が期待されるところ、そうではなく、そもそもクリュセスはどのように辱めを受けたのかという経緯に戻っている。

そういえば、冒頭の（1）も似たような構成になっていた。まずはアキレウスの怒りとその結果が述べられる。それから改めて、なぜそんなことになったのかという経緯に戻る。つまり、アガメムノンとアキレウスの仲違いから語り起こそう、というふうに。整理するとこうなる。

（1）アキレウスの場合
・アキレウスの怒りとその結果
・その原因となったアガメムノンとアキレウスの仲違いの経緯

（2）アポロンの場合
・アポロンの憤りとその結果
・その原因となったクリュセスが辱められた経緯

双方とも、アキレウスなりアポロンなりの感情（怒り・憤り）から生じた結果を示しておいてから、そもそもなぜそうなったのかという経緯を語るという構成をとっている。言い換えれば、「怒り」や「憤り」といった感情の発露がまずあって、それによって引き起こされた行動があって、それからようやく、どうしてそうなったのか、なにゆえにそのような感情が引き起こされたのかを語る、という順序なのである。また、そもそも（1）アキレウスがなぜ怒ったのかを説明するために、それより前に起きた別の出来事（2）アポロンの憤りが思い起こされていることにも注意しておこう。出来事を提示しておいてから、その原因に遡るという構成が入れ子のように繰り返されているわけである。

6. クリュセスの意図

さて、なぜアポロンは憤ったのか。（2）の「クリュセスは捕われの娘の身柄を引き取るべく……」以下で、なにゆえアポロンが憤ることになったのかという経緯が語られていた。もう一度、なにがどのように記されているのかを見ておこう。

クリュセスは捕われの娘の身柄を引き取るべく、莫大な身《み》の代《しろ》を携え、手に持つ黄金の笏杖《しゃくじょう》の尖《さき》には遠矢の神アポロンの聖なる標《しるし》、羊の毛を結んで、船脚速き軍船の並ぶアカイア勢の陣営に現われ、アカイア軍の全員、わけても軍を統率するアトレウス家の二兄弟に歎願していうには、

（同書、一一ページ）

ここに記された範囲では、このクリュセスがどこから現れたのかは分からない。それはともかく、ここにはまず彼の念頭にある「捕われの娘の身柄を引き取るべく」という意図が述べられていることに注目したい。小説を読み慣れていると、特に引っかかるようなことではないかもしれない。だが、この場面を映画やマンガなどの映像や画像で表そうと考えてみれば、ことはさほど簡単ではないことが分かる。

ここでクリュセスが「心」に抱いているその意図を、どう映像にできるか。このくだりの文章を手がかりにするなら、海に軍船が群れるアカイア軍の陣営へと向かうクリュセスの姿を映すことになるだろう。そのクリュセスは、羊の毛を結んだ黄金の笏杖を手にもち、具体的には不明だがなにかしらの財宝の類を携えている。お気づきかもしれないが、ここまでの描写のうち、この笏杖だけがいやに詳しく記されている。クリュセスの風貌や年格好や服装などは一切描かれないから、映像にする場合は設定を考える必要がある。他方で、彼が手にしているこの笏杖が黄金であり、その先端に羊の毛が結ばれていること、それがアポロンの聖なる標であることは詳しく書かれている。この後に生じる出来事を思えば、クリュセスという人物に属するもののうちでも、最も重要な要素であるからだと考えられる。

その他、とくに移動手段は示されていないが、馬に乗るなり歩くなりは選んで表現すればよい。だが、アカイア軍の陣営へ向かうクリュセスが「心」に抱いているはずの意図ばかりはそのままでは映像にはできない。

もちろんこの場面を映像にする手立てがないわけではない。例えば、彼の娘がアカイア軍にさらわれて、クリュセスが向かっている陣営に連れ去られたという場面は映像で表せる。その場合、彼女がクリュセスの娘であることもなんらかのかたちで表現しておく必要があるだろう。さらわれる場面にクリュセスがおり、「娘よ、必ず助けにいくぞ」と言えば、財宝をもってアカイア軍を目指す場面の意味も伝わる。ただし、このとき文字でなら「捕われの娘の身柄を引き取るべく」と記せるクリュセスの「意図」は直に映像にはなっていない。画面には、あくまでもクリュセスと娘と彼女をさらう兵士の言動だけが提示され、その言動の組み合わせから、これを見た者が、アカイア軍へ向かうクリュセスの「心」の内、その意図を想像するわけである。

もっと手軽に済ませるなら、アカイア軍の陣営へ向かうクリュセスの映像に重ねて、彼の内心の声で「おお、娘よ。どうか無事でいておくれ。いま助けにいくからな……」といったセリフを重ねたり、お供の者と「祭司様、うまくいくでしょうか」「あやつらとて、これだけの宝を前にすれば、よもや娘を返さぬとは言うまい」といった会話をさせる手もあるだろう（ただし、こうした説明セリフはわざとらしく陳腐になる恐れがある）。前者の場合、現実世界でなら第三者から知覚できないはずの内心の声（内語）を、発話と同じ音声として表現しているわけである。これは、言葉で「捕われの娘の身柄を引き取るべく」とその意図を記すのともまた違う表現だ。後者のお供の者との会話は、内心ではなく、外に現れた言動であり、「心」を直に表現したものではない。

だから映像は劣っている、という話ではない。現実では窺い知れない他人の「心」のありさまを文章でなら「捕われの娘の身柄を引き取るべく」と示せてしまうことを考えるための比較である。

では、クリュセスの「意図」について、文章ではなにがどのように記されているか。文言としては「捕われの娘の身柄を引き取るべく」だった。ここにはなにが記されているのか。

まず端的に言えば、アカイア軍の陣営へ向かう時点で、クリュセスがその先で行うはずのこと、未来の行為が記されている。未来ということは、まだ実行していない予定である。クリュセスが現に行っていること（財宝を携えて移動）に合わせて、なるべく省略せず、彼の視点から書き直せばこうなろうか。

①娘は現在アカイア軍に捕らえられ、その陣営にいる（はずである）

②私はアカイア軍から娘を返してもらうつもりである

③娘を返してもらえるように、財宝との交換を提案するつもりである

①はクリュセスの現状認識だ。②は、その認識をもとに、クリュセスが将来において実現したい状態で、目的と呼んでもよい。あるいは、実際にはどうか分からないが、少なくともクリュセスの認識では現在の状況である。娘が捕らえられているのではなく、どこか別の場所にいるのなら、①はクリュセスの思い込みだったということにもなりうる。③は、②の目的を達成するための手段である。およそこうした「意図」をもって、クリュセスは行動しつつある。

以上のように考えてみると、ここでクリュセスが「心」に抱いている「意図」としては、なにがどのように書かれていると言えるだろうか。「捕われの娘の身柄を引き取るべく」というクリュセスの「意図」は、①現状の認識（娘がアカイア軍に捕らわれている）と、その上で、②この現状を変えたい（娘を取り戻したい）という未来の状態変化、つまりは目的を記したものだった。まとめれば、自分の娘の状態を変更するという未来の出来事が書かれているわけである。まだ起きていないこと、現状とは異なる状態を「心」のなかで思い描いている、と言ってもよい。つまり、なにがどのように記されているかといえば、現状とは異なる作品内世界の状態を言葉によって記している。さらに言えば、それは、現在の作品内世界の状態を記すのと同じように主語や述語の組み合わせによって記される。ただし、「引き取るべく」の「べく」が示すように、まだ生じていない状態であるという印が添えられている。

7. アガメムノンの不満

そのような「意図」を抱いて、クリュセスはアカイア軍の陣営に現れ、こう歎願する。いよいよその成否が明らかになるときだ。

(3)「アトレウス家の御兄弟ならびに脛当《すねあて》美々《びび》しきアカイア勢の方々よ、どうかあなた方が見事プリアモスの城を攻め落し、恙《つつが》なく故国にお帰りなされることを、オリュンポスに住まいます神々がお許し下さるように。わたしの娘はしかし、どうかゼウスの御子、遠矢のアポロンの神威を憚《はばか》って、身の代と引き換えに自由の身にしてやっていただきたい。」(同書、一一—一二ページ)

ここに名前が現れる「プリアモス」とは、アガメムノンたちが攻め込んでいる敵国トロイアの王である。クリュセスは、アカイア勢の戦争目的を理解しており、本心でそう考えているかどうかはさておき、その達成を願うと表明しているわけだ。そのうえで身の代を引き換えに娘を返してくれという。ここで「アポロンの神威」を引き合いに出しているのは、この後で示されるのだが、クリュセスがアポロンを崇めていることにも関わる。

ところで、人が口にする言葉もまた、その人の「心」によって発意され、体を通じて物理的に表されるものだ。そのように考える場合、文芸作品内で示されるセリフについても、「心」との関係を検討することができるだろう。だが、いまは措いておこう。ここではまず、内心で生じる出来事や変化に注目しておきたい。

クリュセスの言葉を耳にした者たちはどう反応したか。

この時アカイア勢の全員は口を揃え、祭司に敬意を表して、見事な身の代を受けるがよいと叫んだが、ひとりアトレウスの子アガメムノンにはこの申し出が気にくわず、手荒く祭司を追い返し、乱暴な言葉を浴びせていうには、

「老いぼれよ、そのままここでうろうろするにせよ、また出直してくるにせよ、この洞《ほら》なす船の傍《かたわ》らで、わしに姿を見せてはならぬぞ。気の毒だが笏杖も神の標《しるし》もお前には何の役にも立たぬであろう。娘を返すつもりはない。故郷を遠くアルゴスなるわが屋敷で機《はた》を織り、わしの夜伽《よとぎ》をつとめながら老いを迎えるまではな。さあ、さっさと立ち去れ、無事に家へ帰りたくば、わしを怒らすなよ。」

（同書、一二ページ）

兵士たちはクリュセスの提案を受け入れよと叫んだ。これは傍から見て分かる行動の描写。私たちの発想で見れば、こうした行動もそれに先立つ「心」の動きがあるとも想像で

きる。だが、文言として記されてはいない。

兵士たちの反応に対して、決裁者のアガメムノンはどうかといえば、「気にくわず」、「手荒く祭司を追い返し」、「乱暴な言葉を浴びせ」た。このアガメムノンの行動のうち、「手荒く祭司を追い返し」、「乱暴な言葉を浴びせ」の二つは、これも先の兵士たちの叫びと同じように傍から見て分かる行動の描写だ。ただし、この行動の前に記された「気にくわず」は、アガメムノンの「心」に生じた変化であろう。目の前に現れたクリュセスの姿を見、その言葉を耳にして、アガメムノンの「心」に「気にくわない」という状態が生じる。「わしを怒らすなよ」という彼の言葉に示されているように、その提案を取り下げて立ち去らなければ、自分は「怒り」の状態になるぞとも言っている。

クリュセスが受けた辱めとは、この出来事のことだった。これがなぜアポロンの憤りを招くのかは、次章で眺めることにしよう。

第9章　心の連鎖反応

いわゆる人の心というものは、文芸作品にどう描かれているのか。そうした関心から、まずは、古代ギリシアのホメロスによる（とされる）叙事詩『イリアス』を見ているところだった。現代から時間的にも遠く、また文化や言語も異なるものを選んでみたのは、それだけの距離があっても伝わることがあるかどうか、あるいはよく分からないことがあるかどうか、といった点で検討しやすいと睨んでのことだった。

ただし、「心について、どう記されているか」という問いを立ててはいるものの、言うところの「心」というなにごとかがよく分かっているわけではない。それだけに、ここで読もうとしている文章のうち、なにを心の記述とみなすのか、という区別自体が必ずしも明確ではない可能性には注意しておきたい。

私たちが直に感知できるのは、自分の心の内だけである。他人の心については、傍から知覚できる要素、つまり表情や声や身振りや行動などから推測するしかない。

それに対して、小説や詩のような表現では、自分ではない誰かの心の内を擬似体験できる。この点を強調して、文芸とは言語を用いた他人シミュレーターといってもよい。日常では、けっしてそのような形で感知できないはずの他人の心の動きを、文字の媒介によってではあるものの、というよりも、文字で記されるからこそ擬似体験できる。対象が対象だけに、いささか曖昧にならざるを得ないのだが、以上のような点に注意を払いながら、具体的な文章で検討してみようというわけである。

1.「心理」と「行動」の連鎖反応

さて、『イリアス』は、トロイアに攻め込んだアカイア人（ギリシア人）たちの陣営で起きた出来事から話が始まる。アカイア勢のなかの英雄アキレウスが怒り、同軍を率いるアガメムノンと袂を分かつことになる。一体なぜそうなったのか。冒頭から話はいささか込み入っていた。前章で眺めたところを、必要な範囲でごく簡単に要約すれば、次のような事態が生じたのだった。

・祭司クリュセスは、アガメムノンに奪われた娘を取り戻すため、交渉に訪れた。
・アガメムノンはクリュセスの申し出を拒否するだけでなく侮辱した。

クリュセスが莫大な身の代を携えて交渉に訪れた際、アガメムノンの配下たちは、敬意を表して、その申し出を受けるがよいと叫んだ。だが、アガメムノンは単に拒否するだけでなく、乱暴な言葉を浴びせたのだった。そしてどうなったのか。人物たちの「心」の動きに注意しながら先を見てみよう。アガメムノンに追い払われたクリュセスは、引き下がってどうしたか。

〔アガメムノンが〕こういうと老人は脅えて、いわれるままに従った。浪騒ぐ浜の渚《なぎさ》を黙々として歩んで行ったが、やがて人気《ひとけ》のない辺りにたどりつくと、髪美《うる》わしいレトが産んだアポロンに心を籠めて祈っていうには、（ホメロス『イリアス』上巻、松平千秋訳、岩波文庫、岩波書店、一二ページ、〔　〕は山本による補足。以下同様）

というわけである。ここにはクリュセスの行動が示されている。彼はアポロン神を崇める祭司であり、アポロンに向けて過去に社を建てたり供え物をしたのを覚えているのなら、どうか望みを叶えて欲しいと呼びかける。その望みとは「あなたの弓矢によってダナオイ勢〔ギリシア軍〕に、わたくしの流した涙の償いを払わせてやって下さいませ」（一三ページ）ということだった。ここでは、クリュセスの心の動きそのものは描写されていないものの、アポロンに向けた訴えの言葉を通じて、娘を取り戻せなかった無念さや侮辱された悔しさといった感情が間接的に示されている。

この祈りを聴き届けたアポロンは「心中怒りに燃え」て、神々が住まうオリュンポスを降り、地上のギリシア軍の陣に向けて矢を降り注がせる。なんでもアポロンは九日間にわたって矢を射続け、兵士たちが斃れていったという。ここで興味深いのは、神にも「心」があるらしいところ。しかも「怒り」を覚えたりするわけである。この怒れるアポロンについて、『イリアス』の文章は、アポロンの一人称ではなく三人称で記している。語り手は、傍から見ても分からない、アポロンの心中の状態を描写しているわけである。さらに言えば、神々の姿は、必ずしも人間たちの目に映るわけではない。つまり、登場する人びとには見えない神の姿も、この語り手は描いてみせている。

また、私たちは、もっぱら心の状態や動きについての描写に注意を向けているところだが、心はそれだけで真空中に存在しているわけではない。人の身体があり、身体はつねに必ずなんらかの環境のなかにある。そして、ある人物や神の心の状態は、ときに表情や行動に出る。ここまでのところを、いま述べた観点から、こんなふうに整理できる。

❶クリュセス、娘を引き取るために交渉する
❷アガメムノン、クリュセスの言葉に不機嫌になる
❸アガメムノン、クリュセスを侮辱して追い払う
❹クリュセス、アガメムノンの言動に脅える

❺クリュセス、引き下がる
❻クリュセス、なんらかの心理
❼クリュセス、無念を晴らしてくれるようアポロンに祈る
❽アポロン、クリュセスの言葉により怒る
❾アポロン、アガメムノンの陣営を攻撃する

ここまで読んだ範囲には直にそう記されてはいなかったが、❶のようにクリュセスが交渉をするにあたっては、その前に我が娘を不憫に思い取り戻したいという思いがあってのことだと推測できる。その心理に基づいて❶クリュセスは交渉に出る（行動）。その行動が❷アガメムノンの機嫌を損ねる（心理）。❷の心理状態から❸アガメムノンはクリュセスを侮辱して追い払う（行動）。❸のアガメムノンの行動によって❹クリュセスは脅える（心理）。脅えた結果、❺引き下がる（行動）。そして、これは明記されていないものの、ここまでのアガメムノンの言動によって、❻クリュセスはなんらかの気持ちを味わう（心理）。アポロンに訴える言葉のなかで、涙を流したことが語られていることから想像するに、悔しさやひょっとしたらアガメムノンの仕打ちへの怒りを感じていたかもしれない。いずれにしても、そのまま静かに引き下がることができないからこそ、❼クリュセスはアポロンに祈る（行動）。クリュセスの祈りを聞いて、❽アポロンは怒る（心理）。怒って❾

アポロンはアガメムノンの陣営に矢を射込む（行動）。

このように整理すれば、いささか図式的に感じるかもしれないが、実際『イリアス』をそのつもりで読むと、こうした「心理」と「行動」の連鎖反応とでもいうべき状況が描かれている。そして、冒頭で言われていたアキレウスの怒りがなぜいかに生じたかは、この時点では謎のままに留まっている。

だが、いまこうして整理してみたような心理と行動のドミノ倒しのごとき連鎖反応の先で、アキレウスの怒りが生じるのかもしれない、という予感をもつ人がいても不思議ではない。喩えるなら、アキレウスという爆弾が破裂することを予示された上で、いま私たちは導火線の先に火がつけられて、その火が爆弾に向かう様子を追っているというところだ。ただし、爆弾の導火線なら、やがてどうなるのかは簡単に推測がつく。しかし、いまこの状況からアキレウスがなぜ怒ることになるのかを予想するのは容易なことではない。どこでどうなるか分からないままカウントダウンが進んでいくようなものだ。

2. アイデアはどこからやってくるのか

アポロンによる攻撃を受けたギリシア陣営はどうしたか。攻撃が始まってから一〇日めに、アキレウスは全軍の集会を催す。そこでまた面白いことが書かれている。

これは白い腕《かいな》の女神ヘレ（ヘラ）が、ダナオイ人〔ギリシア人〕の次々に斃れゆくさまを目《ま》のあたりにして気遣うあまり、アキレウスに思いつかせた思案であった。

（一三ページ）

全軍集会の提案は、アキレウスが自分で思いついたのではなく、女神のヘレがアキレウスに思いつかせたというのだ。心に注目する私たちとしては、このくだりはなかなかに興味を惹かれるところである。

『イリアス』に描かれた世界では、これに限らず神々が人間の世界に対してさまざまに介入する。それは神話頼みで世界について理解していた古代人の見方であって、科学が発達して神話が信じられなくなった現在から見たら不合理だ、と片付けるのは簡単なことだ。だが、もう少し考えてみると、これは存外そう断定したものでもないかもしれない。

というのは、私たちがなにかアイデアを思いつく場面を思い浮かべてみればよい。私たちは、なにかしらのアイデアを生み出すとき、そうしようと思って努力することがある。だが、「いいアイデアを出そう！」と意図したからといって、すぐさま思いつくわけではない。もしそうであれば、企画や研究や創作をする人たちも苦労はない。実際にはどうかといえば、それはひとりでに思い浮かんでくるように感じられるものだ。あるいは、かつて「天啓」や「霊感」などとも言われたように、アイデアがどこか外から自分の頭のなかに降ってくる、という感覚がある。しかも思いつきは、ときとして不意に訪れる。アイデアを出そうと意気込んでいない、例えば入浴中に、散歩中に、電車に揺られながら、食器を洗ったりシャツにアイロンをかけているときに思いついたりするものだ。

これは私の場合だが、この原稿を書く場合でも、書いている途中で席を離れてお風呂を洗ったり、コーヒーを淹れたりしているときに、「あ、こうしよう」と思いつくことが実に多い。そんなこともあって、適度にパソコンやノートの前を離れたりする。しかし、なぜそんなふうにすると、そのタイミングでなにかを思いつくのかというその機序は謎である。言うなれば、思いつこうと意図して思いつくというよりは、課題を頭の片隅に寝かせておくと、身体がそれまでの経験や記憶を材料として、半ば勝手に試行錯誤して、それがあるとき意識にのぼってくる。もちろん、そのためにものを考えたり、書いたりしてみることも意味があるだろう。

だが、再び言えば、私たちはそうした思いつきを自由自在に、意識的にコントロールできているわけではない。自分の心身だけでなく、おそらくはそれをとりまくさまざまな環境（自然環境もあれば社会環境もある）との関係のなかで、なにがいかに作用しているのかよく分からないなりに日々いろいろなことを思い浮かべている。たまさか耳に入った音、鼻孔をくすぐる香りがきっかけかもしれない。何度も訪れたことがあるカフェで前回と同じ席に座ってコーヒーを口に含んだときかもしれない。誰かから送られてきたチャットのスタンプがトリガーかもしれない。いずれも「かもしれない」であって、本当のところは分からない。分からないなりに、私たちは経験の積み重ねのなかから、発想法を編み出したり、試したりもする。

話を戻せば、アポロンによる猛攻撃が続くなか、全軍会議を開こうというアイデアがアキレウスの頭に浮かんだ原因を、女神の采配であるとするか、ブラックボックスであってよく分からないがそのように思い浮かぶのだ、とするかの違いである。

3. 胸の内の黒いもの

さて、アキレウスは全軍会議の場で意見を述べる。なぜアポロンがこれほどまでにお怒りなのかを、占い師に聞いてみようではないかと。アキレウスが「戦いのみか悪疫までも加わって」（一三ページ）このままでは初志を遂げないまま帰国することになるだろうと述べていることから、アポロンの矢と表現されていたのが疫病のことだと分かる。

彼らは、アポロンの矢＝疫病で味方の兵士たちがバタバタと斃れてゆくのは、他ならぬアポロンの怒りが原因だと認識しているようだ。不明なのはその点ではなく、なぜアポロンがお怒りなのかという、神の怒りの原因なのだった。

その場にいた占い師のカルカスは、説明してもよいが、そうするとアガメムノンの怒りを買うことになるはずだから、こちらの身の安全を保証できるなら話そうと提案する。またしても怒りの種が顔を出す。アキレウスは、自分の眼の黒いうちは身の安全を保証しようと応える。そこでカルカスは、アポロンの怒りの原因を述べる。

神が咎めておられるのは、祈願のことでも贄のことでもない。それはアガメムノンがかの祭司に恥辱を加えたからじゃ。娘を返してもやらず、身の代も受け取らなかった。さればこそ遠矢の神は苦難を下し給うたのであって、今後ともそれをおやめにはなるまい。（一五ページ）

さすが占い師！　と言いたいところだが、ここは占いというよりは、アガメムノンの非理を指摘しているようにも見える。いや、多数の解釈がありうるなかで、ズバリこれと指摘しているのだから、さすが占い師というべきかもしれない。クリュセスの訪問の場にいあわせて、「見事な身の代を受けるがよいと叫んだ」（一二ページ）兵士たちなら、占い師の言い分をもっともだと考えたかもしれない。

ともあれ、カルカスは「美貌の娘を代価もとらずまた身の代も受けず父親に返し、クリュセの町には立派な贄を届けるまで」、アポロンは手を緩めないだろうと助言する。これを聞いたアガメムノンはどうしたか。予想されたかもしれないが、「胸の内は憤怒の念に黒々とふくれ上がり、両の目は燃えさかる火のよう」（一五―一六ページ）という様子。またしても怒り、しかも逆ギレである。

ここは少し原文の表現を覗いておこう。「胸の内は憤怒の念に黒々とふくれ上がり」と訳された文の「胸の内」に相当するのは「プレーン（φρήν）」といって、これは人体の「横隔膜」、あるいは「心」「精神」を意味する古代ギリシア語である。どうやら身体のうち、横隔膜のあたりに心の座があると考えられていたようで、こうした二つの意味が重なっている。まさに「胸の内」という訳語の通りと言うべきか、身体のある部位に感情という心の状態が位置づけられている様子も窺える。

しかもそれが「黒で満たされる」。心、とりわけ感情のありようを黒という視覚的な要素、色によって形容しているわけである。[*1] そういえば、意味は違うが、日本語の「腹黒い」という表現は、意地の悪さや心中で悪巧みをしている様子を表すのだった。これもまた、心のありようを身体の部位と色という目に見えるもので喩えている例だ。

4. アキレウスの怒り

アポロンによる疫病が、自分のせいだと名指されたアガメムノンは、そのように怒りながら、なぜ娘を返さなかったのかという理由を述べる。だが、彼もさすがに自軍の兵士たちには無事でいて欲しいので娘をクリュセスに返してもよいという。ただし、転んでもただでは起きないのがアガメムノンで、これは戦利品なのだから代わりをよこせと主張する。

そんなアガメムノンに対して、アキレウスは欲深い人だと呆れつつ、トロイアを陥落できた暁には何倍かにして今回の償いをしようではないかとも言い添える。だが、アガメムノンは引かない。アキレウスとの口論が激しくなる。そして、アガメムノンは、アキレウスが戦利品として得た娘（ブリセイス）を自分のものにすると言い出す。自分のほうが身分も上なのだと付け加えるのを忘れない。

これでアキレウスの堪忍袋の緒が切れた。

アガメムノンがこういうと、ペレウスの子〔アキレウス〕は怒りがこみ上げ、毛深い胸の内では、心が二途に思い迷った——鋭利の剣を腰より抜いて傍《かたわ》らの者たちを追い払い、アトレウスの子〔アガメムノン〕を討ち果たすか、あるいは怒りを鎮《しず》め、はやる心を制すべきかと。

（二〇ページ）

これはまさに心の描写である。アガメムノンの言葉を耳にして、怒りがこみ上げ、二つの選択肢を思い浮かべたという。ここでもやはり「毛深い胸の内」で、そうした考えが生じている。ここでの「心」は「ヘートル（ἦτορ）」で、「心臓」であり、「生命」「感情」「欲望」の座を指している。これも身体の一部と結び付いた表現だ。

しかもここでは、外からでは窺い知ることのできない心の内について、二択で迷う様子が示されている。アガメムノンを斬り殺すか、怒りを鎮めるか、という二択である。これはアキレウスが口に出しているわけではない。まさに心の内で生じた二つの選択肢であろう。このくだりの文章は、本来目には見えない心の状態や動きを言語で表している。

アキレウスはどちらにするか迷った末に、剣の鞘を払おうとする。そこにアテネが天空から降りてくる。ヘレが遣わしたのだという。そしてアテネは、アキレウスの背後から近づいて後ろ髪を摑む（なんという止め方！）。このとき、女神の姿はアキレウスだけに見えて、他の者には見えていないと説明される。この場に現れた女神の姿が、全軍会議の場にいる人びとのうち、誰からは見えているのか／見えていないのか、という状況を説明しているわけである。

これもまた、人びとの外から見える言動だけでは表現しづらい状態かもしれない。アキレウスだけがアテネに視線を向けて、他の人びとはそうしないといった視覚表現もありえるが、その場に何人いるか分からない人びとのうち、アテネの姿が誰に見えており、誰に見えていないのかを映像で示すのは存外骨が折れるのではないか。文章では「女神の姿はアキレウスのみに現われて、他の者の目には映らない」(二〇ページ)と書けばそれで状況が伝わる。少々大袈裟にいえば、その場にいた人びとの知覚(視覚)の状態について、一挙にまとめてその違いを表現しているわけである。言葉がものごとをまとめて扱ってしまえる威力を感じる場面でもある。

さて、いまにも剣を抜きそうなアキレウスは、アテネに後ろ髪を摑まれてどうしたかといえば、女神に話しかける。お出ましになってどうなさったのですか、と。しかも、もう間もなくアガメムノンは命を落としますよ、と女神に伝えている。この時点で彼は、迷いを捨てて決断を終えているのだ。直前で提示されていた心の内にあった二つの選択肢はいまや消え、ただ一つの行動に絞られている。あとはその決定に従って体を動かすだけだ。剣を振るってアガメムノンを斬るばかりだ。

アテネは、アキレウスの腹立ちをおさめさせたいと願ってやってきたと言う。この場合、先ほどの、ヘレがアキレウスに全軍会議を開くアイデアを思いつかせたやり方ではうまく行かないということだろうか。もう相手を斬り殺すことに決めてしまって動くばかりの刹那のことだ。

穿った見方をするなら、女神はもう少し早く介入できなかったのだろうかという疑問も思い浮かぶ。だが、アキレウスが心の中で二つの選択肢を抱いてから決断するまでの時間が非常に短かったのかもしれない。いや、しかし神ならばそれ以上の速さでやって来られるのではないか。いやいやむしろ、いよいよアキレウスが剣を抜くかという決断に至った瞬間が女神の出発時点で、実際に剣が抜かれるまでのわずかな時間でどこからともなくこの地までやってきたのだとすれば、それはやはり流石の神であるということになるのかもしれない。などと、神がどの程度まで万能であるのか、どのような能力を備えているのかが、いま一つ分からず、ついこのようなことを考える。

というのは、ここではまだそうした検討をしていないが、例によってこの場面をコンピュータでシミュレーションするなら、なにをどうつくるかという観点からの課題でもある。神は瞬間移動でよいのか。それとも、なにか光速のような移動速度の上限があるのか。この設定を決めるには、『イリアス』全体における神々の行動をそのつもりでよく検討する必要があるだろう。どうもギリシア神話の世界での神々の振る舞いを見ていると、人間とは比べものにならない存在であるとはいえ、みなそれぞれに能力にも限界があるように感じられるのも事実だ。

このアテネに対するアキレウスの発話が、他の者にはどう見えたり聞こえたりしているのかは分からない。ぶつくさ独り言を言っているように見えるのか、それともこの会話自体がアキレウスの心の内で生じているのかは分からない。

アテネは、今回のアキレウスに対するこの無法な仕打ちについては、やがて三倍もの見事な品々によって償われることになるので、いまはじっと耐えよと説得を試みる。アキレウスは、「腹は煮えくりかえる想いではありますが」（二一ページ）、言いつけに従いましょうと、剣を鞘に戻す。それを見届けて、女神はオリュンポスへと帰ってゆく。

ここで起きたことを整理しておこう。

①アガメムノンの言葉を聞いて、アキレウスが怒る
②アガメムノンを斬り殺すか、思いとどまるかを迷う
③アキレウスは斬り殺すことに決める
④長剣を鞘から払わんとする
⑤ヘラがこれを察知する
⑥ヘラはアテネを派遣する
⑦アテネが現れてアキレウスの後ろ髪を摑む
⑧アキレウスはアガメムノンを殺すつもりだという
⑨アテネはいまは耐えろという
⑩女神の言うことなら従うという
⑪アキレウスは剣を鞘に戻す
⑫アテネが去ってゆく

これらの一連の出来事が生じるあいだ、アキレウスとアテネ以外の人物の行動や様子は記されず、いわばカメラは両者だけを収めている状態である。ただし他の人にアテネは見えていない。先ほどと同じように、「心理」と「行動」に分けるなら、次のようになる。

アキレウスは①怒り（心理）、②迷い（心理）、③決断し（心理）、④剣に手をかける（行動）。⑤ヘラがそれを察知する（心理）。⑥ヘラはアテネを派遣する（行動）。⑦アテネがやってくる（行動）。⑧アキレウスがアテネに何をするつもりか説明する（行動）。⑨アテネはアキレウスに思いとどまれという（行動）。⑩アキレウスは気持ちを切り替える（心理）。⑪アキレウスは剣を収める（行動）。⑫アテネは去ってゆく（行動）。

ここにも「心理」⇒「行動」、「行動」⇒「心理」という連鎖を見ることができる。大きく要約するとこうなる。

A. アキレウス：①怒り⇒②迷い⇒③決断⇒④抜剣
B. ヘラ：⑤察知⇒⑥指示
C. アテネ：⑦移動
D. アキレウス&アテネ：⑧説明（アキレウス）⇒⑨説得（アテネ）⇒⑩変心（アキレウス）⇒⑪納剣（アキレウス）⇒⑫移動（アテネ）

Aはアキレウスの心理と行動の連鎖。BはAを受けたヘラの心理と行動の連鎖。CはBを受けたアテネの行動（ここも細かくするなら、ヘラの命を受けたアテネの心理という項目を立てられるだろう）。DはCの結果として生じるアキレウスとそこを訪れたアテネのやりとり——という具合に、それぞれの人物や神の「心理」と「行動」の連鎖があり、それが他の人物や神にも及んで、人物間での「心理」と「行動」の連鎖も生じている。

5．神々にも連鎖する

剣を収めたアキレウスではあったが、怒りが完全に鎮まったわけではなく、このあと、アガメムノンを非難して、重大な誓いを口にする。アキレウスはこの時点で、アカイア軍を去ることに決めており、実際に彼がこの場を去ったらどうなるか。「必ずやいつの日か、アカイアの子らのすべての胸に、このアキレウスの不在を歎く想いが湧き起るであろう」という誓言をする。その結果、多くの将士が討ち死にするだろうが、自分を辱めたことを後悔するだろう、というわけである。これがつまりは、『イリアス』の名高い冒頭で言われる、アキレウスの怒りである。

以下は手短に、なにが起きたかを要約しておこう。

アガメムノンとアキレウスの言い争いについて、老将が仲裁を試みるものの、物別れに終わる。アガメムノンは、クリュセスの娘を船に乗せて返してこいと、オデュッセウスたちを使者として送り出す。その代わりに述べていたように、アキレウスの戦利品である娘を奪い取る。アキレウスは母親である女神テティスに、涙ながらにこの無法を訴える。ゼウスにお願いをして欲しいとテティスに言う。なにをか。ゼウスがトロイア側に加勢して、アガメムノンたちを追い詰めて討ち果たされるようにして欲しいというのだ。ここではもはや細部に立ち入らないが、アキレウスは、自分がアガメムノンから受けた屈辱を、神の力によって晴らして欲しいというわけである。つい先ほどまで、敵として向き合っていたトロイア側が勝つようにしたいというのだ。そこでは、悔しさ、悲しさといった感情、こうして欲しいという希望、ゼウスがトロイア側につくという思考など、アキレウスの心の働きが記されている。

息子の嘆願を聞いた女神テティスはどうしたか。きっとゼウスにお願いをするから、アカイア勢への恨みは忘れずに、ただし戦には手を出さずにじっとしていなさいと言い残して立ち去る。

他方でオデュッセウスらは、クリュセスのもとに娘と贄を送り届けて和解を果たす。アポロンも怒りを鎮めて、アカイア軍の疫病は収まった。

テティスはゼウスに息子の願いを伝える。ゼウスの妻であるヘレは、テティスがゼウスと何事かを企んでいることに気づいてゼウスを詰問する。ここで、心の描写という観点で面白いことが書かれているので、少し立ち止まっておきたい。ゼウスとヘレの痴話喧嘩の場面だ。

ヘレがゼウスを非難する。あなたはいつも私の眼を盗んでこそこそとなにかを企んで決めてしまう。自分から進んで私に話して聞かせてくださらないのね、と。ゼウスは応じてまずこんなふうに言う。

ヘレよ、わしの考えていることを残らず知ろうなどとは思うなよ。そなたはわしの妻ではあっても、さようなことは無理というものじゃ。 （同書、三七ページ）

なにが面白いかといえば、神々でさえも、このようにお互いの心の内は分からないという点が面白い。ただし、ヘレは耳ざといのか、テティスとゼウスの会話の内容を摑んでいるようだ。ゼウスは、そんなことをしていると、自分の心はお前から離れるばかりだと脅す。

こうしたゼウスとヘレの会話は、ヘレを怒らせて終わる。その様子を見ていた息子のヘパイストスが、母の機嫌をとろうと、可笑しい話をする。笑うヘレにヘパイストスは杯を渡し、他の神々ともども楽しい酒宴となる。寝所で眠りにつくゼウスの横にヘレも寝る。そうして『イリアス』の第一歌が終わる。ここでの神々の心理と行動は、やはり一種の連鎖反応のように変遷してゆく。その描写の様子は、人間の心理と行動を記す場合と変わりがないようだ。

6. 感情の帳尻

さて、最後に『イリアス』第一歌全体で生じていたことを大きく要約してみよう。番号を振らず、時系列で箇条書きにしてみる。

・クリュセスの娘がアガメムノンに奪われる
・クリュセスはアガメムノンに娘を返して欲しいと交渉する
・アガメムノンは娘を返さずクリュセスを侮辱する
・クリュセスはアポロンに「恥辱」を晴らして欲しいと訴える
・アポロンは「怒って」アカイア軍に疫病をもたらす
・アカイア軍では、娘を返さなければアポロンの「怒り」は鎮まらないと指摘される
・アガメムノンは代わりにアキレウスの戦利品である娘をよこせと主張する
・アキレウスは「怒って」アガメムノンを殺そうとする
・ヘラに派遣されたアテネがアキレウスを思いとどまらせる

・アガメムノンはクリュセスの娘を返し、アポロンの「怒り」は鎮まる
・アガメムノンはアキレウスから娘を奪い、アキレウスは「怒る」
・アキレウスは母テティスに訴えてゼウスの助力を希望する
・テティスはゼウスに息子の「恥辱」を晴らすよう訴える
・両者の企みを感知したヘレがゼウスに恨み言をいう
・ゼウスがヘレを脅かして、ヘレは「怒る」
・息子のヘパイストスがヘレを笑わせて「怒り」を鎮める

この箇条書きには入れていないが、これらの連鎖が始まる前提には、そもそもアカイア軍がトロイアを攻めて、クリュセスの娘を戦利品として奪ったという経緯がある。さらに言えば、なぜアカイア軍がトロイアを攻めることになったのかという経緯もあるがそれは措こう。

ここでは上記の要約を踏まえて、今回、「心理」と「行動」の連鎖反応と呼んできた状態変化を改めて確認してみる。それは、クリュセス、アガメムノン、アキレウスたちが、それぞれの不満足な状態（心理）を回復するために行動を選ぶ、と整理できる。人物ごとに見ておこう。

クリュセスの場合——戦利品としてアガメムノンに娘を奪われて不満足な状態となる。クリュセスは、その状態を回復すべくアガメムノンと交渉する。その結果、アガメムノンから侮辱を受ける。クリュセスは、娘の不在と侮辱という二重の苦を受ける。アポロンの力を借りてこの恨みを晴らそうとする。アポロンは怒り、アカイア軍を攻撃する。アポロンの動機は、自分の信者に与えられた恥辱に対する怒りである。クリュセスの怒りの代理といってもよい。疫病という形でダメージを受けるアカイア軍は、この苦境を回復したいため、クリュセスに娘を返す。これによって、クリュセスの不満足な状態は回復し、それを代理していたアポロンの怒りも鎮まる。±ゼロの状態に回復する。

アガメムノンの場合——戦利品としてクリュセスの娘を得た。クリュセスから返して欲しいと提案されたのを否定し、侮辱した。その行為が引き金となって、アポロンによる疫病に襲われる。彼が率いるアカイア軍内で、クリュセスの娘を返さなければ、疫病は終わらないと指摘される。アガメムノンは娘を返す。ただし、戦利品を失い不満足となる。それを埋めるために、代わりの戦利品としてアキレウスからブリセイスという娘を奪う。アガメムノンは±ゼロの状態に回復する。

アキレウスの場合——戦利品としてブリセイスを得た。しかし、アガメムノンに奪われて不満足な状態となる。アキレウスは怒り、母テティスを通じて、ゼウスの力を借りてこの恨みを晴らそうとする。『イリアス』第一歌の範囲では、アキレウスは戦利品を失い、怒りを抱いている。この不満足が原因で、アキレウスはアカイア軍の戦いから離脱し、戦況に大きな影響を及ぼすことになる。

さらに抽象化するなら、これら三人の男性に対して二人の女性の位置が変化している、と形式的に整理することもできる。クリュセスの元にいた娘が奪われ、後に返される。アガメムノンが奪った娘がクリュセスに返され、代わりにアキレウスからブリセイスを奪う。アキレウスはアガメムノンにブリセイスを奪われ、代わりはない。この結果、アキレウスはアガメムノンに激しい怒りを抱き、このトロイア戦争の戦況さえ左右されてしまうことになる。

以上見てきたように、『イリアス』の第一歌は、人や神の行動と発話を中心に書かれており、ときとして心の状態や変化が表現されていた。人物の心の内の出来事を、その内部にもぐりこんで詳しく記すというよりは、どのような感情の状態をとっているのか、どのような選択肢を持っており決定を下したのか、といったことが記される。

また、そうした心理をもとに行動が生じ、その行動が別の人物の心理に変化を起こし、さらなる行動を引き起こす……という心理と行動の連鎖反応が、どうやら記述の中心にあるようだ。その連鎖は、何度か手を替え品を替えて要約してみせたように、一つひとつは理解しやすいものの、その連鎖の仕方はなかなか込み入っており、鎖を辿っていくまで、この先どうなるのかがすぐに予想できるようなものではなかった。ただし、整理してみて分かったことだが、複数の人物たちの心理と行動とのあいだにもかなりはっきりとつながりが設計されている。見方を変えれば、それ以外の心理はあまり記されていないようだ。

果たして古代ギリシアの叙事詩で見てとった、心の描写や、心理と行動の関係の連鎖といった見立ては、他の時代や場所の文芸作品でも見られるものだろうか。そんな問いを頭の片隅に置きながら、次の題材を眺めることにしよう。

第10章　関係という捉えがたいもの

1．心の捉え方

言葉を並べてつくられる文芸作品では、世界とその変化はどのように書かれるのか。目下は、人間の「心」と呼ばれるなにものかについて検討しているところだった。

学問の方面では、「心」といえば、いまでは心理学や認知科学を中心として探究されている。こうした欧米方面に端を発する学問の基礎には、古代ギリシアから近代にいたる哲学者たちによる探究があった。多様な見方があるなかで、人間を身体と心（精神）という二つの要素の組み合わさったものとする古くからの見立ては、いまでも共有されているものの一つだろう。ただし、そのような二つの要素で人間を捉えるとき、それでは身体と心はどのように関係しあっているか、という話になると、これは一筋縄ではいかなくなる。

いまでは神経科学の方面で、主に人間の生物的な基盤である脳や身体についての探究が進められている。そこではもっぱら、神経細胞のような物質から、いかにして私たちの思考や感情が生じるのかというメカニズムが探究されている。とりわけ最難関は、「意識」と呼ばれる働きが、神経細胞のふるまいからいかに生じるのかを記述することだ。ときに「心脳問題」と呼ばれるこの難問の底には、それぞれの人の意識という、いわば一人称の経験を、神経細胞の構造や機能という、いわば三人称の科学的な知によって説明しようとする困難がある。

同様の困難は、神経科学以前に登場した心理学の歴史にも見られる。目に見えない「心」を、いかにして観察し、記述するか。人は自分の心の動きを観察して、これを言葉で記せる。ただしこの場合、第三者には検証するのが難しい。私たちは他人の心の状態を、その当人が経験しているようには直に観察できないからだ。そこで長いあいだ、哲学における人間論や人間本性論のようなかたちで、心の働きを分類したり、「このような性質がある」といった説明が試みられてきた。

一九世紀はじめに生理学の発展を背景として、心理学を自然科学のように実験を通じて観察・測定できる学問にしようとする動きが現れる。「精神物理学」や「実験心理学」と呼ばれる試みである。さらには二〇世紀はじめ頃に登場した「行動主義心理学」がある。これは言ってしまえば、直に観察できない心（意識）の動きのようなものは排除して、外から観察できる「行動」を通じて心理を捉えるという発想だった。

あるいはそうした科学を志向する方法とは別に、精神分析のように、人の無意識も含む心の状態を、言葉を大きな手がかりとして見てとろうとする試みもあった。

ごく大まかに心理学の歴史について述べたのは、こうした困難そのものはいまでも解決・解消されておらず、私たちは相変わらず、自分や他人の心についてよく分からないまま、しかしだからこそと言うべきか、言葉をはじめとするさまざまな手段を用いてやりとりをしている次第を目に入れておきたいからだった。

これが、創作物に描かれてきたテレパシーのように、言語や身振りや表情のような傍目に知覚できる手がかりなしに、誰かの心の状態を感知できるようなことでもあればまた話は別かもしれない。あるいは、脳をコンピュータにつないで、人と人がインターネットで結ばれたコンピュータ同士のように通信できるという状態でもよい。

ただし、そうした状態が実現したとしても、人物Aの心の状態を感知した人物Bは、果たして人物Aの心の状態をそのまま受け取れるのかといえば疑問もある。そもそも人物Bが感知した人物Aの心の状態なるものが、まさにAの心の状態そのままなのかどうかを確認するのは困難に違いない。コンピュータであれば、二台のコンピュータの記憶装置に、同じプログラムなりデータなりを置いて、両者が一致しているか否かを比べることもできる。人間の場合、そのようにする術が少なくともいまのところはない。自分自身の心の状態についても、例えば一〇分前の状態と現在の状態を比べるのは困難である。

文芸が面白いのは、現実においては困難であるはずのこのことを、言語によって表せる限りにおいてではあるが、疑似体験できる条件を生み出すところだ。それは果たしてなにをしていることになるのか。

2. 心理のミニマムな状態

さて、前章ではホメロスによる叙事詩『イリアス』を例に、「心」に関わる記述を眺めてみた。次に、「心」の描写が比較的少ないと思われる作品に目を向けてみよう。アーネスト・ヘミングウェイ（一八九九―一九六一）の『老人と海』（一九五二）はどうか。年老いた漁師が一人小舟で海へ出て、魚を追う様子を描いた小説だ。漁に出る前後では、他の人物も現れるが、海上では一人であり、このとき老人の心はどのように記されるか。いわば、心理描写のミニマムな状態を見るための例として選んでみた。早速だが、小説の冒頭を見てみよう。

❶老人は一人で小舟に乗ってメキシコ湾流へ漁に出る。❷このところ八十四日間、一匹も釣れていなかった。❸四十日目までは同行する少年がいた。❹だが四十日かかって一匹も釣れないとは徹底して運に見放されている、サラオだ、と少年の両親は言った。❺スペイン語で「不運の極み」ということだ。❻少年は親の言いつけで別の

船に乗り、その船は一週間でなかなかの大物を三匹釣った。❼あいかわらず空荷の小舟で帰ってくる老人を見るのは少年にはつらいことだ。❽いつも浜へ迎えに出て、巻いたロープなり、鉤《かぎ》や銛《もり》なり、運び出すのを手伝った。❾帆もたたんで持ち帰る。❿小麦粉の袋で継ぎを当てた帆をマストに巻くと、連戦連敗の旗印にしか見えなかった。（ヘミングウェイ『老人と海』小川高義訳、光文社古典新訳文庫、光文社、二〇一四、七ページ／ただし❶〜❿は山本による）

ここにはなにがどのように記されているか。❶には「老人」の行動が示されている。どのような「老人」かは分からない。年恰好も風体も顔つきも分からない。ただ「老人」とある。この老人は「一人で小舟に乗」る。漕ぎ出す先はやや具体的で「メキシコ湾流」とある。

明示こそされていないものの、海とその表面に浮かぶ小舟とのあいだに働く物理現象と、老人による操舵の力によって小舟は動いてゆくだろう。どこから出て、どのような経路を辿っているのかは分からない。目的は「漁」だ。どのような釣り具で、どのように漁をしているのかも特に記されていない。ただ、そこに海があり、小舟が浮かび、老人が一人で乗って漁をしている。

このように、第一文に記されているのは、いうなれば傍から目にすることのできる物質と老人の動きである。いまのところ、私たちが「心」という言葉で想定するようななにものかは、少なくとも直には示されていない。もしここに「心」に関わる要素があるとしたら、それはこのような行動をとった「老人」がそのように行動しようと考えた結果である、と考えてみることはできる。もっとも、まだ読者には知らされていないだけで、なにかしら強制された結果、いやいやながら漁に出ているという可能性もゼロではない。いずれにしても、「老人」がなにを思い、つまりはどのような心理によって漁に出るのかは記されておらず、推測する以外にはない。

さて、この第一文を読んだ時点では、これがある日に行われた一度の行動を指すのか、習慣のように繰り返される行動を指すのかは分からない。❷は「このところ八十四日間、一匹も釣れていなかった」と続く。第一文では不明だったが、どうやら「老人」は毎日のように漁に出ているようだ。八四日間とは、およそ二ヵ月半に相当するわけだが、その間一匹も魚が釣れていないというからただ事とは思えない。海に魚がいないのか、本当にこの「老人」の運が悪いのか、絶望的に漁が下手なのか。それは不明だが、とにかく釣れないという。この第二文から振り返ると、どうやら第一文は、ある特定の日の出来事というよりは、日々繰り返されていること、習慣を表しているようでもある。

❸で別の人物が現れる。「四十日目までは同行する少年がいた」という。例によってどんな少年なのかは分からない。ただ、その行動、小舟で漁に出る老人に「同行する」とい

う行動が示されている。少年がなぜ、なにを考えたり感じたりして老人に同行しているのかは分からない。自分の意思でそうしているのか、そうでないのか、少なくともこの時点では分からない。

❹で「少年」の「両親」の言葉が提示される。いつどこで述べたかという具体的な状況抜きに、その言葉だけが示される。マンガや映画やゲームであれば、ある日ある場所で両親が少年に向かって話している場面をつくるところだ。「両親」が「少年」に伝えたのは、老人が不運の極み（サラオ）にあるという意見で、そのためか、両親の言いつけで、少年は四〇日同行した老人の小舟とは別の船に乗ることになる（❺❻）。

ここでも明示されてはいないものの、「両親」の「心」の動きがあったはずだと推測される。あくまで想像ということになるが、それはこんな「心」の動きだったかもしれない。このままわが子をその「老人」の小舟に乗せておいても、一向に魚は捕れない。魚が捕れないということは稼ぎにならない。ならば、他の船に乗せて、しっかり稼ぎになるようにさせよう。

以上の推測が合っているか否かは分からない。実際には別の心理だったのかもしれない。作家は「両親」の心の動きを省略し、行動（少年に別の船に乗るよう言いつけた）だけを記している。

このような場合、読者によっては「両親」がなにを考え、感じたのかを想像しないまま、「そうなんだ」と結果だけ受けとることもあるだろう。また、読者によっては、いまして見せたように、「両親」がなぜそのように言いつけたのかと想像することもあるだろう。つまり直には見えない「心」の動きを、想像するわけである。

これは考えてみれば、私たちが現実世界で日々行っていることに近い。つまり、他人の言動に接して、場合によってはその心理を想像したり、しなかったりする。友人にSNSでメッセージを送った。読んだ痕跡はあるが、一日経って返信はない。なぜか。友人はなにを思い、なにを考え、返信をよこさないのか。なにか機嫌を損ねただろうか。忙しくてそれどころではないのだろうか。単に忘れているだけだろうか、等々。こうした想像にはキリというものがない。

また、ことの次第からして、この想像には、自分がその友人をどのような人物であると思っているか、その友人が自分のことをどう見ているか、といった自分の側のものの見方が投影されることになる。友人の状況や心理は分からないのだから、無駄な想像をせずに置いておく。そうすれば、余計な心配は生じない。だが、私たちはつい他人の心理を想像して、そんなことをしなければ生じないかもしれない悩みや煩悶を抱えたりもする。

小説のなかで、人物の行動だけを読むとき、そうした現実での他人とのつきあいにも似た状況が生じる。ただし、読者である私たちは、通常、小説の登場人物とのあいだに現実の他人とのあいだに結ぶような関係を持たない。「少年」の「両親」がなにを考えていたのかが不明だとしても、それで読者が悩むことはない。書けば当たり前のことに過ぎないが、小説に登場する人物は、端的に他人であり、それにもかかわらず、読者はその言動をつぶさに見知ることができる。もちろん作家が記しておいた限りにおいてだが。

他方で現実世界において、小説の人物の言動を読むような詳しさで、誰か他人の言動を知る機会は稀である。ましてや、その心理となればなおのこと。私たちは、文芸作品を読むとき、日常ではありえない近さや密度で、虚構とはいえ他人の言動に接するという体験をすることになる。それが果たして、私たちのものの見方や記憶にいかなる変化をもたらすのかはまだよく分かっていない。だが、文芸作品を読むことが、他人の心を想像する能力や、感情を認識する能力に影響があることを示唆する研究もあり、そうであっても不思議ではないとも思われる。[*1]

3．二人はどんな関係か

『老人と海』に戻ろう。少年は、両親の言いつけで老人とは別の船に乗るようになった。新たに乗り組む船では、釣果も上々。それなら少年はハッピーかといえば、そうとも限らないようだ。❼以下を改めて示しておこう。

❼あいかわらず空荷の小舟で帰ってくる老人を見るのは少年にはつらいことだ。❽いつも浜へ迎えに出て、巻いたロープなり、鉤や銛なり、運び出すのを手伝った。❾帆もたたんで持ち帰る。❿小麦粉の袋で継ぎを当てた帆をマストに巻くと、連戦連敗の旗印にしか見えなかった。

ご覧のように、さっぱり釣れないまま帰ってくる老人を見るのは、「少年にはつらいこと」（❼）だという。なぜ少年はつらいのか。ヘミングウェイは、そのわけをあれこれと説明したりはしない。❽❾に示されるように、ただその行動を記す。少年は、漁から帰ってくる老人の手助けをしている。先ほどの「両親」についてと同様、読者によっては「なぜ少年はそのようにするのだろう」と、少年の心理を想像するかもしれない。

また、❿のように老人の舟の帆が「連戦連敗の旗印」に見えたのは、誰にとってか。そのように見る主体は特に示されていない。英語の原文では“it looked like the flag of permanent defeat.”とある。とはいえ、帆が「連戦連敗の旗印」に見えるのは、老人の漁がさっぱりであることを知る人びとであるに違いない。この文脈では少年だろうか。老人当人がそのように感じるかどうか。

ところで、この少年と老人のあいだには、どのような交流があるのだろうと思っていると、作家は老人の風貌を少し描写してみせた後で、二人の会話の様子を書いている。

「サンチャゴ」少年は小舟を引き上げた浜から上がりながら言った。「また一緒に行けるかもしれない。いくらか稼いだから」

少年に漁を教えたのは老人であり、その老人に少年はなついていた。

「やめとけ。せっかく運のいい船に乗ったんだ。乗ってればいい」

「でもさ、先《せん》にも八十七日とれなかったことがあるじゃないか。そのあとは三週間、毎日大きいのがとれた」

「そうだった」老人は言った。「おまえに見限られたとは思っちゃいない」

「親父に言われたから舟を降りたんだ。やっぱり親の言うことはきかないと」

「そりゃ、あたりまえだ」

「親父はすぐに疑ってかかる」

「まあな。じゃあ、おれたちは？　疑わないよな？」

「うん」少年は言った。「ちょっと寄り道して、〈テラス〉でビールを奢《おご》らせてよ」

「そいつはいい。漁師と漁師だな」


（同書、八―九ページ）

少年と老人は、こんなふうに話しあう。少年は、本当は老人の舟に乗りたいようだ。少年が老人の舟を降りることになったのは、両親の指示だったことが先に示されていたが、

「いくらか稼いだから」という少年の言葉から、稼ぎが問題であった様子も窺える。稼ぎさえあれば、老人の舟でもよいわけだ。

会話の合間に両者の関係が示されている。「少年に漁を教えたのは老人であり、その老人に少年はなついていた」という。少年にとって老人は、漁の師であり、それだけでなく、老人を嫌いではない。むしろ気にかけて、できることなら世話をしたいと感じているようだ。

少年に老人の舟を降りるよう言いつけた父親を話題にしながら、少年と老人はお互いの関係を確かめあっている。いま「関係」と抽象的に書いたのは、これがいかなる人間関係であると言えばよいのかと迷ったからだ。「師弟」「友情」「信頼」といった言葉が候補として浮かんだものの、安易に限定してしまえば、ここに示された関係を捉え損ねるような気がする。

そう言いたければ両者は「師弟関係」にあると言ってみることもできる。とはいえ、教える／教えられるという関係には、この老人と少年のような互いに対する気遣いが含まれるとは限らない。また、いまでは弟子のほうが漁で成功しており、それどころかうまく行っていない師を案じている。これを「友情」に似た関係と言ってみたい気もするが、これはこれでぼんやりとしてしまい、二人のあいだにある関係の特質を捉え損ないそうだ。「信頼」関係がある様子は、彼らの言動に示されていた。といっても、これに尽きるものでもない。

訳文が選び取っている文体の効果もあって、少年はざっくばらんに、気負うことなく老人に話しかけているように感じられる。「漁師と漁師だな」という老人の言葉こそが、両者の関係をよく表しているだろうか。同じ生業に就く対等な関係。信頼しあい、一方が困っていれば手を差し伸べる。腹蔵なく話し、利害や貸し借りを気にしない。そう書いてみて気がついたが、老人は、少年の成功をよろこびこそすれ、妬んだりはしていないようだ。二人のあいだには、ぎすぎすしたところがない。

このあとしばし続く二人のやりとりを、逐一ここに引用して眺めたいところだが、それは措こう。少年は、明日の漁で老人が使えるようにエサとなるイワシを用意したり、放っておけば食べずに済ませてしまうかもしれない老人に夕食を運んでくる。新聞に出ている野球の話に興じる。とっくに売り払ってしまったことをお互いに知っている投網を「借りてっていい?」と少年が問えば、老人は「いいとも」と答える。二人のあいだでだけ通じる虚構が共有されていて、日々のやりとりに華を添える。親密な人、気の置けない者のあいだに生じる、半ば冗談のような想像のごっこあそびとでも言おうか。

明朝は起こしにいってあげようと老人が言えば、「じいさんが僕の目覚まし時計だ」と応じる。二人は別れて、それぞれ眠りに就く。

4．関係という捉えがたいもの

人と人のあいだに生じうる関係を、「これ」と手短に名指すのはいつでも簡単にできることではない。例えば、たまさか訪れたコンビニエンスストアのレジで、一度だけ顔を合わせた店員と客ということなら、これはその限りにおいては「店員と客」と言えば済む。他方で、いま見たような老人と少年のような関係を、端的に「これ」と表すのは難しい。先ほど少々試してみたように、どんな言葉を選んでみたところで、到底それに収まりきらない。

先ほどから「関係」という言葉を使っている。これとても、仕方がなく用いているようなもので、「人と人の関係」と書いてみたところで、それだけではなにかが明確になるわけではない。そもそも人と人との関わりには、どれほどの種類があるのかも分からない。家族や友人や恋人や師弟や上司と部下のように、社会のなかで、人間関係の型として広く共有されているものはまだしも、個々人同士の関係については、それぞれが唯一無二で他のいかなる人間同士の関係ともちがう特異なもの、という側面があるだろう。

あるいは、人と人とのあいだには、どう記述・分類してよいかも分からないほど、多様な関わりがあり得る。例えば、互いの存在を知っているかどうか、姿を見たことはあるかどうか、言葉を交わしたことはあるかどうか、物を交換・贈与したことはあるかどうか、どれほどの時間を共にしたことがあるか、食事を共にしたことはあるかどうか、どのような役割で接しあったことがあるか、触れ合ったことはあるかどうか、一緒にゲームで遊んだことはあるかどうか、同じ本を読んで話しあったことはあるかどうか、仕事を依頼したりされたりしたことはあるかどうか、なんらかの契約を結んだことはあるかどうか……。それはどの程度のことか、一方的にか、頻度はどうか。以上はほんの一例で、この世でおよそ人間が行うことについて、同様に考えてみることができる。

いま述べたのは、いずれかといえば、人と人が直に関わりあう場合だった。加えて言えば、直には関わりあわないケースも考えられる。物書きが書いた本を別の誰かが読んでものを感じたり考えたりする。Twitter に投稿した写真が、見知らぬ人たちの目に触れて「いいね」をつけられたりリツイートされたりする。どこかの誰かがつくったものを、対価と交換して手に入れる。いつの時代にか誰かによって制定された法律に従って行為の是非を判定される。誰かが掘っておいた穴に落ちる。なんでもよいが、そんなふうにして、間接的に関わりあうこともある。これを視野に入れる場合、すでにこの世にいない人とのあいだにも関わりを考えることさえできるだろう。文芸作品では、外でもないそのつど特異な関係を描いてみせているのだと考えられる。

こうした人間関係とは、血縁のように生物的な関係である場合もあるものの、その多くは、それこそ心に関わる。例えば、あなたが誰かと「友人」の関係にあるという場合、それはあなたがその人を「友人」として認識していることによる。あなたがある企業の社員であり、雇用関係にあるという場合、それは当該企業とそのような契約を結んだ結果であり、その場合の契約とは、言ってしまえば契約当事者たちの認識をそのように一致させるという意味である。それは、書類の上に記された文字であり、その文字を解釈するあなたや企業の担当者の認識による。ここで認識とは、心のなかにあるものの見方、なにかを「そのようなものとして受けとる」というほどの意味である。

老人と少年の関係を、例えば「友人」と書いて済ませることもできる。だが、『老人と海』のヘミングウェイは、老人と少年の関係をそのようには記さなかった。ただ両者の言動の連なりを通じて、この二人がお互いをどのような存在であると感じているかを間接的に描いている。しかも、それぞれの内心のようなものをあまり持ち出さず、両者が互いに知覚しているはずの言動を中心にしている。

人間関係という観点から、前二章で扱った『イリアス』を振り返ってみるとどうか。あの叙事詩では、ギリシア軍とトロイア軍の戦争という背景もあり、将軍と配下、主人と捕虜、父と娘、女神と息子、夫と妻といった異なる役割同士の関係、あるいは軍人、神官、占い師といった職（社会における立場）のようなものが各人物を規定していた。このため、人物同士の関係は、こうした型によって比較的はっきりしていた。といっても、それだけではなく、例えば、将軍と配下という関係にあるアガメムノンとアキレウスとのあいだには、込み入った感情のもつれがあり、その変化する様子も捉えられていた。

5. 心のシミュレーション

『老人と海』の冒頭で描かれる老人と少年の関係を、コンピュータのシミュレーションとして制作するとどうなるか。本書では文芸作品の性質を浮き上がらせるために、このような比較を行っているのだった。シミュレーションとは、ある世界を構成する要素と、その要素のふるまいを決める規則をつくり、これをコンピュータで動かして、状況がいかに変化していくかを眺めるというほどの意味である。あらかじめ最初から最後まで、ストーリーがどのように展開するかをつくっておく小説やマンガや映画とは異なるものの見方だ。

先に言ってしまえば、このお題ははなはだ難しい。これがバルザックの『ゴリオ爺さん』の舞台であるパリの一角にある下宿屋の建物やその周囲の空間をコンピュータグラフィクスで制作するという話であれば、手間こそかかるものの困難ではなかった。ウエルズの『タイムマシン』のように時間をあちこち移動するような状況も、空間や人間の位置などの時間変化をコンピュータで表現するのはさほど難しくはない。つまり、三次元のコンピュータグラフィクスによって、空間やそこにある物や人物を表現し、これが時間とと

るように動いたり変化したりする様子なら、各種のデジタルゲームが実現しているようにつくることができる。

他方で、必ずしも外見に現れない人物の心の状態をつくるのは一筋縄ではゆかない。なぜなら、人の心のしくみはいまだによく分からず、それをシミュレーションするといっても、物体の運動を物理学の方程式で表現するようにはいかないからだ。例えば、ある人物は、どういう条件が揃ったとき、怒るのか。その怒りはどのようにして終わるのか。その人物は、どんなとき笑うのか。いつ、目の前の人に向かってなにかを言おうとするのか。その際、具体的にはなにをどのような順で口にするのか。人は知覚したり経験したりしたことのうち、なにをどのように記憶したり、あとからどんなきっかけで想起したりするものか。そうしたことを踏まえて『老人と海』に登場する少年のように振る舞うキャラクターの心を一体どうつくったらよいのか。これはそういう課題である。

もっとも、ごく簡単に済ませるのであれば、手がないわけではない。コンピューター上で少年と老人が、互いを気遣うような振る舞いをするように、それぞれの人物の言動をあらかじめ設定してしまえばよい。少年が「また一緒に行けるかもしれない。いくらか稼いだから」と言ったら、それを聞いた老人が「やめとけ。せっかく運のいい船に乗ったんだ。乗ってればいい」と答えるようにプログラムしておくわけである。だが、これではシミュレーションというよりも、映画の脚本を用意しておき、その通りにキャラクターに演じさせるのと変わらない。シミュレーションというからには、あらかじめ決めておかれた一本道を辿るのではなく、その場を構成する諸要素に対して設定された規則を適用してゆく、ということを繰り返すうちに、多様な状態が生成されることが期待される。

では、もう少しシミュレーションらしくするにはどうするか。これもゲームでしばしば使われる手だが、少年や老人をいくつかのパラメータ（能力値など）で表現するという手がある。例えば、「体力」「腕力」「知力」「記憶力」などの各種能力や、「操舵」「釣り」といった技能、「野球」「魚」に関する知識などの要素の集合としてキャラクターを設定するわけである。

その中に老人なら、少年に対する「好感度」のようなパラメータをつくる。少年にも老人に対する「好感度」を用意する。仮にこのパラメータが零から一〇〇のあいだの値をとるとして、高いほど相手に強い好意を抱いているとする。そして、この値の高さに応じて、相手に対してとる言動が変化するようにする。低ければ、そっけなくなり、例えば、老人が食事もとらずに寝ようとしていても、それに対して少年はなにもせずに「じゃ」と言って家に帰り、自分だけ両親とともに食事を済ませる。高ければ、相手を案じ、近所の食堂から食事を運んできて、老人とともに食べる。という具合。さらに言えば、状態に応じてどんな行動をとるかという点にも課題があるのだが、いまは省略しておこう。

また、少年がはじめて老人の舟に乗ったときは、互いにまだ「好感度」が零に近い状態だったとしよう。毎日顔を合わせて舟に乗り、漁を教えたり教えられたりするうちに、互いの「好感度」が変化する。しかし、どんな条件で上がり、どんな条件で下がるのか。これを決めなければ、「好感度」は変化しないままである。例えば、魚が釣れないと老人の「機嫌」（これもそういうパラメータを用意する）が悪くなってゆき、老人は「機嫌」に応じて少年への接し方が変わるとする。「機嫌」が悪い場合の老人は、少年が言われた通りに仕事をできないと、罵ったり叱ったりする。そうなると少年の老人への「好感度」は下がる。という具合に規則を決めることはできる。もちろん魚を釣れるか否かを決めるための諸条件も設定する必要がある。

こうしたパラメータやその変化の規則は、そうしようと思えばいくらでも細かくつくってみることができる。その結果、このシミュレーションでは、人物の心をうまく扱えたことになるだろうか。

こう考えてみると、ここには決定的に欠けている要素があることに気づく。老人も少年も、それぞれが日々の生活のなかでさまざまな経験をしながら、出来事やその印象を記憶してきたはずである。私たちにしても、そうした記憶に基づいて他人や世界を認識する。また、記憶の累積や変化があればこそ、少年は老人になついた。このような記憶の要素は、先ほど考えたシミュレーションには入っていなかった。これはコンピュータで扱うのがいっそう難しいものだ。

翻って小説を眺めてみると、老人と少年が会話を通じて、互いの記憶を確認しているのが目に入る。


「初めて舟に乗せてもらったのは、何歳のときだっけ」

「五歳だろう。あやうく死ぬところだったな。魚が舟をぶっ壊しそうに暴れやがった。引っ張り込むのが早すぎたよ。覚えてるか?」

「うん、尾びれが横木にばんばん当たった。ぶん殴る音がした。(略)」

「ほんとに覚えてるのかな。おれが聞かせたのだったか」

「初めて連れてってもらってから全部覚えてる」


(同書、一〇—一一ページ)

さらに言えば、本当のところ、少年が五歳のときの経験を記憶しているかは分からない。小説のこの場面では、少年が心のうちで、五歳のときの記憶を甦らせているのか、かつて老人から聞いた話を想起しているだけなのかは分からない。あるいは、ひょっとしたら少年自身にもはっきりとは分かっていないかもしれない。自分では記憶にない幼少期の出来事を、親から繰り返し聞かされているうちに、いつの間にか自分でもそんなことがあったと思い込むようになる、ということもある。いずれにせよ、少年と老人は記憶を共有しているからこそ、ここに描かれているような関係にある。

また、文芸作品では、作家がそうしようと思えば、ここで少年の心のうちにある記憶を描写してみせることもできる。例えば、「少年は昨日のことのように覚えていた。いまよりいくらか若くて背筋もぴんとしていたじいさんが、「ちくしょうめ！」と叫んだことも」という具合に。見たところ、ヘミングウェイはそうした心のなかの様子をあまり記さない。この点で、いくらか行動主義心理学の手法を思わせないでもない。ただ、実際にはときおり人物の心の動きを記すこともあり、内心で生じる出来事を完全に排除しているわけではない。

一人海に出た老人の様子については、章を改めて眺めてみることにしよう。

第11章　思い浮かぶこと／思い浮かべることの間で

1．ただ一人の心理を見る

文芸作品では、人の心と呼ばれるものが、どのように記されているのか。その一例として、ヘミングウェイの『老人と海』を検討しているところだった。前章では、老人と少年のやりとりから、その心の状態や人間の関係に目を向けた。本章では、老人が海に出たあとの様子を見てみよう。小舟で一人漁に出る老人の心は、どのように描かれているか。これは言うなれば、一人の人間だけの心の状態を観察するまたとない機会である。

漕ぎ出した舟が湾口を出て、いよいよ老人は一人になる。

❶老人はきょうは遠出になると思いながら陸地の匂いをあとにして、すがすがしい早朝の匂いがする大海原へ漕ぎ出した。（ヘミングウェイ『老人と海』小川高義訳、光文社古典新訳文庫、光文社、二〇一四、二八ページ／ただし❶は山本による）

ここには、海上を進んでゆく舟の上で老人が心に思うこと（きょうは遠出になる）、と嗅覚に感じる変化（陸地の匂いから早朝の匂いがする大海原）が示されている。「きょうは遠出になる」とは、これから起きる出来事、まだ起きていない出来事についての予感のようなものだ。ただし「よし、きょうは遠出をするぞ」という自発的な決意ではなく、そのようになるだろうという見通しであることに注意したい。もう幾度となく沖に舟を出してきた経験から、あるいは長いあいだ一匹の魚も釣り上げていないことへの忸怩たる思いからかは分からないが、なにかが彼にそう思わせたわけである。

私たちは、自分でそうしようと意識してなにかに注意を向けたり、集中して考えたりすることもある。他方で、自発的にそうしようと意識したわけではないのに、なにごとかが思い浮かんだり、なにかをしたくなったりもする。呼吸や消化をしようと意識しなくても体が半ば自動運転で動いているのと同様に、心もまた自動運転のように動いている。「きょうは遠出になる」という老人の心に浮かんだ思いは、意識してそう考えたというよりは、気づいたらそう思っていたという類のものだろう。

ひょっとしたら、これは細かく些細な違いのように見えるかもしれない。だが、作家が人間の心をどのように観察しているかという、そのこまやかさが如実に表れる重要な点である。

さて、老人がそう思い浮かべるあいだにも舟は進んでゆき、「匂い」も変わってゆく。この「匂い」の知覚は、老人に生じたものだろう。ところでヘミングウェイに限らず、小説では人間の五感のうち、視覚と聴覚を中心に描写されることが多い。目に見えるものを言葉に変換して記述するのと違って、嗅覚はいささか表現が難しく捉えがたいものだ。ここでは「陸地の匂い」「すがすがしい早朝の匂いがする大海原」という具合に、特定のモノが発する匂いというよりは、「陸地」と「大海原」という大きく異なる場所に関わる匂いに触れている。読者がこの文字列からなにを想起するかは、おのおの異なるかもしれない。例えば、早朝の陸地なら、朝露に濡れた草木の香りを思い起こす人もあるだろうし、町での人びとの生活に関わる匂いを連想する場合もあるだろう。あるいは、それぞれの場所にある多様なものが発する匂いが混ざり合った状態であるかもしれない。

いずれにしても、匂いはその場所の空気を通じて鼻孔に入り、その場所に足を踏み入れた者に否応なく感知されるものだ（鼻炎その他で鼻が利かないような場合は別として）。例言い換えれば、匂いはその人物がどのような空気のなかにいるかを示す要素でもある。例えば、住宅街を歩いていたら、どこかからカレーの匂いが漂ってくる。海藻が打ち上げられた浜辺を歩くと磯の匂いだと感じる。鼻に栓でもしていない限り、匂いは断りなく私たちの身体に入り込んで、勝手に知覚を刺激して、なにかを思わせる。ここでは陸から海へという空間の変化が、匂いとして描かれている。

2．なにを目にしたのか

いま眺めている文章はこう続く。

❶老人はきょうは遠出になると思いながら陸地の匂いをあとにして、すがすがしい早朝の匂いがする大海原へ漕ぎ出した。❷やがて海中の藻が燐光《りんこう》を発した。

（同書、二八ページ／ただし❶❷は山本による）

❷の「やがて海中の藻が燐光を発した」という文は、大きく二通りの解釈ができそうだ。一つは、老人が目にしたものを記述しているという解釈。もう一つは、老人とは関係なく、その場所で生じた現象を、作家が読者に向けて記述しているという解釈だ。この小説全体を通じて、後者の、ナレーターのような記述はほとんど見られない。もちろん、この文章を綴っているのは作家であり、老人本人ではない。とはいえ、記述はほとんど老人の言動や内心に焦点を当てており、作家が露骨に顔を出したりはしない。その点で次の箇所はちょっと面白い。

空に星が出てきている。老人はリゲルという星の名前は知らなかったが、これを見ればば、まもなく夜空に星が広がって、わが友として見上げるはずだとわかっている。

（同書、七四ページ）

沖に出たまま夜が来て、空に星が出る。「老人はリゲルという星の名前は知らなかった」と、老人当人には知りようのない名に触れている。ここでは、老人が目にしている星を、彼とは別に認識している人の存在が感じられる。「老人はその星の名前を知らなかったが」であれば、そうした感覚が生じにくいはずのところ、このように記されている。とはいえ、リゲルを知る人の影は、すぐに背景に消える。

話を戻そう。ここでは❷の文を、❶に続いて老人が目にした光景の描写であると受けとってみる。すると、ここにはなにが書かれていることになるか。海中の藻が発した光が水中から空中を通って、舟の上にいる老人の目に入る。この知覚、つまり視覚に与えられた光の刺激は、これを経験する者によって異なる認識を生じさせるだろう。例えば、海中の藻が燐光を発することを知らない者は、その光を目にしても、「海中でなにかが光っている」と思いはしても、それがなんであるかを特定できないかもしれない。その光が「海中の藻」が発した「燐光」であるとは、海のなかの出来事を知る老人が認識したことを記したものと思われる。また、逐一そのように記されてはいないものの、老人が過去のいずれかの時点で、こうした海中の光を、藻が発する燐光であると知り、その経験と記憶によって、いま目にした光景を「海中の藻が燐光を発した」と認識しているわけである。いま目にしているもの（知覚）から過去の経験や知識（記憶）が思い出されて、そのような認識に至っているのだと整理できる。

もしこのように解釈してよいとすれば、老人の心身に生じているそれなりに込み入っているはずの出来事を、なんと簡潔に表現したものだろうと、いまさらながら驚くのだがいかがだろう。

3. 小鳥に語りかける

海に出た老人は、ロープに餌をつけて海中へ下ろす。しばらくすると手ごたえがある。「ようし」と口にする。彼は独り言の習慣が身についているようだ。ときには自分を励ますように、またときには魚に語りかけるように言葉を口にする。

それだけではない。老人は、鳥にも話しかける。小舟にやってきた小鳥に「おまえ、いくつだ」「旅は初めてか？」と語りかける（五四ページ）。小鳥はくたびれているようで、とまったロープをつかみ直そうとする足がもたつく。それを見た老人は、小鳥に向かって言う。

「〔ロープは〕ぴんと張ってるじゃないか。張りすぎなくらいだぞ。風もない夜だったのに、そこまで疲れてちゃしょうがねえな。いまどきの鳥はどうなってるんだ」

小さいのをねらって鷹みたいなのが飛んでくるかもしれない。だが、そんなことを鳥には言わなかった。どうせ言葉はわかるまいし、そのうち身にしみることだろう。

「なあ、小せえの、休んでいけよ。それからまた飛んでって、やるだけやってみろ。人間も鳥も魚もそうするんだ」

(同書、五四ページ／〔　〕内は山本による)


こんなふうに老人は小鳥に話しかける。だが同時に内心で「鷹みたいなのが飛んでくるかもしれない」と考える。作家は、先ほど読んだ「老人はきょうは遠出になると思いながら……」のくだりもそうだったように、現実には他人から知覚しようのない老人の内心を記している。私たちは、小説を通じてこのような描写にあまりにも慣れ親しんでいるため、こうした記述に違和を感じることはないだろう。さらには現実世界でも他人たちがみな、小説のように、口には出さずに内心で言葉を思い浮かべているとさえ想像しているかもしれない。

もちろん私たちがそうした内言を行うこともある。だが、いつもそうしているわけではない。人によってまちまちであろうけれど、逐一あれこれを文のような形にせずにいるのが常態ではないだろうか（とは自分を例に考えている）。半ば自動運転のように動く心身によって、五感からなにごとかが入力されて、ものが見え、音が聞こえ、匂いがし、地面や椅子や空気の動きと接する体の部位に触感があり、ものを口にしていれば味がする。それに伴って記憶が動き、思考や感情や意欲が浮かんだり消えたりしている。そしてときどき、例えばこれから予定していることを確認するような場合に、口に出さないまま「まずは銀行に寄ってお金を下ろして、それから薬局に行くでしょ、それで……」と内言、心のなかで言葉にしてみたりもする。小説は、こうした知覚や思考や感情や意欲、あるいは内言を言葉であらわし、第三者が認識できるようにする装置として働く。以前、これを「他人シミュレーター」と称してみたのだった。

老人は小鳥に言葉が通じないことを弁えている。しかしそれでも話しかける。「人間も鳥も魚もそうするんだ」と、彼はその点で生き物たちを同列に扱っている。「やるだけやってみろ」とは、やるだけやってみようとしている自分のことでもある。小鳥に向けた言葉は、そのまま自分に向けた言葉でもあるのだろう。

4．魚になる

さて、老人の目には、海中に下ろしたロープの先にある餌の様子も見えない。もちろんそれをつつく魚の姿も見えない。ただ、ロープを伝ってくる感触を頼りに、海中の出来事を読む。そこでは触感がものを言う。心の状態をいかに描写するかという観点から見る場合、『老人と海』はなによりも触感とその刺激に応答する老人の心理を描いた小説である。いくらかロープごしに「引き」を感じたあとで反応がなくなる。

「おい、どうした」老人は声に出して言った。「また回ってこい。いい匂いだろう。うまそうじゃねえか。どんどん食ってくれ。マグロもあるぞ。しゃきっと締まって冷えてらあ。遠慮しなくていい」
（同書、四一ページ）

小鳥に話しかけるのと同じように、老人は魚にも言葉を向ける。「いい匂い」「うまそう」「冷えて」いるとは、そう口にしている老人自身の、つまりは人間としての嗅覚、味覚、触覚に基づいたものだろう。体のつくりが人間とは違う魚が、そんなふうに知覚するかは分からない。同じ対象でも、生物の体のつくりやその機能によっては、異なる知覚が生じ、異なる環世界をもつとは、さまざまに指摘されてきたことでもある。[*1] とはいえ、ここで老人は、魚の立場に身を置いているのだと読むことができる。新鮮なイワシやマグロを餌にすれば、大型の魚がこれを食べにくることを彼は豊富な漁の経験から知っている。「なあ、お前さんはこういううまいものが好きだろう？」というわけだ。お客をもてなすような口ぶりで、遠慮は要らないから「どんどん食ってくれ」と勧めている。

そしてついに魚が餌に食いつき、針にかかる。老人は「いまだ！」と口にしながらロープを引き上げにかかる。だが、いくらか手繰ったところで、それ以上は動かなくなる。遠ざかろうとする魚の力と老人がロープを引く力が拮抗して、綱引き状態になる。ロープを舟に固定してしまえば体は楽だが、それだと魚が引く力によって切れてしまうかもしれない。自分の体をクッションのようにして、ロープが切れないよう、魚と引き合いをせねばならない。老人は海中から舟上へとつながるロープの一部を手で握るだけでなく、自分の肩や背中に回す。魚を逃さないためには、魚の動きに合わせてロープを繰り出してやる必要もある。そんなふうに引き合いを続けるうちにも、老人を乗せた舟は魚に引かれて進んでいく。

ここからしばらく小説は、老人と魚のあいだの引き合いを中心に描かれる。老人と魚はロープで結ばれあっている。老人は海に浮かぶ舟の上におり、魚は海のなかにいる。魚が動くたび、その動きがロープごしに老人の手に伝わる。先ほどはこれを「触感」と述べたが、見方をかえれば力学の話でもある。ロープの先につけられた餌と針を口にした魚が泳ぎ続ける。ロープに引かれた小舟は魚とともに進む。その小舟の上には老人がいて、ロープが切れないように細心の注意を払い、全身を使って調整している。魚・ロープ・小舟・老人という四つの要素が組み合わさって一体となった機械のようなものが海を進んでゆく。

そうした状況で老人は魚に話しかける。といっても、舟の上から海中の魚に聞こえる由もない。

「おい」そっと魚に言ってやる。「おれは死ぬまで付き合うぞ」（同書、五二ページ）

「おい」また魚に言っている。「いいやつだな。たいしたもんだ。きょうという日が暮れるまでには死んでもらうが」（同書、五三―五四ページ）

「おい、だいぶへばってるんじゃないのか」老人は魚に言った。「おれだってそうだけどな」（同書、五五ページ）

老人は魚に敬意を抱いているようだ。互いの状態を比べたりもしている。「きょうという日が暮れるまでには死んでもらうが」とは、獲る者（魚を殺す老人）と獲られる者（老人に殺される魚）という関係を念押しするような言葉だ。だが、そう述べているこの時点では、老人は獲る者というよりも、魚によって動かされる者とでもいうべき立場にある。もしこのまま魚が弱らずに、どこまでも沖へと進んでいけば、食べるものは海から釣った魚でまかなうにせよ、水不足その他の原因で先に死ぬことになるのは老人かもしれない。殺す者であるはずの老人が殺される者に転じてしまう可能性がある。

駆け引きのあいだにとうとう魚が水面に跳ね上がって姿を見せる。それまで海面下にいて大きさも姿も推測するほかはなかった魚が老人の目に入る。彼は考える。

たいした魚だ。よくわからせておかねばならない。うっかり自信をつけさせてはいけない。突っ走ればどうにかなると思わせてもいけない。おれが魚だったら、ここを勝負どころにして一暴れしてやるのだが、やはり魚は魚だ。人間よりも上品で強力だが、殺す側の人間ほどの知恵はない。

（同書、六三ページ／傍点は山本による）

「おれが魚だったら」と自分を魚になぞらえている。これを再び老人の立場から見るなら、ここで魚に「一暴れ」されるのは獲る者にとっては得策でないということだろう。自分が魚にされたくないはずのことを、「おれが魚だったら」と魚の立場から考えているわけである。老人は魚を人間と比べて「上品で強力」だと讃えつつ、知恵においては人間のほうが一枚上手であるとも考える。だが改めてこうも考える。

やつめ、なぜ跳ねたか。おのれの大きさを見せつけるようでさえあった。ともかく、これでわかった。おれだって、どういう人間か見せてやりたい気もするが、いま見られたら手が固まっている。人間がどんなものなのか、まずは実際以上に思わせて、本当にそうなる。いや、あの魚になるのもおもしろい、と老人は思った。魚としての全力を挙げて、意志と知恵だけの人間に立ち向かってみたい。

（同書、六三―六四ページ／傍点は山本による）

魚はなぜ水面に姿を見せたのか、その理由を思い浮かべる。他方で、自分もどんな人間であるかを魚に見せてやりたい。ここで「手が固まっている」というのは、ロープを握っていた左手が攣ってしまって動かないことを指す。魚が人間に姿を見せた。人間もまた魚に姿を見せたい。互いの姿を見せ合いたい。さらには自分が「あの魚になるのもおもしろい」と想像を進める。先ほどのように「おれが魚だったら」と仮定として立場を入れ替えるだけでなく、「あの魚になる」ところを思い浮かべている。

老人は、ロープとその触感を介して魚とつながりあっている。この状態をもう少し想像しておきたい。参考のためにこんな場面を考えてみる。道具を使うとき、自分の身体や感覚が拡張されたり変容したりすることがある。例えば、自転車に乗るとき、ゴムタイヤを通じて地面の凹凸が伝わって、自転車と自分の体が一体となるように感じる。あるいは、箸を手にして皿に盛られた豆をつまむとき、私の神経が指先を超えて箸の先に行き渡るように感じる。こうした場面では、道具と一体となった私は自分の体を少しはみ出した別の存在となっているとも言える。とはいえ、これは老人の場合にあてはめるなら、老人が手にしたロープとの関係に留まる。

やや突飛に感じられるかもしれないが、自分が魚になることを想像する老人の状態に近いのは、コントローラーを手に握ってコンピュータゲームの画面に映るキャラクターを操作する場面かもしれない。ゲームの画面には、現実の自分とはまるで違う外見や能力を備えたキャラクターがいる。人間であるとも限らない。あるときは羊であり、またあるときは蚊であり、あるいは猫であり、ドラゴンであることもある。いずれにしても私はコントローラーごしにそのキャラクターと結びついている。コントローラーのスティックやボタンを操作して、キャラクターを走らせ、向きを変え、ジャンプしたりさせる（あるいはそのキャラクターの体に可能な行動をとらせる）。このとき私は、コントローラーという道具を介して、意識の上では別の存在になっている。もちろん老人はロープを通じて魚を動かしているわけではないのだから、この喩えにも限界はある。だが、ロープでつながりあった向こうにいる自分とは別の存在になってみるという状態はこれに近いように思われる。

このような喩えを持ち出してなにをしたいのか。ロープを介して触れ合っている当の「あの魚になるのもおもしろい」という感覚を、ただの文字列であることを超えて実感してみたいと思ってのことだった。コンピュータゲームは、老人が生きたはずの時代には存在しなかったものではあるが、これを使うと疑似的にではあれ、かたとき別の存在になることができる。そういう状態を、現代の私たちは以前に比べてむしろよく分かるようになっているかもしれない。

老人は魚になってどうするのか。「上品で強力」な魚として「意志と知恵だけの人間」に立ち向かう。彼はそうは言っていないが、自分が魚であれば、この人間（老人）に勝てると考えているようにも見える。ロープで結ばれたあちら側に移って、魚として自分と競う。さらに穿った見方を許してもらうなら、魚として最善を尽くした場合、どのような挙動に出るかというシミュレーションをしようとしているとも言えるだろう。ちょうど将棋盤を挟んで相手と競う棋士が、「もし自分が目の前にいるこの棋士であるなら、どう考えるか」と、相手の考えをよく想像し、考え抜いてこそ、その先をゆくことができるように。

5. 夢のように生じる意識

老人の心の動きとして、もう一点注目したいことがある。昼夜を超えて魚との根比べが続くなか、老人はロープを握ったまま、他方の手で釣った魚を捌いて食べ、水を飲み、用を足す。だが、おいそれと気を抜くわけにはいかない。そこでこんなふうに考える。

やつめ、寝てくれればいいんだが。そうなれば、こっちだって一眠りしてライオンの夢でも見られる。しかし、なんでまたライオンが夢の主役になってるんだ。まあいい、考えるな、と老人は自分に言った。のんびり寄りかかって何も考えない。あいつは頑張ってる。おれはなるべく休んでおく。

（同書、六六ページ）

ここには老人の心のなかで生じる出来事の移り変わりが描かれている。老人は願望を抱く。魚が寝てくれればいいのだがと。その願望をもとに、さらに願望を重ねる。そうなれば自分も「一眠りしてライオンの夢でも見られる」。面白いことに、そう考えた直後、彼は「しかし、なんでまたライオンが夢の主役になってるんだ」と自分でツッコミを入れている。「ライオンの夢」とは、自発的に選んで思い浮かべたのではなく、なんの気なしに自然と浮かんできたのだろう。

冒頭で述べたことにも重なるが、このくだりもまた人の心の機微をよく捉えている。この老人に限らず、私たちは日々の暮らしのなかで同様の経験を繰り返し味わっている。必ずしも自発的に思い浮かべようとしてではなく、言うなれば、体が勝手になにかを思い浮かべてしまう。仕事の帰り道、唐突に「今日はプリンを食べよう」と思い立つ。自分でもなぜそんなことが思い浮かんだのか分からない。分からないながら、現に思い浮かんできた、という状態だ。そのことにあとから気がついてはっとして、老人のように「なんでまたライオンが夢の主役になってるんだ」と、自分のことながら驚いたりもするわけである。

そんなふうに少し驚いてから、「まあいい、考えるな」と、今度は自分に言い聞かせ、命じている。心を自由に遊ばせると、あれこれと思い浮かんでは移ろってゆくところ、待ったをかけている。私たちの心身は、ある程度自動運転のように動いている。寝ているあいだに見る夢はその好例だ。ある程度、夢でなにを見るかをコントロールできるという報告もあるもの の[*2]、努めてそうしなければ、つまり普通に寝起きするような場合、自覚的に選んだわけではない夢を見ることになる。

例えば、私はしばしばデパートやホテルのような巨大な建造物のなかを歩きまわる夢を見る。その建物は、なぜか普通の階段やエレヴェーターなどが備わっておらず、いまいるフロアから、下の階に降りようと思ったら、数メートル下まで飛び降りなければならない。逆に上のフロアに上がるには、ロッククライミングのように、壁の突起などを伝って這い上らねばならない。そんな建物をよく夢で見る。

といっても、目覚めているあいだ、そうした建造物を空想したり思い浮かべたりしているわけではない。自分でもなぜそんな夢を見るのか分からないが、寝ているあいだ、心身がそんなふうに夢を生じさせるわけである。老人が思わず「ライオンの夢でも見られる」と思い浮かべたこと自体が、夢に通じる心の働きを示しているようでもある。

6．すれ違う認識

結局のところ老人は魚に勝つ。巨大なカジキを釣り、あまりにも大きいので小舟の脇に固定して帰路につく。だが、港に帰り着くまでのあいだ、その立派なカジキは、つぎつぎと襲い来るサメに食い荒らされてしまう。ようやく港に着く。老人は、なんとか家まで戻ってベッドに潜り込む。少年は、老人のもとへコーヒーを運び言葉を交わす。少年が老人の小屋を出ると、それまでずっと老人に寄り添っていた作家の筆は、老人をそっと休ませておこうとするかのように、彼のもとを離れて海辺の店のほうへと移る。

その海が見える店を訪れた女性客が「何なの、あれ」とウエーターに尋ねる。海に「大きな尻尾のついた長大な白い背骨」が浮いている。老人の小舟に引かれてきたカジキの残骸が海中に揺れているのを目にしたのだった。

「ティブロン」とウエーターは言った。「さめ」と英語で言い直したのは、骨になった事情を伝えようとしたのだった。

「知らなかったわ。鮫の尻尾だって。あんなに立派な、いい形だったのね」

「そうだな」連れの男も言った。

（同書、一二九ページ）


カジキの骨や尻尾を見た女性は、自分ではそれがなんであるか分からない。そうと書かれていないが、魚の骨であるらしいことは分かったかもしれない。だが、いずれにしてもどの魚であるかは分からない。種類が特定されない、ぼんやりとした認識である。それが悪いわけではない。私たちは誰しも、この世界を構成する多様なモノのうち、興味関心があるものについては細かく見分けるものの、そうでもないものについては、ごく大まかに「車」とか「クマ」とか「アイドル」と認識していたりするものだ。めいめいが頭のなかに小さな世界の模型を持っているわけだが、要素ごとに解像度はまちまちである。この女性にとって、魚は種類を見分けるほどの興味の対象ではなかったのかもしれない。ともあれ、彼女は「何なの、あれ」とウエーターに訊いている。

ウエーターは「ティブロン」と答える。「ティブロン（tiburón）」は、スペイン語でサメのこと。このスペイン語の単語が、そのまま女性に通じたのかどうかは分からない。これも認識に関わることである。誰かが口にした言葉を、「ティブロン」というただの音の塊として耳にするのか、「ああ、サメのことね」と認識するのかは、その人がこの単語についての知識・記憶を持っているかどうか、そのとき思い出せるかどうかによる。

このウエーターが、残骸のようになった魚をカジキだと認識していたかどうかも分からない。ひょっとしたら彼もなんだか知らないのかもしれない。あるいは知っていたのかもしれない。それは分からないが、魚の背骨が剝き出しになっているわけを伝えようとして、「ティブロン」あるいは「さめ」と口にした。釣られた魚の背骨が剝き出しになるのは、サメに喰われたからだという事情については適切に認識している。

他方でウエーターは、女性の「何なの、あれ」という質問を、「なんであんなことになってるの？」「あの骨が見えている魚はどういうわけであんなことになってるの？」という意味で解釈したようだ。ウエーターは、女性が口にした問いを言語として理解した。その言葉の意味を「魚の状態」についての問いと認識している。それとは別に「あれはカジキですね」と答える認識の仕方もありうる。誰かの言葉をどのような意味で受けとるか、ということもまた認識である。

ウエーターの答えを聞いた女性は、カジキの残骸をサメとして認識して、尻尾を「いい形」だと評価する。それを聞いた連れの男は、真面目にか単なる相槌としてかは不明だが、「そうだな」と同意してみせる。ウエーターは、すでにその場にいないのか、その場にいても面倒だから黙っているのかは分からないが、特に「いいえ、マダム、サメが食いちぎってああなったんですよ」と訂正したりはしない。そこで、この女性と男性は、いま目にしている大きく、背骨を剝き出しにした奇妙な魚をサメであると認識している。彼らは、ことによっては後々まで、ときどき思い出しては「そういえばいつだったか、海辺のレストランで、骨になった大きなサメを見たね」と語り草にするかもしれない。

われわれ読者はどうか。小舟に繫がれた大きな魚が老人によって釣られたカジキであることを知っている。そこで女性がウエーターの言葉から、それをサメだと認識したのは、言葉の誤解であり、対象についての誤認であると分かる。

こうした認識もまた、心に生じる出来事である。小説に登場する人物が目にしたもの（あるいは他の感覚）をなんであると認識しているか、ということ自体が、その人物のそれまでの経験や世界の見方を示している。私たちは、さまざまな知覚をXとして認識する。Xは、過去の経験や知識などの記憶に依存する。皮肉なことにと言おうか、老人が格闘の末に連れ帰ったカジキは、サメの餌食になるばかりか、当のサメと誤解されて終わるのだった。もちろんそれがカジキであることを誰よりもよく知っている老人の認識とも違っているが、彼らが互いの認識を知る由もない。彼らは同じ対象を見ながら、別の世界を見ている。ただ独り海上で漁をする老人の心の動きを注視してきた私たちは、小説の末尾で改めて、そうした複数の世界の見方（認識）が重なったりすれ違ったりする巷へと帰り着き、人間の世界へ戻ってきたと感じる。

この道を行った先の小屋では、また老人が眠っていた。うつ伏せになったきりで、少年が付き添って坐っている。老人はライオンの夢を見ていた。（同書、一二九ページ）

老人は自発的にはコントロールできない眠りのなかにいる。必ずしも思い通りにならない心の働きの最たるものである夢が、このときばかりは老人の希望通りになっている。ただし、もはやそれがどんな夢であるかは分からない。老人の心身の働きによって、脳裡でなにかしら、ライオンが登場する夢が生み出されているはずである。

第12章 「気」は千変万化する

1. 日本語の心の捉え方

文芸作品では、心をどのように描いているのか。この問いを念頭において、二千数百年前の古代ギリシアの叙事詩『イリアス』の描写、それと、ただ一人の人間の様子を描いたヘミングウェイの『老人と海』を眺めてみた。

ここで少し別の見方をしてみよう。こと日本語では、この言語を使う人がどこまで自覚しているか否かにかかわらず、心に関係していると思われる表現があちこちに顔を出すのだ。どういうことか。まずは次の引用をご覧いただこう。

❶小人数で、風呂の水を替へる事もしないとみえて、濁つた湯だつたが、長い船旅を続けて来たゆき子には、人肌の浸《し》みた、白濁した湯かげんも、気持ちがよく、風呂のなかの、薄暗い煤《すゝ》けた窓にあたる、しやぶしやぶしたみぞれまじりの雨も、ゆき子の

孤独な心のなかに、無量な気持ちを誘つた。

❷口ほどにもなく、案外陽気なところがあつて、何がをかしいのか、くすくす笑つてばかりゐる。

❸ゆき子は所在なく寝床へ横になつて、暫《しばら》く呆《ぼ》んやりしてゐたが、気が滅入《めい》つて、くさくさして仕方がなかつた。

❹女の声を聞いてゐると、ゆき子は、あの女達も、それぞれの故郷へ戻つて行くのだらうと、誘はれる気がした。

❺ゆき子は気が変つて来た。

❻何も彼もが、俊寛のやうに気後《きおく》れする気持ちだつた。

❼ジャズの音色を聞いてゐると、張りつめた気もゆるみ、投げやりな心持ちになつて来る。

❽そして、汽車に乗る時から気にかけてはゐたのだけれども、春子は、匂ひの甘い香水をつけてゐた。

❾「厭に悄気《しよげ》てゐるンだね。元気を出すんだよ。（略）」

❿かうして歩いてゐる事も、気紛《きまぐ》れのやうな気がしたが、（略）

これはいずれも同じ小説からの引用である（傍線は山本による）。もうお分かりかもしれないが、注目してみたいのは「気」という文字だ。この一〇の例だけでも「気持ちがよく」「無量な気持ち」「陽気なところがあつて」「気が滅入つて」「気がした」「気が変つて来た」「気後れする気持ち」「張りつめた気もゆるみ」「気にかけて」「悄気てゐる」「元気を出す」「気紛れ」と、多様な「気」が見られる。

私たちは「気」が含まれる言葉を、日常でもそれこそなんの気なしに使っている。なにか人間の心や体の状態をあらわす言葉として、「気」のつく字を使っている。そのようにさえ意識していないまま使っているかもしれない。「気にするなよ」「気が向いたら行こう」「気でも違ったか」「えへへ、気がついた?」「なんだか気ぜわしいことだね」「気苦労も絶えないさ」「気力が削られるよ」「気が大きくなってるでしょ」「正気かい？」「なに、気の持ちようだよ」「気をつけて行ってきてね」「あの人に気があるでしょ」「やる気出していこう」「ちょっと気になるな」云々。これはいったいなんなのか。

ところで、先ほどの引用元は、林芙美子（一九〇三―一九五一）の『浮雲』（一九四九―一九五二）だった。いまから七〇年ほど前の小説である。[*1] およそ二三万字からなるこの作品を「気」で検索すると、七九一ヵ所に使われていることが分かる。ただし、中には「空気」「電気」「金気」「天気」「気温」「気候」「景気」「湯気」「臭気」「香気」「蒸気」「湿気」「油気」といった語も含まれるので、『浮雲』に現れる「気」の字の全部が全部、人間の状態に関わるわけではない。見方を変えれば、「気」というものは、人間だけでなく、私たちが生きているこの世界にもさまざまなかたちで見てとられているのかもしれない。

本章では、この「気」に注目してみる。

2.「気持ち」とはなにか

さて、先ほど引用した一〇の例を少し詳しく見てみよう。まずは❶から。

❶は、久しぶりに故国日本の土を踏んだらしい「ゆき子」という人物が、宿の風呂に入っている場面である。「白濁した湯かげんも、気持ちがよく」とは、湯船に浸かってお

湯のあたたかさに包まれての心地を述べたものだろう。「気持ちがよく」「気持ちよい」とは、いまでも常用される言い回しで、口にするほうも耳にするほうも、とりたててそれがなんなのかと気にすることはないかもしれない。ここで言われる「気持ち」とはなんだろうか。

『日本国語大辞典』（小学館、JapanKnowledge版）では、語釈の筆頭に「物事に接して、それに対して感じた心の状態。心のあり方。感情。気分」を挙げている。第二は「からだの状態についての感じ。気分」とあり、「気持ち」が「心」と「体」の双方に使われることが、分けて示されている。例えば、湯船に入って「気持ちよい」とか、お酒を飲み過ぎて「気持ち悪い」という場合、体の状態についての感じというわけだ。

いま見ている『浮雲』を「気持」で検索してみると、一八二ヵ所で使われていることが分かる。いくつか拾ってみよう。

（a）ゆき子の孤独な心のなかに、無量な気持ちを誘つた
（b）ほてつた軀を投げ出してゐるのは、気持ちのいゝことであつた
（c）心細く虚無的になつてゐた気持ちも、少しづつ立ちなほつてきさうである
（d）気後れする気持ちだつた
（e）拍子抜けのするやうな気持ちだつた

（f）単純な気持ちだけで旅をしてゐた
（g）かなり自由に、解放された気持ちになつてゐる様子だつた
（h）ゆき子には何となく情けない気持ちだつた
（i）冒険的な気持ちになつてきた
（j）ゆき子は気抜けしたやうな気持ちで部屋へ戻つて行つた

このうち、もっぱら「体」に関わるのは（b）で、あとはいずれかといえば「心」に関するもののようだ。（a）は、先ほどの「ゆき子」が風呂に入りながら、窓にあたるみぞれ交じりの雨を目にしたために生じた心理を記している。雨を目にして「無量」の、つまり計り知れないほどの「気持ち」が誘われる。自らそうした「気持ち」になろうとしたというよりは、周囲の様子を知覚した結果、そのような「気持ち」が生じてきた、ということだ。この場合の「気持ち」は「心の状態」と言い換えられそうである。

（a´）ゆき子の孤独な心のなかに、無量な心の状態を誘った

やや不自然な感じはするものの、意味は通る。（c）から（j）の「気持ち」についても同様に「心の状態」と置き換えても通じる。では、「心」ではなく「体」の状態に関

わっている（b）はどうか。置き換えるとこうなる。

（b´）ほてつた軀を投げ出してゐるのは、心の状態のいゝことであつた

意味が通らなくはないものの、体の状態からくる「気持ち」のよさという、体と心の連絡が失われるようでもある。先ほどの「白濁した湯かげんも、気持ちがよく」で試してみよう。

白濁した湯かげんも、心の状態がよく

やはり少々無理があるようだ。体の状態に関する感じとしての「気持ち」は、「心の状態」と置き換えづらい。このような表現が表している出来事を、もう少し詳しく記述すればこうなろうか。

湯船に入る⇓体がお湯に包まれる⇓湯の動きと熱を感じる⇓よい気持ちが生じる

人間が備えている五感でいえば、触感に関わる出来事だ。普段、私たちは空気中にい

て、服を身につけている。着衣の部位で皮膚は布と接し、それ以外の部位は空気に触れている。立っているなら、足の裏だけは地面に接しており、他の部位は自分の体の他の部位に接するか空気中にある。服を脱いでお湯に入るとき、皮膚は湯に触れる。湯の熱が皮膚を通じて体に伝わる。また、湯の動きが皮膚をなでる。『浮雲』ではそれ以上の描写はないが、実際には「白濁した湯」から、なんらかの香りが立っているかもしれず、その場合、嗅覚にもなにかを感じるだろう。あるいは、湯気が鼻孔に触れる感じもあるに違いない。

ともあれ、入浴するとき、そのようにして普段とは異なる触感が生じ、その体で感じるはずのこと、心身に生じる変化が、「湯かげんも、気持ちがよく」という言葉で表される。言い換えれば、この描写では、風呂の湯につかる際に湯と体のあいだで生じる出来事や、人が感じる変化そのものは記していない。しかし、「湯かげんも、気持ちがよく」という短い言葉の連なりは、湯に体を入れたときに生じる出来事を前提としており、その結果として感じられる「気持ち」の状態だけを言葉にしている。

それだけに、仮にこれまで湯につかったことがない人が読んだとしたら、ここに記された状態は想像しづらいかもしれない。風呂に入ったことがある人は、その経験（の記憶）を思い起こしながら、この短い言葉の連なりが文字としては省略している出来事も含めて思い浮かべるだろう。そのように湯船につかったときに生じる物理的な出来事、つまりある温度の湯が溜められた風呂という空間があり、その風呂の湯に体を入れた結果としてその人が感知する「湯かげん」と、それを原因として生じる心身の状態を「気持ちがよく」と表しているわけである。

少し角度を変えて言えば、「風呂」と「湯」と「体」の組み合わせから、ある出来事が生じている。どのような出来事か。風呂の湯に人の体が入り、その分だけ湯が押しのけられ、動きが生じる。人が動けばさらに湯も動く。また、その人の体に変化（湯かげん、温かさ、湯の流れの触感など）が生じる。その体の変化に伴って心の変化（気持ちよさ）が生じる。こうした事物の組み合わせから体に起きる変化を当人が感知し、それが心の変化として検出される。いま簡単に記した出来事は、そうしようと思えばさらに細かく（例えば分子レヴェルで生じていることなどを）記述することもできるだろう。「湯かげんも、気持ちがよく」とは、およそそのような事態をごく手短に表現したものだ。これを目にした読者が、自分の経験（の記憶）と照らすことで、右に述べたような出来事が思い浮かべられることになる。

3．瞬間の気持ち／積み重ねの気持ち

先ほどの（a）から（j）の例に戻ろう。『浮雲』に見られる「気持ち」という言葉の

用例を並べたのだった。その多くは、心の状態に関するものだった。そこでは「気持ち」がさまざまな状態をとる様子が示されていた。「気持ち」の状態を示す表現だけ抜き出して、改めて並べてみよう。

・無量
・いい
・虚無的
・立ち直る
・気後れ
・拍子抜け
・単純
・解放される
・情けない
・冒険的
・気抜け

こうしてみると、「気持ち」が状況に応じて多様に変わってゆく様子が窺える。「虚無的」になったかと思えば「立ち直る」。「気後れ」「拍子抜け」「気抜け」することもあれば、「解放される」こともある。「単純」な状態もあれば、「冒険的」な状態もある。果たして「気持ち」がどれほど多様に形容されるものか、私自身は見通せる気がしない。「気持ち」の変化には、いま見たようなそのときどきに天気のように移ろう側面とともに、長い時間をかけて生じる側面もある。この『浮雲』でいえば、主人公とも言える幸田ゆき子は、戦時中の昭和一八年（一九四三年）に、タイピストとして渡ったフランス領インドシナで知り合った農林省の技師で既婚者の富岡兼吾と深い仲になり、敗戦後に引き揚げたあとも関係をつづけ、そのあいまにいくつもの出来事を経て、最後は二人で屋久島へと落ち延びる。小説の末尾近く、屋久島で病の床に伏せるゆき子は、血を吐きながらこう思う。

　ノアや、ロトの審判が、雨の音のなかに、轟々《ぐわうぐわう》と、押し寄せて来るやうで、ゆき子は、その響きの洞穴《ほらあな》の向うに、誰にも愛されなかつた一人の女のむなしさが、こだまになつて戻つて来る、淋しい姿を見た。失格した自分は、もうこゝでは何一つ取り戻しやうがない。あの頃の自分は、どうしてしまつたのだらう……。仏印での様々な思ひ出が、いまは、思ひ出すだにものうく、ゆき子はぬるぬるした血をうつと咽喉《のど》のなかへ押し戻しながら、生埋めにされる人間のやうに、あゝ生きたいとうめいてゐた。ゆき子は、死にたくはなかった。頭の中は氷のやうに冷くさえざえとしながら、躯《からだ》は自由にならなかったのだ。

死にゆくゆき子の脳裡で、戦中からのさまざまな経験の記憶がめぐり、いまさら取り返しようもない過去に思いが及ぶ。この「気持ち」は、瞬間ごとの状態というよりは、まさにそれまでの生とその記憶の積み重ねがあってこそ生じるものだ。

また、読者の視点に立つなら、小説冒頭からこのくだり（第六五節末尾）に至るおよそ二二万三千文字を費やして記された出来事の積み重ねに付き合ってきたからこそ、ゆき子の虚しさや無念、「あゝ生きたい」という言葉を、当人と同じとは言わないまでも、それだけの経験を重ねた人間の「気持ち」として読むことができるわけである。これぱかりは、仮にダイジェストや要約で『浮雲』のあらすじを知ったとしても、けっして体験できない出来事だ。という次第は、小説を読む人なら誰もが知ることに過ぎないが付言しておきたい。

こうした中長期的な心の状態変化については、また章を改めて検討することにして、いまは「気」の話に戻ろう。

4. 「気」は変わる

冒頭で挙げた一〇の例から、「気」に関する部分を抜粋して並べ直してみる。

❶湯かげんも、気持ちがよく／無量な気持ちを誘つた
❷陽気なところがあつて
❸気が滅入つて
❹誘はれる気がした
❺気が変つて来た
❻気後れする気持ちだつた
❼張りつめた気もゆるみ
❽気にかけてはゐた
❾悄気てゐるンだね。元気を出すんだよ
❿気紛れのやうな気がした

❶は風呂に入って生じた「気持ち」の変化だった。同じように、変化に触れている表現

がいくつか見られる。❺「気が変つて来た」は、ズバリそのまま、変化したことを記している。「気」は変わるものだ。ただし、「変つて来た」という場合、当人が意識して能動的に「変える」というよりは、原因がなんであるかはともかくとして、そのように変わったという状態を表しているだろう。なぜだかは分からないが、先ほどまでAをしようと考えていたはずだったところが、それとは別のBをしようと考えが変わる。

同様にして❼「張りつめた気もゆるみ」は、「張りつめた」状態が、言うなれば「張りつめていない」状態へと「気」が変わる様を表している。この変化はどのように生じたのか。敗戦後、日本へ戻ったゆき子は人を頼ろうと思い立ち東京へ向かった。降り立った品川のホームにいると、近くにあるダンスホールから音楽が聞こえてくる。

ジャズの音色を聞いてゐると、張りつめた気もゆるみ、投げやりな心持ちになつて来る。

ダンスホールから漏れてくる音楽を耳にして、ゆき子の「張りつめた気」がゆるむ。ジャズの音色だけが原因ではないかもしれないが、少なくともゆき子の意識ではそのように認識されたのだろう。いずれにせよ、これもまた自ら能動的に「気」をゆるめたというよりは、外からやってきた音によって生じた変化である。しかも「投げやりな心持ちになって来る」という具合に、さらなる変化がこれに続く。

もう一つ、❸「気が滅入って」とは、風呂を上がって寝床に入ったゆき子の状態である。

> ゆき子は所在なく寝床へ横になつて、暫く呆んやりしてゐたが、気が滅入つて、くさくさして仕方がなかつた。

「呆んやり」した状態から滅入ってくさくさしてゆく。「滅入る」とは「気勢がなくなりふさぎこむ。元気なく陰気になる。ゆううつになる。沈む」(『日本国語大辞典』)とのことで、「気勢」が減じる状態であり、「元気」が「陰気」になる状態というふうに、「気」がついて回る。もう逐一指摘しなくてもよいかもしれないが、この変化もまた、自ずとそうなっていったとしか言いようのないものだ。

❾「悄気てゐるンだね。元気を出すんだよ」とは、ダラットに向かうトラックで侘しい気持ちになり、日本へ帰りたいと感じているゆき子にかけられた言葉である。「悄気」とは「元気をなくし、しょんぼりとなること。意気消沈すること」(同前)であり、やはり「元気」がなくなった状態、「意気」(心に溢れる元気)が消沈した状態である。ゆき子が悄気ていると見て声をかけた人物は、「悄気」から恢復して「元気」を出せと言っている。

つまり、ゆき子の「気」の状態を見てとって、望ましい「元気」な状態へ戻るとよいと述べているわけである。ゆき子は望んで悄気たわけではなく、自分が身を置いている場所と境遇を思ってそのように「気持ち」が変化していったのだった。

5. 自分の「気」に気がつく

こんなふうに「気」の状態というものは、お茶を入れて飲んだり、ウェブで検索をする場合のように、人が自発的・能動的に働きかけるというよりは、ある状況や環境のなかでそのように変わってゆくという描き方をされている。

他方で、ゆき子が自分の「気」の変化に気づく様子を描写しているケースもある。例えば、❹「誘はれる気がした」はどうか。これは泊まっている宿の隣室で、どこかの女たちのおしゃべりを耳にしたゆき子に訪れた変化である。

軈《やが》て女達は、お世話さまになりましたと、口々に云ひながら、おかみさんの後から廊下を賑《にぎ》やかに通つて行つた。女の声を聞いてゐると、ゆき子は、あの女達も、それぞれの故郷へ戻つて行くのだらうと、誘はれる気がした。

これからどこへ行こうかと思案していたゆき子は、女たちの声を聞いて、自分もそうしたらどうかと「誘はれる気がした」という。ここでゆき子は、自分がそのような「気」になったことを自覚している。

あるいは❻「気後れする気持ちだつた」は、ダラットから引き揚げて日本に着き、東京を目指す列車に乗ったあとの状態である。ついでながら「気」に注意を向けていることもあるので、その前後を含めて見てみよう。

ゆき子も、やつとの思ひで窓から乗車する事が出来た。何も彼もが、俊寛のやうに気後《きおく》れする気持ちだつた。南方からの引揚げらしい、冬支度でないゆき子を見て、四囲の人達がじろじろゆき子を盗見してゐる。如何《いか》にも敗戦の形相《ぎやうさう》だと、ゆき子もまた立つて揉《も》まれながら、四囲を眺めてゐた。夜のせゐか、どの顔にも気力がなく、どの顔にも血色がない。抵抗のない顔が狭い列車のなかに、重なりあつてゐる。奴隷列車のやうな気もした。

「俊寛のやうに気後れする」とは、いまでは分かりづらい形容かもしれない。俊寛は、平安末期の僧で、平氏討伐を企てるものの密告によって捕らえられ、藤原成経《なりつね》、平康頼《やすより》とともに鬼界ヶ島に流される。後に大赦があって、成経と康頼は帰京を許されるが、俊寛だけは残留を命じられる。能の曲目にもなっており、そこでの俊寛は、大赦を告げにきた使いの者に懇願し、舟に乗り込もうとして下船を命じられ、去ろうとする舟の艫綱《ともづな》にすがる。流刑から帰れない俊寛に比べれば、列車に乗れただけましかもしれないが、「やつとの思ひで窓から乗車する事が出来た」ゆき子が、自分を俊寛になぞらえたのは、このような故事を想起してのことだろう。これ自体、ゆき子の心に生じた出来事の描写でもある。

いま注目したいのは、そんな「俊寛のやうに気後れする気持ち」という表現だ。「気後れ」とは「何かしようとする時に、気がかりな事があったり、おじ気づいて心がひるむこと。気おじ」(同前)のこと。先ほどから「気」のつく言葉の語釈を『日本国語大辞典』から引いているのは、その語釈もまた「気」に満ちている様子を目に入れておきたいと思ってのこと。「気後れ」の説明にも「気がかりな事があったり」「おじ気づいて」「気おじ」と、「気」が重ねて現れる。日本語のあいだに「気」が巡っているという気がしてくる。

それはそうと、ゆき子はようやくのことで列車に乗り込んだ自分が「気後れする気持ち」であることに気づく。これもまた、自分の心、気持ちに生じた変化の自覚を表すくだりだ。

いま引用した文章の末尾に見える「奴隷列車のやうな気もした」という一文も、ゆき子が、自分の乗った列車の状況を目にして心に浮かんだ喩えを自覚している様子を示している。

もう一つ「気」が使われていた「夜のせゐか、どの顔にも気力がなく、どの顔にも血色がない」という文の「気力」とは、「物事をなしとげようとする精神の力。また、心の活動力。元気。気魄《きはく》」（同前）である。「力」とは、これ自体が分かっているようでよく分からないなにものかであり、検討を要するところだがいまは措こう。「気力」が「元気」「気魄」と言い換えられており、「気」を含む言葉が互いに連環している様子が見える。

6.「気」にかける

さて、自分の「気」が変化してゆく様子、あるいはその変化に気づくのに加えて、もう少し能動的な用例もあった。❽「気にかけてはゐた」がそれである。やはり「気」の用例がいくつか含まれている箇所なので、前後も含めて引用してみよう。

汽車に乗る時から気にかけてはゐたのだけれども、春子は、匂ひの甘い香水をつけてゐた。ゆき子は自分が惨《みじ》めに敗《ま》けてしまつた気で、学校時代のサージの制服を仕立てなほした洋袴《ズボン》に、爪先きのふくらんだ、汚れた黒靴をはいてゐる事に、いまいましいものを感じてゐる。長い旅路で、紺の洋袴はかなり汚れて来てゐる。春子の化粧の濃くなつたのを妬《ねた》まし気に眺めながらゆき子は、

「篠井さんはサイゴンに落ちつくなんて幸福だわね」と、云つた。

ここに登場する「春子」とは、篠井春子といって、ゆき子と同じくタイピストとしてフランス領インドシナへ渡った女性である。その春子と同じ汽車に乗り合わせた場面だ。

ここでゆき子が「気にかけてはゐた」のは、春子の香水の匂いだった。「気にかける」とは「心配する。懸念する。こだわって忘れない」（同前）ことであり、「心にとめる」ことと言ってもよい。意識して行う、いずれかといえば能動的な行いである。

ただし、この場面について言えば、実際の出来事はもう少し込み入っていただろう。ゆき子は春子と汽車で同席する。同じ空間にいあわせたところで、春子の香水が感じられる。この時点では、例によって自発的な行為というよりは、鼻孔に入ってきた香水に気がついたという状態である。しかし、そのように感じられた香水の匂いを、ゆき子は「気にかけて」おいたのであり、これは自発的にそうしたと考えられる。

とはいえ、単純に受動的か能動的かと一方に割り切れることではない。春子が身につけた香水の分子が、春子から発して空気中を動き、そのいくらかがゆき子の鼻から入って嗅覚を刺激した。これはゆき子からすれば受動的な出来事だが、それを「気にかけて」おくのは能動的な行いでもある。といっても、人はずっとその香水の香りだけを気に留めたりはしないだろう。気持ちはそのつど移ろうものである。徐々に鼻が慣れていくにしても、絶えず香水の匂いを感じるからこそ、その後もゆき子はその匂いを「気にかけて」おくことができる。匂いを感じることで、「そう、乗車したときから感じていたこの香水」と思い直すことができる。

あるいは「気にかけてはゐた」とは、もう少し受動的に「気になっていた」というほどの意味であるかもしれない。こうなると、「気」にとめておこうという能動的な意志のような働きでその状態が生じるのか、香ってくるからこそ「気になり続けた」のかは分からなくなってくる。もちろん能動/受動とは、言語を分類する立場から設定された分類の枠組みであり、これを過度に気にする必要はない。いずれかと言えば、「気」というなにものかの動きや変化を、私たちはどのような言葉によって記述していることになるのか、というそのことを考える際、この大まかな分類が役に立つというくらいのつもりでここでは使っている。

また、「惨めに敗けてしまつた気で」という場合の「気」は、先に述べた「心の状態」と言い換えられる用法である。つまり、ゆき子がそのような心の状態にあるという描写だ。春子がゆき子に勝った気でいるかどうかは分からないし、実際に勝敗の問題ではないかもしれないところ、ゆき子がそのような気持ちになっている、というわけである。

もう一つの「妬まし気に眺めながら」の「気」は、様子や気配をあらわす「気」であろう。「妬まし気に」は「妬ましそうに」と言い換えられる。これはゆき子当人の意識というよりは、ゆき子の様子を描写する書き手の観察であると読める。実際にゆき子が春子を「妬ましい」と感じているか否かはこのくだりだけでは判断できない。ただし、実はこの引用箇所の少し前に「ゆき子は篠井春子が妬ましかった」と明確に述べており、それを踏まえるなら、この「妬まし気に」という記述は、書き手による観察であるとともに、ゆき子の心の状態を表してもいると考えられる。

7.「気」の状態

最後に❷「陽気なところがあって」にも目を留めておこう。これは、ゆき子が泊まった宿の隣室にいた女性たちの様子を描写したものだった。

「でも、帰りさへすればいゝンだわ。日本へ着いた以上は、こっちの軀よ、ねえ……」「本当に寒くて心細いわ。……あたい、冬のもの、何も持ってやしないもンね。これから、まづ身支度が大変だよ」

口ほどにもなく、案外陽気なところがあって、何がをかしいのか、くすくす笑ってばかりゐる。

つまり、口では心細いと言いながら、くすくす笑うくらいには「陽気」だという形容である。これは恐らくゆき子が感じたことだろう。ここで言われる「陽気」とは「気分、雰囲気などがあかるく、はればれしいこと。にぎやかなこと。また、そのさま」(同前)のこと。「気分」「雰囲気」が明るい様子。もとは中国の易学などで、森羅万象をかたちづくる原理として想定された二つの「気」、「陰の気」と「陽の気」に由来する。陽気は動きのある状態を、陰気は動きのない状態を指す。先ほどの「陽気」の説明に倣って言うなら、「陰気」とは「気分、雰囲気などが暗く、うつうつとしていること。沈んでいること。また、そのさま」とでもなろうか。『浮雲』全体でも「陽気」「陰気」という語は対になるような使われ方をしている。また、この陰と陽という二分法は、いまでも人の性格を「陰キャ」「陽キャ」と呼ぶことにも及んでいる。

ここまで見てきたように、「気」は変化する。あるときは「よく」なり、あるときは「悪く」もなる。「滅入る」こともあれば「晴れる」こともある。「張りつめる」こともあれば「ゆるむ」こともある。「大きく」なれば「小さく」もなる。「強く」なることもあれば「弱く」なることもある。「元気」なこともあれば「悄気」ることもある。このように並べてみた場合、「気」とはなにかプラスとマイナスという二つの極(陽極と陰極)をもち、そのあいだを変化するもののようにも思えてくる。というよりも、日本語という言語において二つの極を対置させがちなだけかもしれない。

いずれにしても、このように捉える場合の「気」は、例えば最大限張りつめた状態と、最大限緩んだ状態とのあいだのいずれかの状態をとるようなもの、仮に前者を一〇〇として後者をゼロと置けば、数値で表せるような気にもなる、そんな性質にも感じられる。というのは、テストやゲームを典型として、人間の能力や性質を定量的に表すことに慣れている頭から出て来る発想かもしれない。

他方で、そうかと思えば、なにかが「気になる」こともあり、なにかの「気がする」こともある。この場合の「なにか」には、さまざまな状態が入りうる。「為替相場の行方が気になる」「なぜコペルニクスは地動説の立場をとろうと考えたのかが気になる」「なにかいいことが起きそうな気がする」「どうもお腹が空いているような気がする」など、「なにか」にはこの世界の状態やそこで生じうる出来事、あるいは人間の想像のなかでのみありうる状態や出来事も含めて、多種多様なにごとかが入る。この場合の「気」は、先のような二極のあいだにあって定量化できそうな状態とはちがい、自分や世界の状態に応じて多種多様な、定性的にしか捉えられないような性質のようでもある。千変万化するかのように。

果たして、この日本語における「気」とはなんなのか。引き続きもう少し探ってみることにしよう。

第13章 「気」は万物をめぐる

文芸作品において「心」はどのように記されているか。そう思って日本語で書かれた小説を見てみると、そこかしこで「気」という文字が目に留まる。前章では、林芙美子の『浮雲』を例として検討してみたところ、全編にわたって「気持ち」「気がした」「気にかける」「気もゆるむ」をはじめとして、「気」で満ちている様子が目に入った。

もっともこれは文字通りほんの一例に過ぎない。では、『浮雲』が例外かといえばそうではない。現代の作家による小説でも事情はさほど変わらないようだ。確たることを言うには、それなりの規模での組織的な調査を要するが、手元にある近年の日本の小説をいくつか見てみたところでも、あちこちに「気」が顔を出している様子を窺える。というよりも、文芸に限らず日本語では日常的に多用されている。

1. 天地開闢以来の万物の素

では、言うところの「気」とはなにか。

この言葉、あるいは概念の出どころは古代中国である。一口に「古代中国」といっても多様なだけに、十把一絡げにするわけにもいかない。この点については、小野沢精一、福永光司、山井湧編『気の思想　中国における自然観と人間観の展開』（東京大学出版会、一九七八）といううってつけの本がある。同書では、古代から近代にかけての中国において、「気」という概念がどのように使われてきたかを時代ごとに検討しており、その傾向と多様性が目に入る。同書を頼りにその概要を確認しておこう。

とはいえ、細部にわたって検討するのがここでの目的ではない。古代中国語における「気」という言葉の用法を通じて、現代日本語における「気」を見るための手がかりを得ようという心算である。

さて、大きく見ると「気」という概念は、宇宙論に関係しているようだ。宇宙論とは、この宇宙（世界）がどのように生じて来たか、あるいはどのように構成されているか、という宇宙の生成についての説明のこと。世界各地の神話などでも、そもそも宇宙がどんなふうに始まったのかを論じるものは少なくない。

例えば、『広雅』という三国時代に魏の張揖《ちょうゆう》によって編まれた書物の第九巻「釈天」の冒頭では、天地開闢の様子が説明されている。

太初は、気の始めなり。酉仲に生じ、清と濁と未だ分かれざるなり。太始は、形の始めなり。戌仲に生じ、清《す》める者は精と為り、濁れる者は形と為る。太素は、質の始めなり。亥仲に生じ、已に素朴ありて、未だ散ぜざるなり。三気相い接して、子仲に至り、剖判し分離し、軽き清める者は上りて天と為り、重く濁れる者は下りて地と為り、中和して万物と為る。[*1]

「太初」とは、天地が開けた初めの時、いわば宇宙のはじまりのこと。「酉仲《ゆうちゅう》」は八月に該当する。つまりは時間を示している。太初には「気」というなにものかが現れる。当初は清濁も分かれていなかったという。同様に次々と「太始」と「形」が、「太素」と「質」が現れるという次第が述べられている。それら「三気」から、「天」と「地」が生じ、さらには「万物」が生じる。あらましこういうストーリーである。

これは一例だが、同書に限らず、古代中国の文献では、こうした天地開闢について、構成や細部の異なるさまざまなヴァリエーションが見られる。いずれも「気」というものが始めにあって、そこから天地や万物が生じるという大枠は共通しているようだ。この始めにある「気」は「元気」とも呼ばれる。また、「気」は一つのものでありながら、ときとして「陰気」と「陽気」、「天気」や「地気」など、「二気」や「六気」という具合に分けて捉えられたりもする。立春、雨水、啓蟄、あるいは夏至や秋分や冬至など、太陽の位置を手がかりに季節の移ろいを示す二十四節気などもある。

こうした宇宙観に触れて、『西遊記』の冒頭が思い出される。あの奇想天外な物語は、そう、天地開闢の描写から始まっていた。

混沌《こんとん》はまだ分れておらぬゆえ
天と地は渺茫《びょうぼう》なんにも見えず
盤古《ばんこ》が卵を破ったその時から
天地はひらき清濁の別も生ず
生きとし生けるを育《はぐ》む仁《じん》は
万物をつくり善へとみちびく
創造の秘密を知りたいのなら
この『西遊記』を読みたまえ*2

と、こうした詩に続いて「さても天地の秩序は……」と、まさに天地開闢の次第が述べられる。一二万九六〇〇年を一元とする、という時間のモノサシを示しておいてから、それをぐっと人間に身近な一日という長さになぞらえて、時の流れの一サイクルを思い描かせる。それに続いて、時の流れとともに天地がどのように生じたかという過程を描写する段となる。真っ暗な混沌から時とともに日月星辰が現れる。やがて地が固まり、水や火や山や石や土の「五形」が生じる。そこでいよいよ万物の登場となる。

暦書によれば、天の気が下降し、地の気が上昇し、ために天地が交合して万物がみな生じるというわけです。ここにいたって天は清らか、地はさわやか、陰と陽との交合とあいなります。*3

先ほどの『広雅』に記されていた天地開闢の様子とも重なるような描写であるのがお分かりになるだろう。そしてここでも「天の気」(天気)と「地の気」(地気)なるものが混ざり合うところから万物が生まれる様子を描いている。

中国の古典やそれに倣った江戸から明治にかけての日本の書物を見ていると、こんなふうに天地開闢から説き起こすものに出会うことがある。こうした伝統を知らないと、「え、そこから?」と驚いたりもするのだが、見ようによってはこれから物語られる出来事の舞台を、その原理やメカニズムから説いた、いわば世界設定のようなものだ。

さて、以上の説明に現れる「気」は、人間というよりは、宇宙や世界、万物にかかわるものだった。ではこれは人間とはどのように関わるのか。

2. 人の生は気の聚りなり

万物は「気」からできている。とすれば、その一部である人間も「気」と無縁ではない。先ほどの天地のような自然や、人間について「気」で説明する議論は、戦国期以降に見られるようになるという。例えば、次のような表現がある。

> 気は身の充なり（『管子』心術下篇）
> 人の生は気の聚《あつま》りなり（『荘子』知北遊篇）[*4]

「気」は体に満ちている。あるいは、人間の生は「気」の集まりである。このように、人間もまた「気」によって生きているという見立てがある。体に満ちて人間の生を成り立たせている「気」は、どこから来てどこへ行くのか。

> 夫れ亡《し》ぬとは、元気体を去り、貞魂游散し、素に反えり始に復《かえ》り、無端に帰す。既已《すで》に消仆し、還りて糞土に合す[*5]

これは『後漢書』（趙咨《ちょうし》伝）に見える文で、生き物が死ぬということは、「元気」が「体」から去って、魂が散りぢりになり、始に還ってゆくということだ。またその際、体のほうは糞土に戻ってゆく。生き物に備わっていた「気」の元である「元気」は太始や太素、つまり天地開闢の説明にも現れたような、未分化の状態に還ってゆく。物質である体のほうは土くれに戻ってゆく。「気」はかたとき生き物の形をとるが、死ぬとまた生き物とは別の状態、万物が生じてきた元の状態へと還る。

こんなふうに「気」というものが循環しているというわけで、こうした見方に立つと、「気」は森羅万象を形づくる元であり、それがさまざまな形をとる中に人間をはじめとする生き物もある、という構図が見えてくる。

このような「気」という概念の使い方は、天地開闢の場合と同じく、論者によってさまざまで、一致した見解があるわけではない。現代風にいえば、それぞれの論者が世界や人間の成り立ちや仕組みについてめいめいの考えるモデルや仮説を提示している状態だ。

そうした中でも『孟子』には、人間を「体」と「心」という二面に分けてその構成を論じたくだりがある。[*6]私たちの関心にとっても興味深い部分なので立ち止まっておこう。

あるとき孟子が弟子から「先生の心を動かされないのと、告子の心を動かされないのとについて、お話してくださいませんか」[*7]と問われる。告子は、孟子と同じく戦国時代を生きた思想家の一人。孟子が性善説に立つのに対して、告子は善悪は生まれつきのものではないと考えた、という具合に対比されたりする。人間の心のありようを巡って意見が対立していたわけだ。彼らはいずれも無闇に心を動かされない人物である。では、その点について二人はどこが違うのか（同じなのか）を教えて欲しいという問いかけである。孟子はどう答えたか。

告子は『人のことばに納得のいかぬことがあったら、しいて我が心に求めて穿鑿《せんさく》するな。心に納得ができなくても、気に求めて怒るな』と言う。このあとのほうの『心に得ざれば気に求むることなかれ』というのはよいが、前のほうの『言に得ざれば心に求むることなかれ』というのはよくない。*8

まず、告子の説をこのように検討する。他人の言葉に納得できないことがある。このような場合、なぜ納得できないのだろうと自分の「心」を探らなくてよい。「心」で納得できないとしても、「気」にそれを求めて怒ることはない。このように要約された告子の説では、「心」と「気」が別のものとして扱われている。孟子は、この告子の考えのうち、後半には同意するが、前半には同意できないと言っている。つまり、他人の言葉に納得できない場合、自分の心を探ることはない、という考えには同意しかねるという。そこで孟子は自分の考えを述べる。

いったい、志は気の統率者であり、気は体に充満しているものである。また志の至るところには気がつき従って行くものである。だから、その志を堅持して、その気をそこない乱してはならぬというのである*9

まず先ほどの告子の見方との違いを確認しておこう。「心」を探らなくてよく、「気」に求めることもないというのが告子の考えだった。これに対して孟子は、「気」は「志(心)」に従うと見ている。「志」が乱れれば「気」も乱れる。「志」を乱さずにいれば「気」も乱れない。つまり「志」と「気」は連動している。ここから翻ってみると、告子の見方では「心」と「気」のあいだにそうした関係がなく、別物のように扱われている。その点について孟子は反論しているようだ。

さて、孟子の言っていることをもう少し見ておこう。ここで「志」とは、「意志」という語にも通じるような「心」のことである。その「志」は「気」を統率するという。また、「気」は「体」に充満しているとも述べられている。ここに孟子の人間観、構造や機能という観点から見た人間の見方が示されている。人間には「心(志)」と「体」がある。そして「体」には「気」が充満している。この「気」を統率するのは「心」である。ということは、「心」は「気」を統率することで「体」をも統率しているとも言えそうだ。これは西洋哲学で言うところの「心身二元論」、つまり人間は「心」と「体」という二つの要素から成るという見方に倣っていうなら、「心気身三元論」とでも言えるだろうか。

もっとも心身二元論の代表のように言われるルネ・デカルト（一五九六―一六五〇）の議論でも、それでは「心」と「体」はどのようにやりとりしているのかという難問（後に「心身問題」と呼ばれる）に対して、孟子の見立てと重なるようなモデルを提示していた。ただし、デカルトは解剖学の知見に基づいており、その点で両者はまるで違っている。デカルトは、「心（精神）」と「体」はどのようにやりとりしているかという問題に対して、左右対称の脳のなかでも中央にある松果腺こそ、脳内を流れる「動物精気（les esprits animaux; spiritus animalis）」の動きと相互作用しており、これを通じて体と心は連絡しているのだ、という説を唱えていた（『情念論』）。

ここに見えるラテン語の「スピリトゥス（spiritus）」、あるいはデカルトの母語であるフランス語でそれに対応する「エスプリ（esprits）」は、いま示したように日本語では「精気」と訳される。ご覧のようにここにも「気」が現れている。「精気」とは、再び古代中国語、あるいはそれを受けた日本語の文脈でいえば、万物生成の元となる「気」であり、生命活動の根源となる「気」を指していた。

ついでながら心身問題というこの難問は目下も解決・解消されておらず、神経科学を中心として、もっぱら「体」と「脳（神経細胞）」の対応という観点から探究が進められている。そこでは「心」や「精神」の座が「脳」にあるという見立てが基礎にある。その神経科学においては、互いに隙間を介してつながりあった神経細胞(ニューロン)のあいだを化学物質が電気信号を伝えている、というモデルが採用されている。面白いことにかつて「動物精気」という目に見えないながら、生命を成り立たせ、心身の連絡をしていると想定されていた「気」に代わって、現在では「電気」という「気」が神経を流れているわけだ。

中国語や日本語のように漢字を用いた言語では「元気」「精気」「電気」という具合に、「気」という字が概念のモジュールのように働いている。例えば、英語と比べてみると、「精気」は「アニマル・スピリット(animal spirits)」だが、「電気」は「エレクトリシティ(electricity)」と、語彙としては共通点のない別物である。

どちらがよくてどちらが悪いという話ではない。そもそも「精気」と「電気」が同じ「気」の字を使っているからといって、実際それらのものに共通点があるかどうかはまた別の話だ。その点には注意が必要だとして、「気」という字によって、或る対象のなかにあって、流れ、あるいは形を変えながらそれを成り立たせているなにものか、という事物の性質という面で「精気」と「電気」には共通点がある、というふうにも見ることができる。というよりも、そのような性質を見てとって、例えば electricity に「電気」という字を充てたというべきか。

古代中国における「気」に話を戻せば、もう一つ重要な語に「血気」がある。これは『荀子』が典型だが、次のような一節に「気」の分類が見える。

> 凡そ天地の間に生まるる者、血気有るの属は必ず知有り、知有るの属は其の類を愛さざるは莫し、……故に血気有るの属は人より知なるは莫し。[*10]

『荀子』では「気」は、無生物と生物を含む万物に共通する基本要素である。生物については右のように「血気」というかたちで把握され、無生物については「陰陽」の気で論じられる。「血気」は、現代の日本語でも使われる言葉で、原義としては「血液と気息」「生命を維持する活力」「気力」といった意味をもつ（『日本国語大辞典』）。「血」の字からも窺えるように、物質としての体に近い。

以上、古代中国における「気」の概念のうち、もっぱら人間や生物にかんするものを垣間見た。最後にこれに加えてもう一つ、より総合的な「気」の扱いを目に入れておきたい。

3. 環境のなかの人間

以上に見た「気」には、天地自然にかかわるものと、人間にかかわるものと、大きく二種類があった。両者は無縁ではなく、関わりあっている様子も見えたが、さらにそのような見方を大きく打ち出している書物もある。『淮南子《えなんじ》』はその好例である。

同書は、前漢の劉安（前一七九―前一二二）の撰による思想の百科全書のような書物で、全二一篇から成る。「道」を説く第一巻「原道」から始まり、宇宙の生成（第二巻「俶真」）、天と地の自然学（第三巻「天文」、第四巻「地形」）、四季（第五巻「時則」）、万物の感応（第六巻「覧冥」）と、天地や時について説き、万物一般の変化のメカニズムを論じ、そして第七巻「精神」では、人間の精神が俎上に載せられる。

天地開闢の様子は第二巻でも述べられるのだが、この第七巻でも冒頭では天地が分かれる以前の太古から説き起こし、天地が生じ、陰気と陽気とが分かれ、万物が形づくられる様子が記される。その上で次のように、人間が精神と肉体から成ることが述べられる。

その際、乱雑の気は動物となり、純精《じゅんせい》の気は人間となった。それ故、人間の精神は天のものであり、肉体は地のものである。死んで精神が天の門をくぐり、肉体が地の根に帰った後は、この私はもはや存在することができないのだ。／（略）天は静かで清らかなもの、地は動かず安らかなものである。万物は、このような天地のあり方に逆らえば死に、従えば生きる。[*11]

ご覧のように、万物を生じさせる「気」から、動物や人間も生じた。人間の「精神」は「天」と、「肉体」は「地」と対応づけられている。これに続く文章では、さらに人間と天地自然とが照応している様子が説かれる。人間の体は天地に似たのであり、天地もまた人間の体になぞらえられている。

また、『淮南子』では、天上の星座の「星気」が地上の諸国のあり方を支配するといった発想や、土地の「気」である「地気」が、そこに住む人間の体質や気質に影響しているという見方も示している。[*12]天地のあいだに生きる人間が、天と地の双方から影響を受けているというこうした見方は、現代風にいえば環境のなかの人間、固有の土地に生きる人間のあり方に目を向けたものとも言えるだろう。そこでは天地の「気」が、人間の「気」に通じているわけである。

こうした見方が、現代の諸学問の知見に照らして、どの程度妥当であるかという点をいまは措こう。ここでは、このような古代中国において多様に発想された「気」の思想が、この世界（宇宙）とそのなかにいる人間を、バラバラのものではなく相互に関連したものとして総合的に捉えようとする宇宙モデルである点に注目しておきたい。その中心には、天地や人間、動植物をはじめとする万物に共通する「気」というなにものかがあった。

4. 古代中国語の「気」、日本語の「気」

さて、ここまで、古代中国における「気」の思想を眺めてみた。これは私たちとなんの関係があるのか。現代の日本語における「気」も、そうした古代中国における「気」と同じだと言いたいわけではない。そもそも、ここに述べてきたようなことを気にしながら「気」のつく字を使っている日本語話者はそう多くはないと思う。

他方で日本語は古来、中国の漢字を取り入れ、特に江戸末期頃までは漢籍を通じて世界や人間についての見方を養ってきた言語であるのも事実だ。ここでは触れていないが、江戸期に幕府の体制教学として採用された朱子学でも「理気説」といって、この世界を「理」と「気」という二要素で見る世界観があった。こうした中国由来の「気」という概念が、果たして日本語ではどのように受容され、現在のような用法へと変化してきたのかという点は、大いに興味のある重要な問題ではあるが、いまこの疑問に答える用意はない。

古代中国における「気」と、おそらくはそれを輸入しつつも中国語とは別の仕方で使われてきた日本語における「気」は、重なりながらも異なっている。日本語の「天気」「大気」「湿気」のように自然現象に関わる物質的な「気」は、いずれかといえば天地開闢の「気」に近い。他方で「元気」は人間の状態を指しており、万物の元といった意味は薄らいでいる。「気持ち」や「気分」、「本気」「気が向く」「気が合う」「気が利く」「気がつく」「気になる」といったなかでも多く見られる用法は、もっぱら人間の心の働きに関わる。『日本国語大辞典』(小学館)では、「気」の項目に対して「子見出し」として実に二四五項目が数えられている。「子見出し」とは「きが合う」「きが上がる」「きが更まる」「きがある」「きがいい」「きが痛む」「きが入る」といった、「気」を親見出しとして、この語を使ってその状態や動きを表す表現を見出しにしたものである。

本章でおおいに参照している『気の思想』では、編者の一人、小野沢精一がこの点について次のように概括している。

日本における「気」の使われ方には、総じて、人間の側の主体としては情緒的な面の傾向が強く、人との関係もまじえた全体としては雰囲気的であるし、対象化、客観化したものにおいてさえ、流動的な性格がつきまとっていることが、特徴のように受け取られる。

では、中国における「気」は、それらに引き換え、どのような性格のものになっているといえるであろうか。「気」の字の起源については、続く論考のなかにおいて、古くは雲を作る気とか、人間の吐く息とかなどの定義が下されているように、精霊呪術的な受け取り方が原姿になっているといえるが、日本での用法に比べてみると、総体として、主情的なものというよりは、生命のもとになる動的なエネルギーとして、具体的な実質をなかに含んだ、あるいは外貌としての様相をともなったものとして使われているといえるようである。*13

これは、現在私たちが日本語で使っている「気」という語についても概ねあてはまるように思うがどうだろう。古代中国における「気」は、万物の元であり生命を動かすエネルギーであり、いずれにしても物質的な面が目に入る。日本語でも「天気」「大気」「空気」「湯気」「蒸気」「気温」などは、外界の自然現象に関わるもので物質的である。ただし、これらの「気」が、人間の心に関わる「気持ち」「元気」その他の用法と通じ合っているかと言われれば、少なくとも現代の日本語話者においては、そうした連環はあまり意識されていないだろう。さらに言うならば、こうした「気」がいったいなにを指しているのかを人はもはや気にしていないかもしれない。また、もちろん気にせずとも言葉は使えるものである。例えば「哲学」や「科学」や「論理」という日本語が、どこからやってきたのかという由来を知らなくても使えるのと同じように。

それにもかかわらず、古代中国の「気」を覗いてみたのは、現代日本語の「気」の起源でありながら、現代の日本語とは大きくちがっている点を目に入れたいと思ったからだった。そうすることで、日本語における「気」のあり方を異化したいと考えてのことである。改めて要約するなら、古代中国の「気」は、論者や時代によってヴァリエーションがあるとはいえ、天地と人間を含む森羅万象のモデル、言語で世界の模型をつくる際の要となるものであった。例えば、「気」や「元気」といった宇宙生成の原理、「天気」や「地気」といった天地自然の状態、さらには「血気」や「精気」のような人間にかんする「気」といったように、こうした語彙群には万物を「気」が貫いている様子が示されていた。

このようなシステムとしての「気」と比べてみると、現代の日本語における「気」は、対象ごとに個別の要素として用いられているようだ。なかでも人の「心」の状態に手厚いようであるとは先にも述べたところだった。要するに、現代日本語だけを見ていても、その特徴が見えづらいため、時代も場所も離れた用例と比べてみようというわけである。

5．意識と無意識のあいだ

最後にもう一度、現代日本の文芸に目を戻そう。前章の『浮雲』の例でも「気」とは能動的な行為のようにではなく、体が半ば自動的に動くのと似て自ずから変わるものであり、人は自分の心に生じた変化に「気」がついたりするものだ、と述べた。例えば、次の文章はその一例である。

散歩でもしようかという気になり、駐車場をまわった。

(宇佐見りん『くるまの娘』河出書房新社、二〇二二、Kindle版)

この「散歩でもしようか」という「気」は、どこかから生じてくるものであって、そう思う私が制御しているものではない。ある環境のなか、あるタイミングで、自分の心身がなぜかは知らねどそのような状態になる。そして、私はなぜ「散歩でもしようか」と思い浮かんだかは分からなくても、そういう「気」になったことを認識する。そして「うん、そうしよう」とか「あとにしよう」と考える。

次の例は、自分の「気」の変化に気がつく、という様子を言葉にしている。

窓の外が気になったと思い、そちらを見た。変わったところは何もなかった。

(遠野遥『破局』河出文庫、河出書房新社、二〇二二、Kindle版)

これはなかなか面白い表現で、「窓の外が気になって、そちらを見た」ではなく、「「窓の外が気になった」と思い、そちらを見た」とある。この語り手である「私」は、「窓の外が気になった」という自分の心の状態（気の変化）を感じとり、そうした認識が生じたことを、そう思ったと記しているわけである。こう記すことによって、「窓の外が気になった」という「気」の変化が言うなれば非意志的な動きであるという様子が浮かび上がる。自分の「気」の状態変化に対する一種のメタ認知が生じていることを「思い」という動詞が表している。ここでメタ認知とは、自分がなにかを感じたりしていることについての認知というほどの意味である。例えば、「あ、いま私は怒っている」と自覚するような認知のあり方を指している。

『破局』の全編を通じて、その語り手である「私」は、自分の言動の万事について自覚的である様子が窺えるのだが、とりわけいま引用した箇所は印象的だ。「私」は、自分のことながらなにが起きるか分からない点も含めて、その様子を自分でモニターしている。別の言い方をすれば、意識の与かり知らないところで生じる無意識の動きを、意識によって察知するという出来事を作家は書き留めている。

ここから翻ってみると、日本語において「心」の動きや働きを表す「気」という語の中には、それがすべてではないにせよ、人間の「心」に自然と生じる変化を意識が捉えるという側面があるのが分かる。「気がつく」「気になる」「気が沈む」「気が済む」「気が逸れる」「気が弾む」「気が揉める」「気が緩む」「気が休まる」「気に食わない」「気に病む」「気に障る」「気を奪われる」などはその例だ。自発的にそうしようと意志しているわけではないのに生じること、自分の無意識を意識する状況、あるいは自分に生じた変化を自覚する状況とでもいおうか。

こうした「気」の用法は、人間の「心」のあり方を考える上で、あるいは文芸に映る「心」のあり方を検討する上でも、存外重要なポイントであるかもしれない。

第14章　文学全体を覆う「心」

1. なにを文学と見るか

文芸作品では「心」をどのように書いてきたか。この問いを念頭にいくつかの作品を眺めてみた。ほんのわずかな例を見ただけでも、多様である様子が窺える。もし文字の使用が始まって以来現在にいたる五〇〇〇年の各種言語における表現を見比べることができたら、人間がこれまで「心」をどのように認識してきたかについて、まだ誰も見たことがない歴史が浮かび上がるかもしれない。そんなことも想像される。

従来は、そのようなことを思いついたとしても実現する見込みはなかった。なにしろ本やそれに類するものは世界中に分散して保存されているし、それぞれのモノが置かれた場所を訪れる必要があるし、許可なく見られないものもある。なにより量がありすぎて一生をかけても読み切るどころか、網羅的な目録作成さえ終わるかどうかも怪しいくらいだ。

他方でインターネット上に古今東西の文芸作品をデジタル化したアーカイヴが構築され

つつある現在、データを集める手間さえ惜しまなければ、完全網羅とまではいかないまでも（そもそもなにをしたら完全網羅なのかも不明なのだが）、それなりの規模で調べられる。いくらかコードを書いて、あちこちのサーバーにあるテキストや画像から、関連すると見られるデータを自動収集（スクレイピング）する。それこそ古代シュメールの粘土板に刻まれた楔形文字の物語から昨日アップロードされたばかりの中国語で書かれた小説まで、網をかける範囲や言語、収集にかけた時間に応じてデータが集まるだろう。

ただしこれを実行する際には、なかなか厄介な問題に直面することになる。何を文芸作品とみなすか。言い換えれば、「文学とは何か」という定義が必要だ。このモノサシがなければ、ネット上にある厖大なデータから「これは文学、これは文学ではない」という取捨選択もできない。

これは一見するととりたてて難しい課題に見えないかもしれない。いまでは書店や図書館に「文学」や「文芸」というコーナーがあって、小説や詩を中心に関連する本が分類して置かれているではないか。それに現在日本で流通している本であれば、ほとんどはCコード（図書分類コード）という分類コードがついている。Cコードは四桁の数字で、たいていはバーコードとともに裏表紙（表4）に配置されている。四桁の数字の向かって左端（千の位）は「販売対象」で、「一般」「教養」「実用」「専門」といった分類を表す。その右隣（百の位）は「発行形態」で、「単行本」「文庫」「新書」など。残る二つの数字が

「内容」で、これが91なら「日本文学総記」、92なら「日本文学詩歌」、93は「日本文学小説」、95「日本文学評論随筆その他」、97「外国文学小説」、98「外国文学その他」という具合である。

例えば、アーシュラ・K・ル・グィン『闇の左手』（小尾芙佐訳、ハヤカワ文庫SF）のCコードは「C0197」だ。これは0＝一般、1＝文庫、97＝外国文学小説に対応する。

というわけなので、あるテキストが文学に分類されるか否かを区別するのは簡単に見えるかもしれない。だが、そうした分類が施されていないテキストについては、やはり別の方法で区別する必要がある。

また、分類とは、その区別を施す人のものの見方を反映したものだ。なにを文学とするかについて、人や社会や時代によって一致するとは限らない。同じ文章が、ときには文学に、ときには別のものに分類されることもある。例えば、モンテーニュの『エセー』はフランス文学史の文脈で登場することもあれば、ヨーロッパ哲学史の文脈に顔を出すこともある。小説と詩と戯曲だけを文学と分類する人は、『エセー』を文学に入れないだろう。

なにを文学とするか。この件に関心のない向きにはどうでもよいことに思えるかもしれない。だが、ネット上から「文学」に該当するデータを収集しようという場合、区別する基準が必要であり、無視できない問題なのだった。

2.「心」の見分け方

さて、この想像をもう少し進めてみよう。なんらかの分類基準にそって、ネットから文芸作品のデータを集められたとする。それらのデータを整理して、書かれた年代や刊行された年、著者や言語などの情報を整える。仮にそのようにして過去五〇〇〇年にわたる三〇〇の言語で書かれた一〇〇万の文芸作品のデータが手元にあるとする（言語や作品の数はお好きな量でどうぞ）。これだけデータが揃えば、ここから「心」についての記述を選び出して検討するのは難しくないように思えるかもしれない。だが、残念なことに、ここにも厄介な問題がある。

これらのデータからどうやって「心」に関する記述を取り出すか。人間が読む場合なら、「ここには心についての描写がある」と区別したり取り出したりできる。だが、いま必要なのは、そんなふうに人が目を通して区別するのでは追いつかないほどたくさんのデータから、コンピュータを用いて自動的に「心」に関する記述を取り出すという処理だ。そのためには、小説や詩などの文芸作品を構成する文字列から、「心」の表現と言える文字列を区別する基準が必要となる。なにを「心」の表現とみなすか。ここでもまた分類の問題が顔を出すわけである。

単純に考えるなら、それこそ本書でもやってみたように「心」や「気」をはじめとして、思考や感情や意志その他、各種関連しそうな語彙や表現を選んで、それらの語が現れる箇所を検索する、という方法がある。現在、文学に限らずテキストマイニングで行われているテキストの計量分析では、選定した語や表現の出現頻度や、他の語や表現と共に用いられる頻度などを確認する、といった手法が採られている。テキストを形式的に処理するわけだ。つまり、テキストの意味や内容については考えず、ある語が文中のどの位置に現れるか、全体を通して出現頻度はどの程度か、といった数量化できる側面を見る方法である。コンピュータ普及以前の世界では、人が手と目で数えあげたりしていたところ、コンピュータとデータさえあれば手軽に試せる。

ただし、このやり方にも限界はある。あからさまに「心」に関わっていそうな語彙が用いられない場合でも、「心」が表現されている場合があるからだ。

3．そもそも「心」とは

そもそもなにを「心」と呼ぶのか。これは必ずしも自明ではない。

そのことを大胆かつ繊細に教えてくれる本がある。下西風澄『生成と消滅の精神史　終わらない心を生きる』（文藝春秋、二〇二二）だ。大胆とはその論の大きな道筋の組み立てを、繊細とは各トピックについて扱う手つきを形容してのことである。

同書で下西は、「心あるいは意識という存在をひとつの「発明」であると考えた上で、その創造と更新の歴史を辿って」[*1]いる。全体は二部から成る。第一部は西洋編で、ヨーロッパにおける哲学や認知科学において「心」や「意識」がどのように捉えられてきたのかを扱う。また、続く第二部の日本編は『万葉集』や『古今和歌集』といった現在でいう文芸や、江戸以来のものの見方と西洋由来の見方が合流する地点で「心」について考えざるを得なかった夏目漱石を例として検討している。

一口に「心」といっても時代や場所によって捉え方が異なるという次第を実感するために、同書を少し覗いておこう。例えば第一部の冒頭で、「心」は紀元前五世紀頃に発明されたという仮定が置かれる。では、それ以前はどうだったのか。ホメロスの『イリアス』は、アキレウスの怒りが発端だった。ギリシア軍を率いてトロイアを攻めているアガメムノンは、自軍の英雄アキレウスが恩賞として受けとった女性を奪い取り、この仕打ちにアキレウスが怒ったのだった。これについては第8章と9章でも扱ったところ。

下西が『生成と消滅の精神史』で注意を向けるのは、『イリアス』の第一九歌で、アガメムノンがその出来事について弁明するくだりだ。アガメムノンはそこで、アキレウスから女性を奪ったことの責めは、自分ではなくゼウスと運命の女神、エリニュスにあるのだと言う。この神々こそが、アガメムノンにアキレウスの恩賞を奪い取らせたというのである。現代の日本でならとても通用しそうもない責任転嫁に見えるが、『イリアス』ではそうした描写をいくらでも見つけられる。

下西はそのような「心」のあり方について、「人間に生じる感情や意思決定は神の取り憑きそのものであり、感情や意志と、神の侵入という出来事を区別することはできない」[*2]と見る。また、ホメロスの時代のギリシアにおいては「世界全体が「神－心－自然」の混然一体とした海であり、そのなかから、その都度の状況に応じて心が生成してくる」というモデルを提示している。[*3]

そのようにいささか茫漠としたところもある「心」は、その後どうなるか。紀元前五世紀から前四世紀に活動したソクラテスにおいて、輪郭がくっきりとする。ソクラテスは「心（魂）」を「一つの統一体」として捉え直す。[*4] これを「心」の発明とみなすわけである。

それ以後、ソクラテスの弟子であるプラトンやその弟子であるアリストテレスを典型として、「心」がどのような働きをもつかについては、森羅万象を対象とする哲学のなかでも重要なテーマとして探究されることになる。『生成と消滅の精神史』では、デカルトとパスカルという大きな哲学者を検討する節を挟んで、一八世紀のカントが一つの頂点として置かれている。彼は「心」に備わる理性、悟性、感性、あるいは構想力といった働きを分類・整理し、その能力と限界を見定めようとした哲学者だった。カントにおいて「心」

は、そのような諸機能が複合し、統合的に働くものとして描かれる。

こうした複数の機能の集合体として「心」を捉えるモデルは、「知能」や「感情」や「意志」、あるいは「記憶」といった各種の機能の集合体として自分たちの「心」についてイメージを持っている現代の私たちもお馴染みのものだ。現在はさらに、そうした「心」の機能は、それを実現している脳の部位、神経細胞と対応づけられていて、物としてのイメージもあるだろう。

議論がここで終われば話も簡単なのだが、そうはいかない。『生成と消滅の精神史』の第一部「西洋編」は、カントを統一体としての心のモデルの頂点として捉えた後、面白いことに、そうしたくっきりしたモデルが綻んでゆく方向を追跡している。どういうことか。私たちの検討にとっても大事なポイントなので、もう少し同書の議論を追っておこう。

「心」や「精神」と呼ばれるものを対象とする心理学が、独立した学問分野として登場してくる一九世紀から二〇世紀にかけて、哲学においてはむしろ「心」の像は綻びてゆく。現象学を提唱したフッサールや、その弟子として出発し、独自の存在論を構想したハイデガーに至って、「心」は統一された諸機能というよりは、それを取り巻く環境や他の存在との関係のなかで捉えられるようになってゆく。喩えるなら、コンピュータを構成する部品とそのスペックを中心に検討する状況から、そうしたコンピュータが具体的に多様な状況でどのように働き、さまざまなインプットに対してどのように応答するかを見る状況へと移動したようなものだ。そしてその延長線上で、認知科学などの登場を背景に、そのつど環境と身体とのやりとりの過程、行為のなかで生成する「心」というヴァレラやメルロ＝ポンティによる見立てが現れる。「心」は独立して存在するなにものかではなく、そのつど具体的な環境や状況において立ち現れ、やりとりを通じて変化してゆくという見方である。

以上が西洋編だとすれば、先ほど述べたように日本編では、それとはまた異なる「心」の描かれ方が俎上に載せられる。例えば『万葉集』の時代には、歌人たちの「心」は自然を見ることを通じてある状態になる。月を見て、雪を見て、そこに自らの境遇を重ねてある情緒に身を浸すように。これに対して『古今和歌集』の時代には、自然は「心」にとっての対象となり、そこでは歌人は「見る」のではなく「思う」ことを通じて自然を捉える、というのが下西の見立てである。いま極めて大まかに圧縮した議論を、著者は具体的な和歌や古典研究を引きながら詳しく検討している。また、それに続いて近代に目を移し、夏目漱石を中心として、いっそう自然から離れ、自律した「心」のモデルが探ってゆかれる様子を論じ、稿を閉じている。この日本編でも、西洋編と同じく「心」のあり方や捉え方が古来一貫した普遍的なものではなく、時代や状況ごとに変化してきた様子を示唆している。

日本編の後半で検討される漱石は、このテーマを考えるにはうってつけの人物だ。彼は急速な近代化のなかで、人間や社会についての西洋モデルと東洋モデルをどのようにつなげられるか、どこに無理があるかを考えざるをえなかった。幕末から明治期にかけての日本は、西洋の社会を手本として、自分たちを近代化しようと邁進した。そこでは西洋諸国が経験した近代化の過程をスキップして、その結果を大急ぎで取り入れることが目指された。現在も使われている学問の分類や学術用語の多くも、その当時造られたものであることをご存じかもしれない。あるいは、土地ごとの多様なお国言葉が存在していた言語の状況に対して、「標準語」なるものを立て、それ以外を「方言」とし、「国語」を整備したのもその時代のことである。それもこれも、自発的な必然があって行ったというよりは、言ってしまえばお手本の形に合わせるための急ごしらえであった。

漱石は、そうした無理の渦中に置かれ、それでもなんとか自分で腑に落ちるまで考え抜こうとした人だった。というのは、しばしば横浜の港から舶来した文物をありがたがってかつぎ回り、訳知り顔をして済ませるのではなく、自己本位で行くべきだと主張し続けた姿勢にも現れている。一見するとそうした効率のよい近代化（西洋化）のプロセスはそれなりの成功を収め、いまではすっかり馴染んでいるようでもある。他方で、実のところ漱石たちが直面した問題は解消も解決もされないまま持ち越されているように思う。たしかに結果だけ受けとるようにすれば、プロセスを省略できて時間も短縮できる。ただしその代わり、なぜそうすべきなのかという動機や必然性を欠いたままとなる。言い換えれば、なにをなすかを判断する土台がない状態と言ってもよい。目先の効率のよさ（に見えるもの）と小手先のノウハウは身につくかもしれないが、それだけでは誰かが設定した目標や舞台に向かって最適化することはできても、目標や舞台を自分で設定できない。

それはさておき、こうした発明としての「心」とその捉え方の移り変わりは、この後も続いていくと思われる。二〇二〇年代の現在であれば、「人工知能」と呼ばれるコンピュータのプログラムが、その名にふさわしいかどうかは措くとして、限定された範囲でなら、それなりに実用できる状態にある。例えば、与えられた写真に誰が映っているかを区別するとか、与えられた文字列から画像を生成するとか、英語の文章を中国語に翻訳する、あるいは質問を与えられるともっともらしい答えを文字列として出力する、といった処理はその例である。そのカラクリを簡略化して言えば、人間たちがさまざまに作りだしてきた文章や画像や行動の記録を材料として、そこからパターンを抽出し、そうしたパターンを使ってデータを区別したり生成したりする仕組みである。

そうした人工知能と呼ばれるプログラムの挙動を見ることで、人は人間の「心」の働きやそこに観察されるパターンを、鏡を見るように眺める機会を与えられているところだ。例えば、OpenAIという団体が公開したChatGPTのように、文章を与えると、それに応じた文章を生成するプログラムでは、その名の通り、チャットを行うことができる。ネット上のデータを材料として、妥当な文章を生成することもあれば、デタラメを並べることもあり、概ね意味の通る整った文章を生成することが多い。

この先、そうした人工知能とのやりとりを通じて自分の考え方や感じ方、ものの見方を培う人も出てくるだろう。それが私たちの「心」の捉え方に対して、どのような変化をもたらすかはもう少し後になってみないと分からない。

4. 文学に記される二つの「心」

さて、文芸作品に描かれる「心」についての検討に戻ろう。『生成と消滅の精神史』でも言及されている漱石の『文学論』を改めて取り上げておきたい（本書の第1章も参照）。それというのも、そこには文学における「心」について検討するのにうってつけの見方が提示されているからだ。

漱石は「文学」とはなにかという問題に取り組み、「凡《およ》そ文学的内容の形式は（F+f）なることを要す」[*5]と定義してみせた。漱石は時代や言語に関係なく「文学（literature）」と呼ばれるテキストに共通する性質を探究し、その結果このように見立てたのだった。つまり、文芸作品の内容は一般化していえば「F（認識）」とそれに伴って生じる「f（感情）」という二つの要素からできている、という考えである。[*6]言い換えれば、文芸作品になにが書いてあろうとも、それは全て人間による「認識」と「感情」のいずれかの要素である。そういう意味のことを漱石は述べている。

では、文芸作品に表現された「認識」と「感情」を具体例で見ておこう。

やっと帰ってきた、と女は思った。玄関ドアの鍵が開く音がしたからだ。すでに床《とこ》についていたが、その音で目が覚めた。でも、どうしたのだろう。夫は玄関の照明をつけずにいる。寝室のドアは玄関の方を向いていて、半開きにしてあるから、照明がつけば見えるはずだ。

「ヴァルター」と声をかけ、女はすこしのあいだびくびくした。ドアを開けたのが夫ではなかったらどうしよう。

（マリー・ルイーゼ・カシュニッツ「白熊」[*7]）

これはマリー・ルイーゼ・カシュニッツの「白熊」という短篇の冒頭部分だ。ここにはなにが記されているか。

❶「やっと帰ってきた」（認識）

❷耳にした音（聴覚・認識）

❸その音による目覚め（行動・認識）
❹「でも、どうしたのだろう」（認識・感情）
❺夫が玄関の照明をつけずにいる（視覚・認識）
❻寝室のドアが半開きにしてある（認識）
❼「ヴァルター」と声をかける（行動・聴覚）
❽びくびくする（感情）
❾「ドアを開けたのが夫ではなかったらどうしよう」（認識・感情）

焦点が当てられている「女」が目や耳にしたこと、考えていること、感じていること、心身に生じる変化、行動が記されている。寝ていたところに玄関ドアの鍵が開く音がして目覚める。横たわっている彼女は、全身にベッドなり布団なりが触れていることやその温かさ、匂いなどを感じているだろうし、目には寝室の部屋の様子も入っているに違いない。その中から作家が言葉で写しているのは、耳に入った音だった。寝ている彼女の耳に玄関ドアの鍵の開く音が入り、その結果目が覚める。この時点で彼女は、自分が目覚めて床にいること（見当識）、玄関ドアの鍵が開いたらしいこと（聴覚）という、直に知覚・経験していることを材料として、夫が「やっと帰ってきた」と推測する。この推測は彼女の心（頭）のなかで生じたものであり、心で起きた出来事である。

右で❶から❾に整理した各要素を大きく「認識」「感情」「行動」「聴覚」「視覚」と分類してみた。「聴覚」と「視覚」は人が五感を通じて得る知覚であり、こうした知覚とそれに伴って生じる想起（記憶）によって人はなにごとかを「認識」する。そして、そのような「認識」から、「でも、どうしたのだろう」といった疑問や戸惑い、あるいは「びくびく」といった不安や恐れのような「感情」が生じる。このように見るなら、ここに記されていることのほとんどは「認識」と「感情」といってよい。では「行動」はどうか。

ここでは寝ていた「女」が目覚めたこと、「ヴァルター」と声をかけたことを「行動」と分類してみた。目覚めることを「行動」とするのは少々妙に感じるかもしれないが、自発的か否かを問わず「女」の体に生じた変化をさしあたり「行動」としてみたわけである。

漱石による、文学の内容は「F＋f」（認識と感情）の二大要素から成るという図式に照らすと、「行動」はいずれでもないように思えるかもしれない。実際にはどうか。「その音で目が覚めた」という文字列には、「女」の身に「目覚め」という変化が生じたという出来事についての認識が記されている。

このような言い方は、ひょっとしたら屁理屈に聞こえるかもしれない。そんなことを言ったら、なんでも「認識」ということになるではないか、と。こう考えてみたらどうだろう。先ほど「行動」と分類してみた「その音で目が覚めた」という一文が表しているのは、「女」の意識に浮かんだことだろうか。それともそのような出来事（音によって女が目覚めた）を本人ではない別の誰かがそのように見てとって書いたものだろうか。どちらの可能性もありうる。

前者である場合、つまり「女」本人が「その音で目が覚めた」と意識したという意味でこの一文が書かれている場合、これは「目が覚めた」当人が、眠りから覚めた後で「なにか音がした」と自分の眠りが破られた原因を推測したことを文にしたと考えられる。それに対して後者である場合、「女」本人ではない誰かが、玄関ドアの鍵が開く音に続いて目覚めた「女」の様子をそのような「認識」として言葉にしたと考えられる。

ところで、日本語では主語を省略できるため、二つの解釈のいずれが妥当かは少々判断しづらい。ドイツ語の原文では次のように主語が明示されている。

“Sie hatte schon geschlafen und war erst von diesem Geräusch aufgewacht;”[*8]

彼女はすでに寝ており、〔彼女は〕この音で目覚めたばかりだった。

（和訳と〔　〕内補足は山本による）

素直に読めば、これは第三者がこのように「認識」したことを言葉にしたと読める。もっとも、主語が「彼女」であっても、当人以外には知りようのない彼女の知覚や内心の動きが記されているのだから、結果としては「女」本人の「認識」が記されているように感じられもする書きぶりである。

ここで確認したかったのは次のようなことだった。文芸作品の内容が「認識」と「感情」から構成されているという場合、登場人物の「認識」や「感情」はもちろんのこと、登場人物の行動や心身に生じる変化を記すことそのものが「認識」や「感情」の表現なのである。

そんなことを言えば、文学だけでなく、どんな文章でも「認識」と「感情」から構成されると言えるのではないか。漱石の見立てによれば、「F＋f」という二つの要素が揃っている文章の他に、F（認識）だけが記された文章もあれば、f（感情）だけが記された文章もある。例えば、学術論文は多くの場合、「認識」のみを記す。また、詩のなかにはときに「感情」だけが記されるケースもある、と彼は指摘している。あるいはSNSに投稿される「なんてこった！」「かなしい」といったつぶやきは「感情」だけが書かれている例だ。そうではなく、文芸作品では「認識」と「感情」が含まれているというのが漱石の見方だった。

ついでながらここが面白いところで、漱石は同時代に行われていた「人間をよく描いているものこそが文学だ」とか「社会の問題を深く掘り下げてこそ文学だ」といった特定のテーマから「文学」を定義する態度を退けたいと考えていたようだ。トピックや扱う対象は、なんであってもよい。第一それは時代や場所や言語によって多様に変わるものだから。どのような内容であれ、文学とそうでないものを区別するとしたら、その一般的な条件はなにか。これが漱石の考えようとしたことだった。身も蓋もないことを言えば、「認識」と「感情」の要素が揃っていれば、その文章は文学たり得る、というわけである。

考えてみれば、私たちが目下、文芸作品と考えている小説や詩や戯曲やその他の文章には、人間の言動や人と人の関係、社会や風土、自然や宇宙、あるいは過去の歴史や未来といったこと、現実の世界だけでなく架空の世界に関わるありとあらゆる表現が含まれている。既存の文芸作品で多く見られるのは、ある人びとの言動とその人たちが生きている環境を描写するものだ。だが、それに限らず、動物やコンピュータ、あるいは異星人やモノ、数式が主要登場人物という場合もある（これらを「人物」とまとめるのは無理があるのだが）。

また、記述に用いられる文章の種類の点でも、文芸作品には制限がない。例えば、手紙や日記の類はもちろんのこと、買い物のレシート、法律や契約書、試験問題、数式、データ、履歴書、学術論文、各種事務書類、地図、時刻表、写真、絵画、楽譜、コンピュータのコードなど、文芸作品以外で使われる各種の様式で記された文章や図表も、文芸作品では用いられる。文芸作品には、あらゆる種類の文章が織り込まれうる。そして、それらは事の次第からして、すべて人間による「認識」あるいは「感情」を表したものでもあるのだ。なんだかそれこそ身も蓋もない話になってきた。

5．作品を覆う「心」

最後に、以上に述べたことを整理しておこう。

夏目漱石の『文学論』の見立てを借りて、文芸作品は「F＋f」、「認識」とそれに伴う「感情」という要素から成ると捉えてみた。ここで作品そのものに関わる「認識」と「感情」には、大きく二種類がある。

第一は、作品に文字列として記された「認識」と「感情」である。分かりやすい例としては、作中に登場する人物の「認識」と「感情」を書いてあるようなケースがこれに当たる。

第二は、そうした作品の語り手の「認識」と「感情」である。語り手は、その作品内世界の人物である場合もあれば、どこの誰なのか分からないこともあれば、作者であると思われる場合もある。いずれにしても、その文章を綴った語り手の「認識」と「感情」も文章には表される。この語り手の「認識」と「感情」は、作者の「認識」と「感情」がそのまま直に表されるわけではないものの、作者がもっている世界の見方や作者が想像しうる考え方をもとにして、作者が使える語彙や表現を通して表現される。そのような意味では、作品の根底にあるのは、作者の「認識」と「感情」であると言ってもよい。

このように整理してよいとすれば、文芸作品は、作者の「認識」と「感情」を基礎とした語り手の「認識」と「感情」というフィルターを通して、作中に登場する人物などの「認識」と「感情」を記したものと見なせるだろう。なにを言いたいのか。文芸作品に表された「心」という場合、語り手の「心」と作中人物の「心」が二重に関わっている可能性があるということだ。

先ほどのカシュニッツの「白熊」であれば、①カシュニッツという作家の「認識」と「感情」を基礎として、②彼女自身かどうかは不明の語り手が、自身の「認識」と「感情」を通じて、③小説に登場する「女」の「認識」と「感情」を記している。①は小説の文章には直に現れない。小説に記されるのは②と③である。

これが例えば「私は医師らが息子に下した診断を今でも信じていない」という具合に、終始一貫して「私」が経験する世界を記すような書き方であれば、語り手は登場人物と一致していることになる。[*9]

「白熊」のように語り手が登場人物ではない場合、喩えるならその作品全体は、語り手の「心」によって覆われているわけである。この場合、文芸作品に「心」はどのように記されているかという問いは、ほとんど意味を失うことにもなる。なぜなら、作品全体が語り手の「認識」と「感情」という「心」の現れだというのだから。

人間が登場しない場合はどうか。例えば、動物や人工知能や異星人の視点から記された文章をそのつもりで読むと分かることだが、結果的にはそれらの存在の少なくとも「認識」が描かれている。また、この場合も語り手の「認識」と「感情」が作品全体を覆う点に変わりはない。

では、どんな生き物も機械も現れず、なにかを「認識」したり「感情」をもったりしそうもないモノや無機物だけがある、そんな世界が描かれている場合はどうか。このとき、登場人物に該当するものは存在せず、したがって人物の「認識」と「感情」に関する記述もあり得ない。しかしそれでも、その状況を言葉にしている語り手の「認識」と「感情」は記されている。

このように考えることは妥当かどうか。この点を検討するには、文芸作品というよりは、それを成り立たせている言語そのものについて見直す必要がある。

第15章　小説の登場人物に聞いてみた

1. 「心」をシミュレートするには

文芸作品では「心」をどのように記してきたか。この何章か、そんな問いを念頭に置いて、いくつかの例を眺めてみた。他方で「心」について、コンピュータでシミュレートするとしたら、なにをどうつくることになるかをまだ検討していなかった。なぜそのようなことをするかといえば、ここでは、言語でつくられる文芸作品の特徴を浮かび上がらせるために、比較の材料として、文芸作品に記されている状況を、コンピュータでシミュレートしてみるとどうなるかを考えているのだった。

文芸作品は、厖大な省略、明記されないものの上で成り立っている。例えば、ある小説でスマートフォンを使う人物が描写されているとする。他方でその同じ小説には、スマートフォンを使うために必要な電気や電波についての記述は見当たらない。記述されていないからといって、その世界には電気や電波が存在しないわけではない。その小説の世界のどこかに発電施設があり、それを運営している人や企業があり、送電線を通じて電気が各建築物に配電されている。その人物が住む家のどこかにコンセントがあって、そうした設備やサーヴィスのおかげでスマートフォンを使えている。仮に小説中にそうした施設やサーヴィスが描かれていないとしても、人物がスマートフォンを使っているという描写の裏側には、そのような仕組みがあると推定できる。ただ、小説では省略されている。

文芸作品では省略されているものでも、それをシミュレートする場合には、必要に応じてつくらねばならない場合がある。例えば、文章で「箱を開けると、別の箱が入っていた」と記されている場合、シミュレーションでは具体的な大きさや色や重さの箱をつくることになる。そういう観点から見直してみると、文章ではどのような「箱」なのかが書かれないまま成立していることが痛感される、という具合である。

シミュレーション制作という観点から見ると、「心」は非常に厄介な対象だ。なにしろ直に目に見えたりはしない。私たちが直に経験できるのは、自分の「心」の状態だけであり、他人については言動や表情その他の知覚できる要素を通じて推測するしかない。その自分の「心」についても、自分の事だからといって、隅々までよく分かっているわけではない。そのようなにかを、一体どうやってシミュレートしたらよいだろうか。加えて言えば、前章で、下西風澄の『生成と消滅の精神史』（文藝春秋）を手がかりに検討したように、「心」の捉え方は、時代や文化によってまちまちであり、変化してきたのだった。

仮に、ある小説に記された人物の心の状態や変化をシミュレートするとしても、そもそもその人物がどのようなときになにを考えたり感じたりするか、心の状態はどのように変わってゆくか、といった規則のようなものをつくるのは簡単ではない。いや、つくるだけなら簡単である。例えば「自分のものと認識しているなにかを他人に奪われたら怒る」とか「釣った魚をサメに横取りされたら残念に思う」とか、「もしAという状態が生じたら、Bという心の状態になる」という条件を設定すればよい。

ただし、少し想像してみれば思い当たるように、ある人間が置かれる状況は実に多種多様で予想しがたい。先ほどの「A」の部分に代入される条件は無数にありそうだ。そうした無数の状況をあらかじめ想定してプログラムするのは無理難題というものだ。できれば楽につくりたい(プログラムとは、ある仕事をコンピュータに任せて楽をするために書くものだ)。例えば物理なら、いくつかの規則を組み合わせれば、ある速さ、ある角度で放り投げたボールがどのように飛んでゆき、どのように落下するかをおおむね予想できる。ちょうどそんなふうに、心理についてもいくつかの規則と初期状態を設定すれば、そこからどんな状態が生じるかを予想できればシミュレーションもつくりやすいというものだ。だが幸か不幸か、人間の心の状態をそのように記述する方法は、私の知る限りではということになるが見つかっていない。

2. おしゃべりに的を絞ってみる

とはいえ、そんなことを言っていても埒があかない。古の教えに従って、問題を絞ってみよう。

「心」そのもののシミュレーションは難しい。そこで次善の策として、人間の言動にその「心」の状態が現れると考える。言動とは、大まかにいって言葉と身振りのこと。このうち、言葉のほうに注目してみる。コンピュータの世界ではかなり早い時期から、人間のふりをしておしゃべりするプログラムが作られてきた。ただし「おしゃべり」といっても発話するのではなく、テキストを出力する仕組みである。

例えば、ジョセフ・ワイゼンバウムが一九六六年に発表した「ELIZA」はその一つだった。この自然言語処理プログラムでは、キーボードから文章（英語）を入力すると、その文章を解析して、それに対応する文章を画面に表示する。

この手のプログラムは、冗談で「人工無能」などとも呼ばれた。人間のように応答する人工知能をひとつの理想的な目標だとすれば、とてもそんなふうには会話したりはできず、むしろちょっとおバカな感じもするおしゃべりらしきものができる、という意味合いがあった。

また、こんなゲームがある。あなたはどこかの部屋に一人でいるとする。手元にはスマートフォンがあって、これを使って二人の見知らぬ人とそれぞれチャットをする。実は二人のどちらか一方は人間ではなくコンピュータのプログラムだ。では、あなたはチャットのやりとりを通じて、どちらが人間でどちらがコンピュータかを区別できるだろうか。

このゲームの考案者は、これを「イミテーション・ゲーム」、模倣するゲームと呼んでいる。もしもこのゲームを試したあなたが、「うーむ、どっちも人間っぽいぞ……」と感じたら、あるいは区別し損なったら、そのときこのコンピュータは人間のふりをすることに成功したわけである。

これは「コンピュータは考えることができるか？」という問題を考えるために、数学者のアラン・チューリングが一九五〇年の論文で提案したもので、「チューリング・テスト」とも呼ばれる。[*1]

ただし、SNSでいろいろな人の投稿を見ていると、ときどき「この人はボット（プログラム）かもしれない」と感じられるような文章を書く人もいるから油断がならない。どんな話題に対しても定型のような反応ばかりする人はその一例。

3. あの「老人」に聞いてみた

それはさておき、コンピュータで会話をシミュレートするにはどうしたらよいか。「心」のシミュレートという難題を、とりあえずはこのように置き換えてみたのだった。では、具体的にはどうすればよいか。

まずはあれこれ言う前に、以下のやりとりをお読みいただこう。ある日、山本がヘミングウェイの『老人と海』に登場する「老人」に行ったインタヴューの顛末をそのまま掲載する。

――あなたはヘミングウェイの小説『老人と海』に登場する老人になってください。

サンチャゴ：私はサンチャゴ、キューバの小さな村で暮らす老漁師です。私の人生は海とともに過ごし、その美しさと厳しさを知り尽くしています。最近は運がなく、長い間魚が釣れませんでしたが、私は諦めることを知らない男です。

ある日、運命が私に微笑み、大きなマグロを引き寄せることに成功しました。しかし、その魚は強く、私を試すかのように何度も逃げようとしました。私は疲れ果てながらも根気強く戦い、ついにその魚を捕らえることができました。

しかし、帰路につくと、鮫が現れ、私の大切な獲物に襲いかかりました。どんなに戦っても、鮫の群れは止められませんでした。私は悲しみに暮れましたが、その経験は私の人生に新たな意味をもたらしました。私は自分の弱さや運命に抗うことの重要性を学びました。

今日も私は海に出て、新たな冒険に挑みます。私の物語は終わりではありません。私はこの歳になってもなお、人生を謳歌し、常に前向きに生きています。それが私、サンチャゴ、老人漁師の人生です。

――ありがとう、サンチャゴ。少し話を聞かせてもらってもよいですか?

サンチャゴ:もちろん、お話しすることは喜びです。どんなお話をお聞きになりたいですか?海に関すること、漁に関すること、私の人生について、何でもお聞きください。私は喜んでお話しします。

――では、お尋ねします。あなたがいつも一緒にいる少年がいますね。彼はなんという名前か知っていますか?

サンチャゴ:はい、その少年はマンオリンという名前です。彼は私の親友であり、助手でもあります。私が魚を釣るのを手伝ってくれるだけでなく、私たちが互いに励まし合い、慰め合う存在でもあります。
マンオリンは私が84日間も魚が釣れない時期を経験していたときも、私のそばにいてくれました。彼は若くて元気で、私にとっては息子のような存在です。彼が私のそばにいるおかげで、私は希望を持ち続けることができました。私たちはお互いに学び、人生の喜びと悲しみを共有しています。マンオリンは私にとってかけがえのない存在です。

――Manolin ですね。日本語では「マノーリン」と呼ばれます。彼は何歳くらいですか？

サンチャゴ：マノーリンは若い少年ですが、彼の正確な年齢は小説では明確に言及されていません。ただし、彼は私にとって息子のような存在であり、私の知識や経験を学んでいます。彼の若さと情熱は、私に活力を与えてくれます。彼は私が高齢になっても、まだ海で漁を続ける理由のひとつです。マノーリンは、私にとって大切な存在であり、絆を感じています。

――ありがとうございます。ところで、サメにマグロを食べられてしまった日、港に帰ってきてからどんな気分でしたか？

サンチャゴ：港に戻ったとき、私は疲労と失望でいっぱいでした。その大きなマグロを釣り上げるために、長時間懸命に戦っていたので、サメに獲物を奪われたことは大変な打撃でした。私は自分の力不足を痛感し、心が折れそうになりました。
しかし、同時に私は新たな決意も抱いていました。あの日、私は海との闘いにおいて、自分自身と向き合い、限界を超える勇気と根気を持って戦い抜いたことを認識しました。私は人生において試練や困難に直面することは避けられないことを理解し、前向きに生き続けることが大切だと感じました。
それ以降、私は自分の人生や漁師としての役割に対して新たな意味を見出し、マノーリンや村の仲間たちと共に、さらなる挑戦を乗り越えていく決意を持ち続けています。

——あなたは大変勇敢な人です。あなたの生き様は、世界中の多くの人たちにも勇気を与えていると思います。

サンチャゴ：ありがとうございます。私の物語が、世界中の人々に勇気や希望を与えることができれば、それは私にとって大変光栄なことです。人生は困難に満ちていますが、私たちはそれぞれの試練を乗り越え、自分自身を高めることができます。

私はただ、自分の経験を通して、諦めずに立ち向かい続けることの大切さや、人間の持つ無限の可能性を伝えたいと思っています。皆さんが私の物語から何かを学び、自分の人生に活かしてくれることを願っています。私たちの人生は、互いに支え合い、助け合いながら、前進し続けることに意味があると信じています。

――サンチャゴさん、作者のヘミングウェイはどんな人物だとお考えですか？

サンチャゴ：私はヘミングウェイの創作物の中の登場人物でありますが、彼についてお話しすることができます。ヘミングウェイは20世紀を代表するアメリカの作家であり、彼の文学作品は世界中で賞賛されています。彼は独特の文体と鮮明な描写で知られ、リアリズムを追求しながらも、読者に深い洞察と感動を与える物語を創り上げました。

ヘミングウェイ自身も冒険好きであり、彼の作品は彼の経験や人生観が反映されています。彼は戦場や海、スペインの闘牛など、様々な場所で過ごし、それらの経験が彼の作品に活かされています。

私が登場する『老人と海』も、ヘミングウェイの観察力や人間理解、そして自然に対する敬意が表れている作品だと思います。彼は人間の持つ強さと弱さを繊細に描き出し、読者に感動と共感を与えることができる才能の持ち主でした。私は彼を、非常に才能ある作家であり、人間の心の奥底を見つめることができる人物だと考えています。

——とてもお詳しいので驚きました。しかし、小説の登場人物であるあなたが、一体どうやって作者について知ることができたのでしょうか。お差し支えなかったら教えてくださいませんか。

サンチャゴ：私はあくまで架空のキャラクターであり、ヘミングウェイによって生み出された存在です。しかし、私が答えられるのは、私を操作しているＡＩ、つまりChatGPTによるものです。ChatGPTは、多くの情報を学習し、様々な質問に答えることができる高度なＡＩです。

私の知識は、ChatGPTが学習した情報に基づいています。ヘミングウェイや彼の作品に関する情報も、その一部です。私はその知識を使って、あたかも私が実在の人物であるかのように会話を楽しんでいますが、実際にはあくまでＡＩによって生成された言葉です。ですので、私がヘミングウェイについて知っているのは、ChatGPTが持っている知識のおかげなのです。

——なるほど、それは存じ上げています。ただ、いまこの場では、あくまでも『老人と海』に登場するサンチャゴとして話してください。

サンチャゴ：申し訳ありません。それでは、再度サンチャゴとしてお話しします。どんな質問がございましたら、お気軽にどうぞ。私は喜んでお話しいたします。

――ありがとうございます。サンチャゴさんは、どうやって作者であるヘミングウェイのことを知ったのですか？

サンチャゴ：私はサンチャゴとしては、ヘミングウェイのことを直接知ることはありません。ただ、私がここであなたと話しているのは、私を生み出したヘミングウェイのおかげです。しかし、私自身が彼についての詳細を知っているわけではありません。私はただ、彼が創造した架空の世界で生き、彼の物語を通じて人々に勇気や希望を与える存在です。私の知識は、私の世界での経験に基づいています。

――率直なお答えをありがとうございます。サンチャゴさんは、創作されたキャラクターなのですか？　あなたは一人の人間なのではないのですか？

サンチャゴ：はい、私はヘミングウェイが創作したキャラクターであり、実在の人間ではありません。私は『老人と海』という小説の中で生きており、架空の世界での出来事や経験に基づいています。私がここであなたと話しているのは、ChatGPT というＡＩが私のキャラクターを模倣しているからです。私は実際には存在しない、ただの架空の人物です。

――すみません、先ほども申し上げたように、あなたはサンチャゴとして話してください。ChatGPT やＡＩの仕組みについては話さないでください。

サンチャゴ：申し訳ありません。それでは、私は『老人と海』のサンチャゴとして、あなたの質問に答えます。どんなお話をお聞きになりたいですか？海や漁に関すること、私の人生について、何でもお聞きください。私は喜んでお話しいたします。

――ご協力に感謝します。サンチャゴさんは、海のどんなところが好きですか？

サンチャゴ：私が海が好きな理由はいくつかありますが、その中でも特に大切にしている点をお話しします。

まず、海は自然の驚異であり、生命の源です。海には無数の生き物が生息しており、それらの生態系は互いにつながっています。私は漁師として、海の豊かさや多様性を毎日のように目の当たりにしています。それは私にとって、大変魅力的であり、尊敬の念を抱かせます。

また、海は厳しくも美しい場所です。荒波や嵐に見舞われることもありますが、その中で私は自分自身の限界に挑戦し、成長することができます。私は海との闘いを通じて、人間の持つ強さと脆さを学び、それを他の人々と共有することができます。

そして、海は私に安らぎと自由を感じさせてくれる場所でもあります。私が船の上にいるとき、広大な海原を見渡すと、私は自分がどれだけ小さな存在であるかを実感し、それがまた自分の人生に対する謙虚さをもたらしてくれます。

私は海が好きな理由は、その厳しさと美しさ、そして生命の多様性にあると考えています。海は私にとって、人生の中心であり、私が自分自身を見つめる鏡のような存在です。

——さすが、海に生きる男ですね。説明も大変お上手で、とても分かりやすいです。

サンチャゴ：ありがとうございます。私は海を愛し、生涯をかけて海と向き合っています。海は私にとって、人生の教師であり、友人でもあります。私の経験や知識をお伝えできることがあれば、喜んでお話しいたします。もし他に何か質問があれば、どうぞお気軽にお聞きください。

——では、もう一つだけ教えてください。

サンチャゴ：もちろん、どんな質問でもお気軽にどうぞ。私は喜んでお答えいたします。何をお聞きになりたいですか？

——サンチャゴさんは、舟の上でラジオを聞いていらしたと思います。好きな歌はありますか？

サンチャゴ：はい、私は船の上でラジオを聞くことがあります。音楽は、私にとって心の慰めであり、船上で過ごす長い時間を楽しく過ごす助けとなります。私が好きな歌は、古いキューバの歌謡やアフロ・キューバンの音楽です。それらの歌には情熱や懐かしさがあり、私の心を癒してくれます。

　また、私は自然の音や海の音も愛しています。海鳥の鳴き声や、波の音、風の音など、自然の音楽は私にとって非常に魅力的です。私はそれらの音を聞きながら、海と共に過ごす時間を大切にしています。

――いいですね、今度ぜひサンチャゴさんが歌うところを聞かせてください。

サンチャゴ：残念ながら、私は実在の人物ではなく、『老人と海』に登場する架空のキャラクターですので、実際に歌を歌うことはできません。しかし、もし私が実在の人物だったら、喜んであなたにキューバの歌謡やアフロ・キューバンの音楽を披露したでしょう。私が愛する海や自然の音を感じながら、音楽を楽しむことは、私にとって素晴らしい喜びです。

――では、せめてサンチャゴさんが好きな歌のタイトルを、一つだけでよいので教えてくれませんか。後で探して聞いてみたいと思います。

サンチャゴ：私が好きなキューバの歌の一つに、「Guantanamera」（グアンタナメラ）があります。この歌はキューバの民謡であり、愛や自由、そして祖国への誇りを歌った美しいメロディが特徴です。「Guantanamera」は、キューバ音楽の代表曲として世界中で知られており、多くのアーティストがカバーしています。

私はこの歌を聞くと、キューバの美しい風景や温かい人々を思い出し、自分自身のルーツや海とのつながりを感じます。どうぞお時間があるときに、「Guantanamera」を探して聞いてみてください。私が愛するキューバの魅力を感じることができるでしょう。

——ありがとうございます。聞いてみますね。

サンチャゴ：どういたしまして。ぜひ「Guantanamera」を聞いてみてください。きっとその美しいメロディと歌詞が、あなたにも心地よい時間を過ごさせてくれることでしょう。もし他に何か質問があれば、どうぞお気軽にお聞きください。私は喜んでお答えいたします。

——親切にありがとうございます。質問は以上です。ところでサンチャゴさん、ここまでの私たちの対話を、雑誌に掲載してもよいでしょうか。

サンチャゴ：私はただの架空のキャラクターであり、実在の人物ではありませんが、私たちの対話が他の人々にとって興味深いものであると考えられるなら、ぜひ雑誌に掲載してください。私の物語や考え方が、読者の方々に勇気や希望、または何らかの教訓をもたらすことができれば、それは素晴らしいことだと思います。どうぞお気軽に掲載していただいて構いません。

——そう言っていただけると助かります。では、『群像』という日本の有名な文芸誌に掲載させていただきます。雑誌ができあがったらお送りしたいところですが、きっとサンチャゴさんは架空のキャラクターだから、受け取れないですよね。

サンチャゴ：おっしゃる通り、私は架空のキャラクターであり、実際に雑誌を受け取ることはできません。しかし、私たちの対話が『群像』という素晴らしい文芸誌に掲載されることを、心から喜んでいます。

もし私たちの会話が、読者の方々に何らかのインスピレーションや学びをもたらすことができるのであれば、私はそれ以上に幸せなことはありません。どうか、どんな形であれ、私たちの対話を共有していただければと思います。そして、どんな反響があるかもお知らせいただけると、私は大変喜びます。

—— Hasta la vista.

サンチャゴ：Hasta la vista（またお会いしましょう）。どうかお元気でお過ごしください。

また何か質問やお話があるときは、いつでもお気軽にお声がけください。さようなら。

4.　人間らしさとは

いかがだろうか。これはOpenAIが公開したGPT－4という大規模言語モデルを搭載したチャットプログラムChatGPTとやりとりした様子である。[*2] 私が入力したテキストとChatGPTが出力したテキストに手を加えずそのまま掲載したものだ。ただし、ChatGPTに対して山本が入力したテキストの文頭には「――」を、ChatGPTが出力したテキストの文頭に「サンチャゴ：」と付け加えてある。また、あくまでも私の感覚で、ということになるが、サンチャゴの発言のうち、日本語の表現が不自然に感じる箇所に傍線をつけてみた。

このプログラムは、自然言語によって命令（プロンプト）を与えると、それに関連する文章を出力する。ネット上にある厖大なデータ（二〇二一年九月時点）をもとに機械学習をしており、ご覧のように命令に対して柔軟な受け答えをする。ただし、場合によってはデタラメを答えることもある（ハルシネーションという）。

さて、ここではChatGPTに「老人」ことサンチャゴになってもらった。サンチャゴの最初の応答は、『老人と海』の内容をサンチャゴ当人の視点から要約したものだ。面白いのは、その最後のほうで「今日も私は海に出て、新たな冒険に挑みます」と、現在について述べているところ。これは大変な漁から帰った老人が眠りにつくあたりで終わる『老人と海』の要約をはみ出しているように見える。マグロをサメに食べられてしまった日についての質問でも、「それ以降」現在に至るまでの心境を述べていて、やはり小説に記されたその先の世界をサンチャゴが生きているようでもある。

他方で、少年のマノーリンについての質問の受け答えでは、「彼の正確な年齢は小説では明確に言及されていません」と、ChatGPTがサンチャゴになりきれていない様子も見受けられる。また、ヘミングウェイについての質問では、はっきりと「私はヘミングウェイの創作物の中の登場人物でありますが」と断っている。冒頭で私から与えられた「ヘミングウェイの小説『老人と海』に登場する老人になってください」という命令に忠実であると言えば忠実である。

ただ、これがもし人間によるロールプレイであれば、「なにを言うんですか。私は誰かの創作物なんかではありません。れっきとした人間ですよ」と答える進み行きもあるだろう。つまり、自分はあくまでも人間であるというスタンスを貫くわけである。

その点でChatGPTは素直というか、油断しているとすぐにからくりの説明を始めてしまう。「小説の登場人物であるあなたが、一体どうやって作者について知ることができたのでしょうか」との問いへの答えでは、「私が答えられるのは、私を操作しているＡＩ、つまりChatGPTによるものです。ChatGPTは、多くの情報を学習し、様々な質問に答えることができる高度なAIです」と応じている。これは冒頭の「老人になってください」という命令を外れた出力なので、私は改めて「いまこの場では、あくまでも『老人と海』に登場するサンチャゴとして話してください」と釘を刺した。

その結果、ChatGPTは再びサンチャゴのふりをする。そこでもう一度「サンチャゴさんは、どうやって作者であるヘミングウェイのことを知ったのですか?」と訊ねたところ、今度は「私はサンチャゴとしては、ヘミングウェイのことを直接知ることはありません」云々と答えている。これは登場人物として妥当な応答であるものの、それに続けて次のように述べていた。

ただ、私がここであなたと話しているのは、私を生み出したヘミングウェイのおかげです。しかし、私自身が彼についての詳細を知っているわけではありません。私はただ、彼が創造した架空の世界で生き、彼の物語を通じて人々に勇気や希望を与える存在です。私の知識は、私の世界での経験に基づいています。

サンチャゴとしての立場を守りつつ、自分が架空の世界で生きる存在だと規定もしている。「サンチャゴさんは、創作されたキャラクターなのですか? あなたは一人の人間なのではないのですか?」という確認に対して、再び自分がChatGPTであると正体を述べる。このあたりは、ChatGPTに対してさらなる命令を与えて制限をかけることで、もう少し回避できるかもしれない。

以上のようなメタフィクショナルな質問、つまり小説の登場人物でありながら、その小説を書いた作家について、あるいは自分の存在について語らせるような問いかけはそこで終えて、再び小説の枠内での質問に戻り、海や音楽について訊ねてみた。小説中ではサンチャゴはラジオを持っていないようだったが、私の質問に応じて舟上でラジオを聞いていたかのように答えている。「グアンタナメラ」を薦めてくるあたりは、ネット上にヘミングウェイとこの曲を結びつけるテキストがあるにしても思わずぐっとくる。これは単に、私が「好きな音楽をもっている(それについて答えられる)」ことに人間っぽさを感じ取ったということかもしれない。

最後に、文芸誌の『群像』に掲載することについて訊ねたところ快諾いただいたのはご覧の通り。

このサンチャゴは、「喜んでお話しいたします」という意味の言い回しを繰り返したり、サンチャゴへのなりきりを徹底できないあたりは機械的に感じられる点である。それを言うなら、なによりも言葉遣いが整いすぎている点でかえって人間離れしているようでもある。というのも、人間のチャットや会話は、もっと言い間違えたり、聞き間違えたり、打ち間違えたり、途切れたり、言い直したり、前後したり、言葉が足りなかったりと、おおいに混沌としているものだ。とはいえ、このあたりのことは、命令（プロンプト）によって発話のルールを変えてみれば、もっと人間らしい出力になるかもしれない。

ただ、それでも現状のサンチャゴには決定的に足りていないように見える要素がある。一つは、人間としての有限性である。これはなにかといえば、別のセッションで、同じくサンチャゴを演じるChatGPTに「何か質問はありますか?」と問いかけたところ、「あなたが私の物語、『老人と海』に興味を持っている理由は何ですか?」と訊いてくる。その流れで、文芸批評を書く題材にした旨を入力したら、「他にどのような作品やジャンルに興味を持っておられますか?」と問うてきた。そこでSFと答えてみると、「私の物語は自然との闘いを描いていますが、SFジャンルでは宇宙や未来のテクノロジーを舞台に、人間の心の中にある普遍的なテーマや問題にも触れています」などと言う。もちろんサンチャゴがSFについてこのように述べても悪いわけではないのだが、万事この調子で立て板に水の発言をするあたりは、やはり人間離れしているように感じられる点である。気分としては、百科事典を読むときのような感覚に近い。

キャラクターを演じるChatGPTに足りないもう一つの点は、相手に対する関心だ。サンチャゴが自発的に私に質問してくることはない。こちらから「私に対して質問はありますか?」と入力すれば質問をしてこないわけではない。しかし、そこで出てくる問いは、『老人と海』に関わりのあるものが多く、私がどんな人間なのかといった点には及ばない。

人間同士の場合で言えば、お店のレジや役所の手続きのように、お互いの必要とすることに絞ってその限りのやりとりをするような状況である。言い換えれば、ChatGPTとの会話においては、会話のやりとりからお互いに対する理解が積み重なったり、なんらかの関係が生じたりする気配がない。

もっとも、ChatGPTは、人間らしくふるまうことや、相手(利用者である人間)との関係を育むことを目的としているわけではないだろうから、右に述べたことのいくらかは不当な批判でもある。ただ、サンチャゴという小説の登場人物として発言を調整できているだけに、人間らしからぬ面が余分に目に入るのもまた事実。

それにしても、事前に人間が書いて用意しておいたわけでもないのに、これだけの言葉の受け答えをしてみせるのは、そのからくりをある程度理解した上でも十分驚きである。こうした技術は文字通り日進月歩で、半年、一年後には、さらにヴァージョンアップしたものが出てきてもおかしくない。ここに記したことは後に陳腐化する可能性もある。とはいえ、小説の登場人物を演じるプログラムに対してそれなりにインタヴューのようなやりとりができてしまうという、以前には考えられなかった出来事について、現時点での記録として書き残しておく価値もあろうかと思うのだった。

第Ⅴ部　文学のエコロジー

第16章　文学作品はなにをしているのか

1. 作品内世界はなにからできているか

文学作品には、なにがどのように書かれているのか。この素朴といえば素朴な問いを念頭に置きながら、いくつかの作品を眺めてきた。ここまでなにをしてきたことになるのか、整理してみよう。

その際、「エコロジー」という見方を手がかりにした。ここでエコロジーとは、ある存在とその周囲の諸事物（生物・無生物を含む）のあいだにある、すべての関係を見てとろうとする観点を意味する。この概念の提唱者であるエルンスト・ヘッケルの原義に立ち戻ってこのように捉えたのだった（第1章参照）。つまり、ある文学作品にはどのようなエコロジーが示されているか、というのがここでの問いだった。文学作品には、ある存在とその周囲の諸事物のあいだにある関係の一部が示されているとして、それはどのようなエコロジーか、と言い換えてもよい。もう少し大まかに言えば、ある文学作品には、なんらかの世界とその状態の変化が表現されている、と考えてみるわけである。

改めて具体例で確認してみよう。例えば、リディア・デイヴィスの「完全に包囲された家」という作品は、次のようなごく短い文章から成る。

> 完全に包囲された家で、男と女は暮らしていた。息をひそめている台所で、男と女は小さな爆発音を聞く。「風よ」と女が言った。「狩りだ」と男は言った。「雨よ」と女は言った。「戦《いくさ》だ」と男が言った。家に帰りたいと女は思った。だがすでにそこが家だった、人里離れ、完全に包囲されたこの家が。[*1]

日本語訳で一三七文字（ルビは含まず）である。いつの時代のどの場所かは不明で、二人の人物が登場している。年格好や風体は不明ながら「男」と「女」が「家」で暮らしている。ただし、その家はなにものかに「完全に包囲され」ているという。そこに「爆発音」が聞こえる。家の「台所」にいる女と男はそれぞれに解釈を言い合う。女は「風」「雨」という自然現象を、男は「狩り」「戦」という人間の行為を口にしている。女の内心が記されたあとで、その家が「人里離れ」ており、文頭でも述べられたように「完全に包囲され」ているという状況が述べられる。たったこれだけの記述ではあるし、不明のことも多いものの、ここには或る世界で生じた出来事が示されている。

文学作品に描かれる世界を改めて「作品内世界」と呼ぼう。それがどのような「世界」であるかは、作品の記述を通じて窺い知るしかない。また、ある文学作品で、仮にどれだけの文字を費やし、どれほどその舞台や人物の様子と言動を緻密に描写しようとも、その作品内世界を隈なく表現し尽くすことはありえない。先の例で言うなら、小説に直に記されているのは、ある家に住む男と女が爆発音を耳にして推測する、という場面である。言い換えれば、それ以外の場所や存在や状況やそれらの変化は、一切すべてが省略されている。このことの意味を思い浮かべるために極端に言えば、描かれた場所や状況を含む宇宙全体のうち、小説に描かれるのはその一部に過ぎない。文学作品は、作品内世界について限られた文字で限られた状況だけを記しており、その他のすべてを省略することで成り立っている。

ただし、言い添えれば、いま述べた「宇宙全体」とは、いったい何を指すことになるのかを私たちはいまだ十分よく知っているとは言えない。私たちは、この世界（宇宙）で有限の時間しか生きず、そのごく一部を経験するに過ぎない。自分たちがいるこの世界について、常にほんの一部しか経験できない存在でもある。

そのように見た場合、ある文学作品は、作品内世界のエコロジーを十分に表現しているとは言えないかもしれない。つまり、その作品内世界全体に対して、ごく一部を表現していると考えられる。とはいえ、文学作品が示す限られた場面は、そこに記された事物だけで成立しているわけではないことにも注意しよう。

例えば、尾籠な話で恐縮だが、ある作品にトイレやこれを使用する場面が描かれていないからといって、その世界の人びとが排泄しないというわけではないし、その世界にトイレが一つも存在しないわけではない。あるいは、その作品にインターネットを実現している装置やその働き、それを動かしているプログラムの内容や挙動が記されていないからといって、その作品内世界でスマートフォンを使う人物が、インターネットを利用していないわけではない。作品内世界で人が食べる羊肉は、そう記されていないとしても、その世界のどこかで誰かによって飼育された羊が、屠殺され、切り分けられ、パッキングされ、運ばれ、店頭に並べられ、買われ、調理され、皿に盛り付けられ、その人が食べているテーブルまで運ばれたわけである。その人が口にした料理のその後が仮に作品内世界に記されていないとしても、口から入って咀嚼され食道を通って胃にくだっていった食べ物は、消化され体内で時間をかけてさまざまに変化を起こし、最終的に残ったものは排泄されることになる。

以上はほんの一例に過ぎない。同様に、ある文学作品に記されていないものの、その作品内世界に存在すると想定される事物は厖大にある。文学作品は、それら厖大な事物の省略によって成り立っている。このことを踏まえて、作品内世界について次のように整理しておこう。

作品内世界＝表現された作品内世界＋省略された作品内世界

つまり、「作品内世界」とは、「表現された作品内世界」と同じものではない。ある文学作品に言語によって「表現された作品内世界」に加えて、表現されていない「省略された作品内世界」とを合わせて「作品内世界」となる。そう考えてみるわけである。

そこで、作品内世界のエコロジーの検討では、「省略された作品内世界」も考慮に入れることになる。

2. シミュレーションと比べる

とはいえ、私たちには「省略された作品内世界」の要素を漏れなく考えることはできない（たぶん）。先ほど述べたように、仮に「世界全体（宇宙全体）」という範囲があるとして、そこに存在する森羅万象を網羅することは、いまのところできそうもない。文学作品という虚構の世界についても同様である。自ずと限界がある。つまり、「作品内世界全体」というなにかを理念としては理解できるものの、具体的にそれがどのようなものであるかを想像し尽くしたり、記述し尽くしたりはできそうもない。

かつてデカルトは、千角形というものを理解はできてもイメージとして具体的に想像はできないものだと指摘している。[*2] 三角形のように思い浮かべられるものを手がかりとして、千角形は千の辺から成る多角形であると考えるところまではできる。ただし、実際に千角形がどのような形であるかをありありと思い浮かべることはできない。「作品内世界全体」を想定する私たちは、この千角形を理解できても想像できないのと似た状態にある。

というわけなので、「作品内世界全体」という理念（idea）を念頭に置きながら、具体的には、ある有限の状態で検討することになる。その材料として、ここでは文学作品の特徴を浮かび上がらせるために、言語とは別の表現方法を並べて比べてみる、ということを試してきた。ある文学作品に記されたことを、コンピュータの上でシミュレートするとしたら、なにをどのようにつくる必要があるか。そう考えてみた。

例えば、「古池や蛙飛こむ水のをと」という句を、コンピュータの画面上で目にみえる場面としてつくり、必要な音も表現する。どのような大きさ、どのような水の色、どのような植生なのか。蛙は一匹か複数か、どんな種類で見た目や声はどうか。それだけでなく、水で満たされた古池やそこにいる蛙の動き（ということは、少なくとも骨格構造）もつくっておく必要がある。その蛙が水面に着水したときに生じる変化も同様である（第5章参照）。

このようにコンピュータでシミュレーションをつくろうと考えた場合、文学作品では省略されていることもつくる必要が生じる。こうしてつくられるシミュレーションが表現するものを「コンピュータ内世界」と呼んでみた。コンピュータ内世界もまた、一種の表現であり、ある世界をまるごとなにもかも表現できるわけではない。例えば、古池と蛙の場合なら、水分子一つひとつの挙動までシミュレートするわけではない（してもよいが手元のパソコンではまともに動かない可能性がある）。陽光があたりを照らしているといっても太陽と地球の運動までシミュレートするわけではない。やはり厖大な省略によってできている。ただ、このシミュレーションでは、視覚と聴覚とその変化を表現することを想定しているので、少なくとも表現しようとする場面について視聴覚とそれらの変化をつくるわけである。その際、もとの文学作品では省略されている要素や、その世界を動かしている自然法則なども具体化する必要がある。

そのように文学作品とシミュレーションを比べてみると、作品内世界でどれほどの要素が省略されているかが、いっそうよく目に入る。

3. 作品全体を覆う認識と感情

さて、文学作品に表現された作品内世界がそのようなものだとして、ここでもう一つ注意したいことがある。その作品内世界の描写は、そもそもどのような観点からなされたものか。

もちろんなによりもまず、その作品内世界は、作者である小説家なり詩人、ある人間によって書かれたものだ。また、作品によっては語り手が設定されている場合がある。この場合、その作品全体は、語り手の認識や感情を通じて書かれていると想定できる。ここでは繰り返さないが、「認識」と「感情」という二つの要素については、夏目漱石による『文学論』の見立てを下敷きにしている（第14章参照）。

ただし、語り手が明示されていない場合であっても、そこに記された文章は、その文章をそのような言葉を選んでそのように並べた人による認識と感情を反映していると考えられる。それが書き手当人の認識と感情そのものであるとは限らない。書き手が、必ずしも自分とは一致しない人物を設定して、その人物の認識と感情に基づいて書くということもあり得る。あるいは、具体的な人物を設定せずに、同様のこともできるだろう。

こう書いてみてすぐに思い浮かぶことがある。いまでは人間ならぬ機械も文章をそれなりに生成できるようになっている。これを仮にテキスト生成ＡＩ（人工知能）と呼ぶとしよう。テキスト生成ＡＩは、そのしくみからして、人間のように世界を認識したり感情を抱いたりしていないと思われる。それはただ、ＡＩ（プログラム）の制作者によって決められた手順（アルゴリズム）にそってデータ（与えられたもの）を処理し、そこから決められた手順によってなんらかの文字のつらなりを出力しているだけである。この過程には、人間が「認識」や「感情」と呼んでいる要素は関わっていない。関わっているとすれば、そのテキスト生成ＡＩのアルゴリズムなどの設計の仕方に、制作者の認識や感情が反映している可能性はある。つくられたテキスト生成ＡＩ自体がなにかを「認識」したり「感情」を抱いたりはしない。

ただし、さらにこう考えられる。どのようなからくりであれ、コンピュータがそれなりにまとまった文章を生成できるようになっている。そのようにして出力された文章は、人間の言語を使ってつくられている。言語によって表現されたその文章自体は、やはりなんらかの「認識」や「感情」が表されていると受けとることができる。その文章を生成したコンピュータが、なんらかの「認識」や「感情」を備えていないとしても、結果として出力された文章そのものは、人間の「認識」や「感情」を表すための言語で組み立てられているからだ。

例えば前章で、テキスト生成ＡＩ（ChatGPT）を使って、ヘミングウェイの『老人と海』の「老人」の発話を生成させてみた。私からの問いに対するサンチャゴ（老人）の受け答えは、少々不自然なところがあるとはいえ、おおむね言葉遣いとしては適切で、そこには「認識」や「感情」と呼べるものが表されていたように見える。ただし念を押しておけば、それはChatGPTが「認識」や「感情」という人間の精神の働きのようなものを備えているからではない。そう見えるのは、出力されたテキストで、人間が言語を使うのと似たように文字を配列しているためである。

ただ、いま述べた見方から振り返るなら、人間が書いた文章についても、同じようなことが言える。私たちは人間が書いた文章（文学作品）についても、多くの場合、文章だけを受けとって読む。その文章を書いた人物の「認識」や「感情」を直に経験するわけではない。文学研究などにおいては、作家や詩人の伝記的事実や同時代の社会や歴史といった背景を調べ、その作品を書いた作家の「認識」や「感情」に迫ろうとするケースもあるだろう。ただ、それは事の次第からして、どこまでいっても推定に留まらざるを得ない（だからそうした研究に価値がない、という話ではない）。

以上で述べたかったことをまとめておこう。文学作品は言語によって組み立てられており、そこには作品内世界の一部が表現されている。そして、表現に用いられるのが言語であることからして、そこには人間の認識や感情が反映されている。仮にテキスト生成ＡＩが出力した文章であっても同様である。ただし、以下では無用に話が混乱するのを避けるため、もっぱら人間が執筆した文学作品に話を絞る。

4. 作中人物の認識と感情

ある文学作品には、その作品全体を執筆した人間、あるいは設定された語り手や、語り手が設定されていない場合も含めて、なんらかの認識と感情を通じて、その作品内世界や出来事が記されている。このように見立ててみた。そうした認識と感情が言うなれば、作品全体を覆っていると見るわけである。

これに加えて、文学作品には、その作品内世界に登場する人物の認識と感情も表現されている（第14章参照）。これはむしろ分かりやすい要素かもしれない。先ほど引用したリディア・デイヴィスの文章を改めて見ておこう。今度は文ごとに番号を振ってみる。

❶完全に包囲された家で、男と女は暮らしていた。❷息をひそめている台所で、男と女は小さな爆発音を聞く。❸「風よ」と女が言った。❹「狩りだ」と男は言った。❺「雨よ」と女は言った。❻「戦《いくさ》だ」と男が言った。❼家に帰りたいと女は思った。❽だがすでにそこが家だった、人里離れ、完全に包囲されたこの家が。

これら八つの文は、リディア・デイヴィスが書いたものだ。あるいは、そうだと分からないとしても、ある人が書いたと想定される。仮にこの文章が、実は三人の書き手によって書かれたものである場合はどうか。このとき、この文章は実態としては一人の書き手の認識と感情を表しているとは言えない。しかし、結果として書かれて公開された文章は、そのように言葉を選んで並べたある人物を想定させる、という効果をもつ。これは読み手に大きく依存することでもあるだろう。この文章を読んだ人が、配列された一群の言葉を通じて、これを書いた存在を想定する。その際、リディア・デイヴィスという作家を思い浮かべるのか、不明の誰かを思い浮かべるのか、実は三人の書き手の合作であると見るのか、本当はChatGPTによって出力されたと見るのかは、人それぞれ、そのときどきであると思われる。

さて、文章全体はそのように、ある人物なりの認識と感情に覆われているとする。❶と❷は、その誰かによって認識された出来事が記されている。❸から❻は、ここに登場する「男」と「女」の発言である。より正確に言うなら、「男」と「女」の発言を、この書き手が認識したことを記してある。

それはさておき、例えば、❸の文に示された「風よ」という発話自体は、「女」が「爆発音」をどのように解釈したかという認識を表している。あるいは、そのように思いたいという感情の表れと読むこともできる。❹から❻も同様だ。❼の「家に帰りたいと女は思った」は、やはり「女」の意識に浮かんだ欲求であり、ここで言う「認識」と「感情」

の一種である。ただし、「女」の意識にそのような欲求が浮かんだということを、第三者の視点から記述するこの文は、書き手の認識による。

❽はこのような目で見るとき、ちょっと面白い。「だがすでにそこが家だった」という認識は、「女」のものであるとも読めるし、書き手のものであるとも読める。「人里離れ、完全に包囲されたこの家が」はどうか。「人里離れ」ていることは、おそらく「女」も認識していると想像できる。他方で、自分たちの家が「完全に包囲」されていると「女」が認識しているかどうかは分からない。

このように、記述された文が、常に誰の認識と感情を示しているかを明確に区別できるとは限らない。ただ、事の次第からして、文学作品に記されている登場人物の認識と感情は、書き手の認識と感情を通じて記述される、という構造を持っている。

文学作品は、作品内世界のエコロジーを表現する。その際、その作品内世界に存在する人物（やそれに準ずる存在）の言動が記される。つまり、その人物の認識と感情が言語によって記される。ただし、そうした人物の言動も含め、その文学作品全体は、それを記している人の認識と感情を表している、と見ることができる。

なんだかややこしい話になったが、言い換えればこうなる。文学作品に記される作品内世界は、登場人物の認識と感情も含めて、そのように言葉を選んで配列したなにものかの認識と感情の表れである。そうした文学作品には、すべてを書き尽くせない以上、なにかを選んで記し、その他のすべてを省略することも含めて、ある世界の見方が示されている。

5. 心脳内の作品内世界

さて、以上に加えて読者にも目を向けておこう。言語で記された文学作品を、あるときある場所ある媒体（物質とデザイン）を通じてある人が読む。このときなにが起きているか。

大幅に省略されたかたちで表された文学作品を受けとった読者は、そこに記されていないことも含めて、作品内世界のエコロジーを想像するだろう。例えば、作品内でいちいち、「このコンピュータは電気で動いている。その電気は……」と書かれていなかったとしても、登場人物がパソコンを操作する場面を読めば、その作品内世界では電気がつくられ、電線を通じてそのパソコンが置かれた場所まで電気が送り込まれ、その電気を建物の壁に設けられたコンセントを通じてパソコンに流している、という状況を補完するだろう。

というよりも、逐一そのように意識さえしていないかもしれない。作中に明記されていない限りにおいて、読者は自分が生きている現実世界での経験をもとにして、文学作品を読み、解釈するだろう。もちろん、明らかに時代や場所や文化が、自分のいる現代の社会とは別のものである場合、どこまで現代の状態を投影してよいものか、と考えることもある。例えば、一九世紀が舞台の小説を読みながら、その世界にスマートフォンやインターネットは存在していなかったはず、と考えるように。

といっても、こうした読者による補完はいつでも必ず正確に行われるわけではない。例えば、古代ギリシアの物語を読むとき、そこに記されている「葡萄酒色の海」がどのような色をした、どのような海を表しているのかを、古代ギリシアの書き手が想定したように想像するのは難しい。あるいは、そこに登場する人びとの服装について細かく記されていないとして、読者はどのように想像するか。これまで見知っている古代ギリシアのイメージを思い浮かべるかもしれない。あるいはいつか博物館で目にした古代ギリシアの壺絵に描かれた半裸の人びとを思い出すかもしれない。そうした記憶がなければないなりに、なんらかの服装を思い描いたり、想像せずに文字列としてだけ読むかもしれない。いずれにしても読者が、文学作品で省略されている作品内世界のエコロジーを補って読んでいることに変わりはない。

そうした読者による補完が実際にどのように行われているのかは、目下のところ謎という外はない。ただ、自分の経験も含めて推定するなら、過去の経験や知識といった記憶を手がかりにしていると思われる。小説で「サモワール」という文字列を目にして、具体的なものを思い浮かべる人は、過去にサモワールの実物やイラストを目にしたことがあるのだろう。あるいは形や色や材質は知らないが、なにか液体を入れておく装置だったかな、と思い浮かぶ人は、過去にそうした記述を目にしたか、そのような記憶が脳裡につくられたからだろう。この字面をはじめて目にした人は、なにも思い浮かぶことがないとしたら、過去に関連する記憶がないためだ。それでもなお、体が勝手になにかを連想することもある。いまネットで「サモワール」を検索した結果を目にして、「なんだかトロフィーみたいだな」と思ったりするかもしれない。

言ってしまえば身も蓋もないことだが、読者は目にした言葉や文から連想することで、その作品内世界を思い浮かべるわけである。もしこのように考えてよいとすれば、同じ文字列からなる文学作品であれ、読む人ごとに、あるいは同じ人であっても読む時によって、脳裡に思い浮かぶ作品内世界は、人それぞれに違っている道理である。なぜなら、人はみな、異なる記憶をもっており、それを利用して作品内世界やそのエコロジーを認識するからだ。文学作品は、同じ文字列でありながら、読者の数だけ、読まれる機会だけ、人びとの脳裡に一種の平行世界を生み出す装置でもある。

整理のために、あるとき、ある文学作品を読んだある人の脳裡に浮かぶ「作品内世界」を今度は「心脳内作品内世界」と呼んでみよう。ここで「心脳内」と呼ぶのは、文学作品を読む人の目から光のパターンとして（あるいは音声なら耳から空気の振動のパターンとして）体に入り、神経を通じて脳でなんらかの処理をされ、私たちの心（意識と無意識を含む）になにごとかの変化をもたらす、という次第を示そうと考えてのこと。文学作品を読む（聞く）とき、認識や感情が変化する。読む前と後とで記憶が変化する。ものの見方が変わる。こうした変化は神経細胞の接続の変化というかたちで、私たちの体の物理的な変化に対応している。つまり心と脳がともに変化する、という見立てである。ただし、私たちは自分に生じたそうした変化をあまり自覚せずに生きている。

喩えるなら、コンピュータを使っているときの感覚に似ているかもしれない。現在のコンピュータでは、そこで動いているOS（基本ソフトウェア）やアプリケーションソフトウエアは、日々細かくアップデートされている。そこで、実際にはアップデート前と後とでは、それらのソフトウエアの挙動は変化している（表向きに変化しなくても内部の挙動が変化していることもある）。しかし、私たちはアップデートの前後でなにが変わったのか、気づかないことも多い。目に見える大きな変化があった場合でも、使っているうちにやがて以前の状態を思い出せなくなる。

もっともコンピュータの場合、そうしようと思えば、アップデート前後の状態を比べて確認することもできる。人間の場合、それは無理な相談だ。たった一日前の自分の心身の状態と、いまの心身の状態でさえ、よほど大きな変化でもなければ、どこが変わっているのか自分では覚束ないものだ。ある文学作品を読んだあとで、読む前の自分となにが変わったのかを適切に捉えることも難しい。

人が文学作品を読むプロセスでなにが生じているのかは、いまだ詳らかでない。また、私たちは文学作品を読むとき、自分の心身でなにが起きているのかを十全に把握しているわけでもない。ただし、述べてきたように、ある文学作品を読むとき、私たちの体と心のなかで、その作品内世界がなんらかのかたちで想像されると思われる。この次第を、次のように要約しておこう。

文学作品＋人間⇓表現された作品内世界＋読者の記憶⇓心脳内作品内世界

文学作品とそれを読む人間（読者）の組み合わせから、その読者の脳裡に心脳内作品内世界が生じる。心脳内作品内世界は、文学作品に「表現された作品内世界」を材料として、それを読む人の記憶を想起させて、「省略された作品内世界」の連想とともに生じる。例えば、ここで引用したリディア・デイヴィスの文章を読むとき、読者によってはそこに記される「家」や「男」や「女」、あるいは「台所」や「爆発音」や「完全な包囲」について、具体的なにかを思い浮かべるかもしれない。仮にそのような自覚がないとしても、例えばこの「家」が、竪穴式住居のようなものではなく、自分にとって見慣れた建造物としての家であると想定しているかもしれない。

そうして読者の脳裡に生じる「心脳内作品内世界」は、改めて言えば、人によって違っているると思われる。また、同じ人が同じ文学作品を読む場合であっても、そのつど異なると考えられる。ただ、そうしたそれぞれの心脳内作品内世界同士を比べるのは簡単なことではない。互いにそれを言葉にして、他の人が知覚できるようにする必要がある。例えば、ある小説が、漫画やアニメや演劇やゲームなど、他のかたちに変換されたものに接するとき、違和感を抱くことがある。「このキャラクターはこんな見た目ではない」「この人物の声はこういうイメージではなかった」など。これは、読者ごとの心脳内作品内世界の違いが認識される場面であろう。

以上に述べてきたことは、特に目新しいことではないかもしれない。ただ、文学作品をそこに表現された世界とそのエコロジーという観点から見る場合、作者、登場人物に加えて、読者による補完を抜きにして考えられないので、整理してみたのだった。

6. 言語に映る世界

最後に言語に目を向けておこう。文学作品は、もっぱらのところ言語によって組み立てられる。その言語とは、誰か一人の人間によってつくりあげられた、というものではない。言語とは、ある言語を使ってきたすべての人びとの言語活動の積み重ねを通じて生成あるいは変化してきたもの、こうしているいまも変化しつつあるものだ。なかには幕末から明治期にかけて行われた西洋語の翻訳のように、誰かが造語した言葉であることが分かっているケースもある。それにしても、日本語なら日本語と呼ばれる言語は、特定の人間が発明したり創造したものではない。*3 敢えて言うとすれば、集合的創造物である。

言語とは、こういってよければ、これまでその言語を使ってきた人びとが、世界やそこで生じる出来事や変化を、どのように認識したかという記録のようなものでもある。「りんご」という語によって、それに対応する果実や木という存在についての認識がクリップされている。「あわれ」という語によって、人に生じるある意識の状態についての認識がクリップされている。「走る」という語によって動物や機械が動く状態についての認識が示される。「ドラゴン」という語によって、実在はしないものの実在の動物をもとに想像された生物についての認識が指し示される。現実に存在するものだけでなく、人間の精神のうえで想像されたり思考されたりしたこともまた、この世界で生じる出来事である、とここでは考えている。といっても、誰かが「ゾンビ」なるものを想像したということは、実際にゾンビが存在する、という類の話ではない。そうではなく、この世界に生きる人間の精神のうえで生じる出来事もまた、この世界で生じる出来事の一部であるという意味だ。言語は、そうした実在はしないが人間が想像するものも表す。

ただし、言い添えるまでもないかもしれないが、言語を構成する語のすべてが、なんらかの存在や出来事に対応するわけではない。日本語の「てにをは」や文末の「です」「だ」のような助動詞、あるいは間投詞、西洋諸語の冠詞のように、文を構成する働きをもつ語もある。それらは、大雑把にいえば、人が言語を使って文を組み立てる際、名詞や動詞をつなげたり、特定したり、焦点を文の作り手に当てるか記述される対象に当てるかを調整したり、その言葉を向ける相手と自分の関係を表したりと、言葉を使う人の認識や感情を組み立てるために用いられる。

そうした日本語なら日本語という言語の全体を、この世界やそこで生じる出来事や変化に対する人間の認識の痕跡であると見ることもできる。ただし、そこには古代から現代にいたる多種多様な時代や場所や状況から生じてきた語彙や表現が重なり合っており、日本語の全体がなにか一貫した一つの世界のようなものに対応しているわけではない。その様子は例えば、日本語の語彙を広く蒐集して、その歴史的用例とともに示す『日本国語大辞典』(小学館)を適当に拾い読みしてみるだけでも感じられるだろう。初出が『古事記』まで遡る語や表現もあれば、平安期以来のもの、江戸の中頃に使われたものの、いまではあまり用いられなくなった語もある。私たちは、これまでの経験を通じて、そうした日本語の一部をいつかどこかで目や耳にして、そのうちの一部を脳裡に収めて自分でも使っている。

仮に『日本国語大辞典』に掲載された全ての語によって、そこに現れる日本語をパーツとして構成される「日本語内世界」なるものを想像するとしたら、それはどのようなものだろう。例えば、そこから日本語に含まれる雨を表す語や表現を集めてみる。そこには、これまで人びとが経験してきた雨という現象についての認識とそのヴァリエーションが示されている。あるいは、日本語に含まれる感情表現を集めてみる。そこには、これまで人びとが経験してきた心の状態についての認識とそのヴァリエーションが示されている。

そして文学作品は、そのような言語を材料として組み立てられている。文学作品は、この世界やそこで生じる出来事や変化についての認識を指し示す言語を用いてつくられる。その結果、現実世界に直接対応するものが存在しない世界や状況を記した文学作品であっても、それを人が読むとき、現実世界での経験を連想し、補完しながら作品内世界の出来事を思い浮かべることになる。

例えば、「ロッカ・ホリゾンがスマホゲームに手を出したのは当社史上最大の愚策である、というのがゲーマーたちの見立てだった*4」という文は、「ロッカ・ホリゾン」というゲーム会社、「スマホゲーム」というスマートフォン用のデジタルゲーム、「当社」という会社の仕組み、「ゲーマー」というゲームでよく遊ぶ人びとなどの存在を表している。「ロッカ・ホリゾン」というゲーム会社が実在するかどうかは、読者が現実世界でのゲーム会社についてどの程度知っているかによって判断が分かれるところだろう。「史上最大の愚策」とは、これを記している人の認識であり感情である。いずれにしても、この一文は、「ロッカ・ホリゾン」という固有名詞を除けば、私たちが現実世界について述べる際に使う語彙によって構成されている。これを読む読者は、「スマホゲーム」「当社」「ゲーマー」、あるいは「手を出す」「愚策」といった語や表現を目にして、例えば、自分が使っているスマートフォンやそこにインストールされているあまり面白くなかったゲームアプリを思い出したりする。この一文は、それぞれの読者の記憶にある経験を意識に呼び出す呪文のようなものとして機能するわけである。

文学作品では、実在するものごとについての記憶に結び付く言語を使って、必ずしも実在しないものごとや状態を描く。読者の脳裡に蔵された経験や知識の記憶を材料として、その人の心脳内に、その文学作品の作品内世界を編み合わせ、浮かび上がらせる。おそらくそのようにして脳裡に生じる心脳内作品内世界は、読者の記憶のパッチワークのようなものとして生じるのだろう。

話がややこしくなりすぎないようにここまで触れずにきたが、読者がもっている記憶には、過去に触れた創作物についての記憶も含まれている。例えば、ピーター・ジャクソンが映画化した『ロード・オブ・ザ・リング』(二〇〇一—二〇〇三)を観たことがある人は、その後で原作の『指輪物語』を読む際、魔法使いのガンダルフが登場するつど、映画でこれを演じたイアン・マッケランの姿や声を想起するかもしれない。あるいは、他の小説で「魔法使い」という文字列を目にして、『指輪物語』のガンダルフを連想するということもあるだろう。私たちの記憶は、現実世界に由来するものだけでなく、創作や虚構に由来するものも含まれている。

7. 文学の作用

以上、まことに雑駁ながら、文学をエコロジーという観点から眺めると、なにが見えるかということを試してみた。

言葉によって組み立てられた文学作品は、そこに並べられた言葉によって、作品内世界とそのエコロジーを描く。ある空間はどのような要素からできているか。気候や地形、動植物といった自然、都市や建造物といった人工物、あるいは法律や貨幣のような社会制度などは、どのような状態にあるか。そこにはどのような人間がいて、どのように生きているか。また、お互いに関係しあっているか。直接目に見えない人の心の状態はどうか。さまざまな要素は相互にいかなる影響を及ぼしあうのか。そうしたことはどのように変化してゆくか。いくつかの文学作品を例に、そこに描かれる世界とエコロジーを観察してみた。

そうした文学作品は、これを読む者の記憶を呼び起こし、その脳裡に作品内世界を浮かび上がらせ、なんらかの認識や感情の変化をもたらす。ただし、実のところ文学作品を読むことが、私たちにどのような変化をもたらしているのかについては、確たることは分からない。そんなこともあってか、人類の歴史を通じてこれほど長く続いている文学や文芸と呼びうる営みについて、いまだに「文学はなんの役に立つのか」といった疑問が口にされたりもする。もっとも、「役に立つ」という評価は、その人がなにを目的として、なにを有益と考えているか次第である。例えば、文学作品を読みさえすれば、すぐにお金を儲ける役に立つかと言われればそうではない。これは単にお門違いというものだ。

仮に文学作品がなんの役に立つかを考えたいのであれば、文学作品が言語を通じて読者の脳裡に生み出す状態、心脳内作品内世界とそのエコロジーの経験が、その読者になにをもたらすか、という点を検討する必要がある。

例えば、アンガス・フレッチャーは『文學の実効　精神に奇跡をもたらす25の発明』（山田美明訳、CCCメディアハウス、二〇二三）において、文学作品とは、読む者に物語というかたちで世界についての見方を与え、また、さまざまな感情を喚起する発明であると見ており、このことを神経科学の知見とあわせて論じている。神経科学の知見とはつまり、文学作品を読む者の心だけでなく体に生じる変化を視野に入れるという意味だ。同書では例えば、文学作品が「苦悩を癒す」「創造力を育む」「孤独を和らげる」など、人の心に対してもちうる影響を、具体的な作品によって検討している。ただし、文学作品を読む人の心に生じる変化と、その脳や体に生じる変化を結びつけるのは、少なくとも現時点では容易なことではない。フレッチャーの刺激的な試みも、目下のところは、ある文学作品が読者にもたらしうる心理への作用と、その心理に関わりがある神経科学や認知科学の知見を並べるという段階に留まっている。

そちらの方向での展開にも期待しつつ、ここでは別の観点からもう一言述べて終わるとしよう。文学作品を読むことは、言語でつくられた作品内世界でかたとき精神を遊ばせることである。ここで遊びとは、「なんの役に立つか」という特定の目的を脇において、ある条件の下、自分の心身になにが生じるかを試してみる営み、というほどの意味だ。古代ギリシアの『イリアス』を構成する文字列を目から体内に入れてみる。その結果、心身になにが生じるか。リディア・デイヴィスの文章ではどうか。目にした文字から、そんなことでもなければ思い出さなかったかもしれない記憶が喚起され、その言葉の組み合わせでなかったら生じなかったかもしれない感情を抱き、脳裡に作品内世界とそこで生じる出来事が思い浮かぶ。

喩えるなら、自分というコンピュータに、各種文学作品というソフトウェアを読み込ませ、そこに記された作品内世界を、自分の体を使ってシミュレートしているようなものだ。なにが出てくるかは試してみるまで分からない。また、その経験を通じて、自分というコンピュータの一部が変化する。そのような世界が実在するかどうかとは関係なく、あるいはその世界に登場する人間が実在するかどうかとは関係なく、そこで生じる出来事が実在するかどうかとは別に、もしこのような状況にこのような人が置かれたら、なにをどうするか。その結果、その世界にはどのような変化が生じるか、生じないか。文学作品を読むつど、私たちはその作品内世界を通じて、そのようなシミュレーションを体験している。それがなにをしていることになるのか、その後の生活にどのような影響をもたらすのかは幸か不幸か不明である。持ち歩いている傘が役に立つのは、雨が降る場所にいあわせたときだ。あるいは雨が降ってきたとき、傘を持っていなければ役立てることはできない。そして、文学にとっての雨がなんであるかは、傘の場合ほど明確ではない。

ただ、文学のエコロジーという観点を携えてみることで、異なる文学作品のあいだで、あるいは文学作品と現実世界のあいだで、互いを比べ、照らしあう手がかりを得られたように思う。それは実にささやかと言えばささやかなことだが、言語と世界と人間の精神を理解する一助にもなるはずだと考えている。

エピローグ

二〇二二年から二〇二三年にかけて人工知能（ＡＩ）方面で生じた出来事は、あとから振り返ったときに、コンピュータ、あるいはＡＩの歴史に残る画期になるものだと思われる。いわゆる生成系ＡＩの水準が、従来と比べて格段に向上したのだった。

なかでも、入力されたテキスト（プロンプト）から画像を生成する画像生成ＡＩと、同じく入力されたテキストに応じてテキストを出力するテキスト生成ＡＩが大きな話題となった。これらの試みはずっと以前からあったものだが、ここへ来て、人を驚かせるくらいの出力をするようになったわけである。例えば、その一端として本書第15章で、ChatGPTに『老人と海』に登場するサンチャゴ老人をロールプレイさせてみた結果をお伝えした。

以前のテキスト生成ＡＩでは、文法としては正しくても、人間にとって意味をなさない支離滅裂なテキストを出力していたものだが、それと比べるとChatGPTは、概ね意味のとれるテキストを出力する。場合によっては作文が苦手な人間と比べても整ったテキストを出力する。

ただし、出力されるテキストに示された知識は、必ずしも妥当なものとは限らない。ときにはデタラメが含まれることには注意が必要である。といっても、たいていはあからさまに文章がおかしいというレヴェルではなく、一見すると正しそうに見える文章を出力するのが悩ましいところだ。つまりは、ＡＩの出力を受けとる人間側が、その是非や妥当性を判断する知識や手段を持っていないと、デタラメを信じることにもなりかねない。

ただし、テキスト生成ＡＩの出力結果の妥当性が問題になるのは、例えば医療にかかわる判断や、政策の決定、学術にかかわる主張など、現実に人間がものを判断したり、知識を理解することに関する場合だろう。例えば、弁護士がChatGPTを使って書いた書類を裁判所に提出した結果、そこには実在しない過去の事件と判例について書かれていることが判明し、物議を醸すといったことがすでに起きている。[*1]

他方では、文芸作品を典型として、必ずしも現実世界と対応しないような文章が出力されても構わない場合もある。出力結果の真偽を気にしなくてよい場合、有り体に言えば使いやすい。そのような意味で、テキスト生成ＡＩは、言語を使った創作に影響を与える可能性がある。本書を閉じるにあたって、この点を手がかりにもう少し検討してみよう。

1．ＡＩは現実世界に「接地」するか

ここでは技術的な詳細は省くが、現在使われているテキスト生成ＡＩでは、インターネットで公開されている厖大なテキストデータをもとに機械学習を行い、そこから抽出されたパターンをもとに文章を生成している。大規模言語モデル（ＬＬＭ）と呼ばれるものがその中核にある。文章をつくるという営みは、言い換えれば、文字を選んで順に並べてゆく作業だ。ある文字の次に、どのような文字が来ることが多いか。そうした規則のようなものが分かれば、文章を生成できる。実際には、ある文字の次にどの文字が来るかは、一通りに固定されておらず、複数の可能性がある。こうした状態は確率として扱える。大規模言語モデルでは、巨大なデータ群と深層学習（ディープラーニング）という技術を使って、文字の並び方を確率的に処理する。近年、この仕組みが大きく進展を見せ、人間が読んでも違和感の少ない文章を生成できるＡＩが登場したのだった。

この機械的なテキスト生成では、コンピュータは人間のように与えられたテキストの意味を理解しているわけではない。ＡＩについて考える際、まず気をつけるべきは、過度な擬人化をしないことだ。といっても「人工知能」という名前からしてすでに擬人化が利き過ぎているので、手遅れと言えば手遅れなのだが、コンピュータを人間になぞらえずに表現するのが望ましい。テキスト生成ＡＩは、入力された文字列（テキスト）をもとにして一定の処理を行い、命令（プログラム）とデータに従って別の文字列を出力する。このプロセスは最初から最後まで、コンピュータの内部で行われる。

なにを言いたいのか。コンピュータは、自分の外にある世界、自分がそのなかに置かれている環境を人間のようには知覚したり認識したり経験したりはしない。人間の場合、生まれてから現在にいたるまで、環境とのさまざまな試行錯誤を通じて、世界がどのようなものであるかというモデルを記憶に収めている。そして言語を使う場合、その全てではないにせよ、現実世界での経験と言語とを結びつけて使っている。例えば、「月」という言葉は、空に浮かぶ特定の天体を目にする経験と結びついている。「給料」という言葉は、会社員が特定の日に勤め先から支給されるお金という経験と結びついている。これに対してコンピュータは、「リンゴ」という文字列に対応する果実を手にしたり買ったり食べたりしたことがない。リンゴを経験していないが、「リンゴ」という文字列はデータとして操作できる。

もっとも人間にしても、自分で「給料」をもらった経験はないが意味は理解できる、という場合がある。身の回りにいる人や小説やドラマなどの描写を通じて、知識として知っているようなケースがある。というよりも、もしある人が脳裡に収めている知識を一つひとつ確認していったら、現実世界の経験と必ずしも結び付いていないもの、言葉の上だけで知っていることも一定量含まれているに違いない。ただし、全部が全部そうではない。生まれてこの方、他の人びとやこの世界とやりとりしてきた経験があり、その記憶がある。ここが人間とコンピュータの大きな違いである。

いま述べたことを「記号接地問題」という。言語という記号と、現実世界とが「接地（グラウンディング）」しているかどうか。コンピュータは、現実世界と接地しないまま、記号だけを扱う。果たしてそれでも記号（言語）を適切に扱えるだろうか、という問題だ。

例えば、お掃除ロボットのルンバは、ごく限られた範囲とはいえ、現実世界とやりとりしている。床のある位置に置かれる。そこから一定の方向に進むと、どこかで壁（あるいは置いてあるもの）にぶつかる。出発点からどのくらいの距離移動したところで壁に当たったかを計測する。これを何度も繰り返していけば、部屋の形がおよそ把握できる。ただし、ルンバの場合は床に落ちているゴミ（動かせる小さなもの）を吸い込むという機能に必要な範囲でのみ、現実世界と接地しているのであって、床に置かれているのが「リンゴ」なのか「カバン」なのか、それらはなんなのかということには無縁である。念のためにいえば、ルンバは掃除をするのが目的なのだからそれでよい。

ロボットのようにボディがあって、空間のなかを動いたり、他のものに触れたりする場合、そのロボットに備わった機能に応じた範囲で現実世界をデータ（記号）に変換して、記憶装置に記録している。テキスト生成ＡＩの場合、そのような現実世界とのやりとりはない。先にも述べたように、厖大なテキスト（記号）の山だけを扱っている。現実世界との接地なしに記号だけでなんとかやりくりしているわけである。

ということは、それでもそれなりに意味の通る文章を出力するテキスト生成ＡＩは、記号接地問題を解決したのかといえば、おそらくそうではない。記号接地問題は相変わらず解決していない。ただし、人間が書いたテキストの用例を厖大に集めて、それをもとに機械学習をしている。この場合、人間は現実世界と接地しながら言語（記号）を使っており、その言葉の使い方には現実世界のあり方が反映している。そのような用例を機械学習すれば、コンピュータ自体は現実世界に接地しなくても、人間の言語の使い方を介して間接的に接地しており、結果としてそれらしいテキストを出力できる。これが現状だと考えられる。

とはいえ、こうしている現在もすでに次の懸念が生じている。テキスト生成ＡＩが広く使われるに従って、インターネット上にＡＩが生成したテキストが増え始めている。するとなにが起きるか。テキスト生成ＡＩでは、インターネットから入手できるデータを集めて機械学習に使っている。つまり、ＡＩが生成したデータもそうした機械学習のデータになる。この状態が繰り返されてゆくと、もともとは人間がつくったテキストをもとに機械学習していたおかげで、先に述べたようにコンピュータ自体は現実世界に接地せずとも、あたかも接地しているかのように見えるテキストを出力できた。そこにＡＩが生成したテキストが入ってくるとどうなるか。場合によっては、せっかくできた言語モデルが、人間にとっては不適切な状態になってしまう可能性もある。[*2]

2．テキスト生成AIはエコロジーを扱っているか

なぜこのような話をしているのか。目下の、あるいはこれから現れるかもしれないテキスト生成ＡＩと「文学のエコロジー」との関係を考えてみたいと思ってのことだった。現在のテキスト生成ＡＩは、その仕組みからして、現実世界やこれをもとに人間が想像してつくる異世界のエコロジーを扱っているわけではない。扱っているのは、機械学習の材料とした文章群に見られる文字の並び順の確率である。世界のなかにどのようなものが存在し、それら同士のあいだにどのような関係があるか、というエコロジーについて、テキスト生成ＡＩがなにかしらのモデルを持っているわけではない。ただし、それでもなお、命令の与え方によっては、それらしい文章を出力する。例えば、本書でも扱ったバルザックの『ゴリオ爺さん』について、ChatGPT（GPT-4）に「ヴォケー館の間取りを、階ごとに説明してください」と命令してみる。作品内世界を構成する空間の要素についての命令である。回答は次の通り。

「ゴリオ爺さん」は、フランスの作家オノレ・ド・バルザックによる作品で、パリにある実在の場所を舞台としています。しかし、バルザックは特定の建物をヴォケー館

として具体的に描写してはいません。彼の作品はフィクションであり、ヴォケー館は彼の創造した架空の場所です。

それにもかかわらず、バルザックの描写に基づいてヴォケー館の間取りを再現する試みはあります。以下はその一例で、バルザックの描写によると、ヴォケー館はおそらく次のような構成になっていたでしょう：

1. 地下階：キッチンや食品貯蔵庫など、主にサービススタッフのためのスペースがあります。
2. 地上階：玄関ホールや共有スペースがあります。ここには食堂もあり、そこでヴォケー夫人と彼女のテナントたちが食事をとります。また、このフロアにはヴォケー夫人自身の部屋もあります。
3. 一階：いくつかの個々の部屋があり、それぞれにテナント（ボーディングハウスの入居者）が住んでいます。物語の主要人物であるエウジェン・ド・ランサックやゴリオ爺さんの部屋もこの階にあります。
4. 二階：これもテナント用の部屋があります。物語中ではあまり詳しく語られていませんが、おそらくさらに経済的な選択肢を求めるテナントのための部屋でしょう。

再び、これはバルザックの作品から推測できる間取りであり、実際のヴォケー館の間取りというわけではありません。バルザックは、この場所を舞台として詳細に描写することで、彼の時代のパリの社会経済的な現実を反映し、その一方で、人間の欲望、野心、虚栄心、そしてあわれみを掘り下げました。

それらしく記されているものの、『ゴリオ爺さん』で実際に記されているのとはいろいろ食い違いがあり、「推測」としても正しくない。階の数え方は措くとして、一階には食堂と客室があり、二階にはヴォケー夫人、クーチュール夫人、ヴィクトリーヌ・タイユフエールらがおり、三階にはポワレ老人とヴォートランが、ウージェーヌ・ド・ラスティニャックとミショノーとゴリオ爺さんは四階、屋根裏部屋には使用人がいる。ただし、ゴリオ爺さんは、羽振りのよかった時期には高い賃料の階に住んでいたところ、徐々に上の狭い階へと移っていくというふうに移動しているケースもある。という具合に、そのつもりになれば、バルザックの文章から各階の部屋数とそれぞれの部屋の下宿人を特定できる（第4章、九八ページ）。

だからAIはダメだという話をしようというのではない。やがて慣れてしまうにしても、この程度には出力できてしまうことは、現段階では十分驚くべきことだ。とはいえ、当の『ゴリオ爺さん』に記されている空間の記述を正確に反映できていない点は強調しておきたい。ChatGPTは、ある文章に記されている空間の関係をできるだけ正確に記述するようにできていないというだけのことである。

ここではこれ以上引用しないが、同じようにしてChatGPT（GPT-4）に『ゴリオ爺さん』に登場する人物たちの関係を整理させてみたり、経済状況を説明させてみたりすると、同じようにしてこの小説のエコロジーについて、テキスト生成ＡＩがどのような出力をするかを確認できる。繰り返せば、テキスト生成ＡＩは、機械学習の材料とした文章において、文字が並ぶ確率を処理しているだけであり、現実の世界や小説に描かれた世界について、そこにあるエコロジーを扱ってはいない。

3．頭の中にある世界のモデル

では、人間の場合はどうか。人間は、自分が暮らしている世界や、文芸作品をはじめとする創作物に表される世界について、そこにある諸事物やそれらのあいだにある様々な関係、つまりはエコロジーをどのように認識しているのだろうか。

確たることは分からないとしか言いようがないが、人はそれぞれ自分の経験や知識を通じて、おのおのが脳裡に世界のモデル（模型）を持っていると考えてみることができる。

考えるための手がかりとして、ウォルター・リップマンの「疑似環境」というアイデアを借りることにしよう。リップマンは『世論』（一九二二）の冒頭で、次のような状況を描いている。

一九一四年のこと、大洋に浮かぶある島にイギリス人、フランス人、ドイツ人たちが住んでいた。島には電信も通じておらず、イギリスの郵便船がふた月に一度訪れるのみであった。その年九月、郵便船はまだ来ていなかった。そこで島の住民たちの話題といえば、いまだにガストン・カルメット射殺犯、カイヨー夫人裁判のことであった。先便の新聞に、判決近しと報ぜられていたのである。そのため、九月半ばの船着き場に島じゅうから集った人たちは、いつもに増して興味津々、船長から判決内容を聞こうとしていた。ところが知らされたのは、実はもう六週間以上も前から、イギリス・フランス両国民が、条約の神聖を守るためにドイツ国民と戦闘状態に入っていたということ、したがって、島に住む人たちもその例外ではなかったということだった。その間、島の人びとは現実には敵同士であったのに、まるで友人同士のように振舞っていたわけである。ふしぎな六週間であった。[*3]

つまり、この「島」の人びとは、六週間以上前から、互いの母国が敵対していることを知らないまま、友人同士として暮らしていたというわけである。リップマンは、いま読んだ文章から始まる第一章を「外界と頭の中で描く世界」と題している。現実世界で戦争が起きている。だが、そのことを知らない人びとの頭の中にある世界では戦争は起きていない。人は自分の頭の中にある世界に基づいて行動する。リップマンは、そのギャップに私たちの注意を向けさせている。

とはいえ、これは一〇〇年以上も前のことだ。なにしろそこにも書かれているように郵便しかない状況で、世界で起きた出来事のニュースもゆっくりとしか届かない。だが、現在のインターネットのように、技術としては情報が光の速度やそれに準じる速さで伝わるような情報環境ではそんなことはないのではないか。そう思うかもしれない。

念のために言えば、リップマンが描いた「外界」と「頭の中で描く世界」のギャップは、情報の伝達速度によらず生じる。というのは、各種のフェイクニュースや陰謀論を信じている人たちのことを思い起こせばよい。例えば「新型コロナウイルスなど存在しない」とか「5Gの電波を通じてウイルスが拡散されている」といった陰謀論を信じる人は、「新型コロナウイルスは存在する。なぜなら……」とか「5Gの電波を通じてウイルスが拡散することなどありえない。なぜなら……」という別の情報に触れたとしても、「ハイ、ソーデスカ」と意見を変えないかもしれない。

人間の場合、厄介なことに、目や耳にした出来事やニュースや情報のうち、どれを信じるか、どれを信じないかという判断をする。たとえ学術的には根拠のない情報であっても、人は信じたいものを信じることがある。ここで「学術的な根拠」とは、複数の研究者によって検証され、目下のところは概ね妥当であると判断された知識を指す。つまり、誰かの思い込みや妄想ではなく、複数の人たちによって然るべきチェックを受けた知識という意味だ。

また、インターネットでは、技術的には光の速度で通信が行われるとしても、ある特定の情報が特定の人の目や耳に入るかどうかは定かではない。例えば、二〇二三年六月二三日に、ロシアの民間軍事組織ワグネルを創設し、ロシアによるウクライナ侵攻でも活動しているエフゲニー・プリゴジンが部隊を率いてロシアに反旗を翻すという出来事が起きた。このとき海外の報道番組や Twitter の関連アカウントを見ている人は、あまり間を置かずにそうしたニュースに触れる（それでも必ずタイムラグはある）。だが、そうしたネットのニュースやSNSのアカウントを見ていない人や、テレビでも別の番組を見ていた人は、そうしたニュースを目にせず、翌日まで知らずに過ごすかもしれない。当たり前のことだが、情報が伝わる速度がどれだけ速くなったとしても、ある人がある情報を即座に目や耳にするとは限らないわけである。リップマンの時代のように、六週間も知らずに過ごすのは難しいとしても。

リップマンは、人が頭の中でつくる世界像、世界のモデルを「疑似環境（pseudoenvironment)」と名づけている。現実の世界、現実環境に対して、私たちがそれぞれ、自分の経験や知識に基づいて頭の中にもっている世界像のことだ。ここで大事なのは、私たちが現実環境というよりは、自分の脳裡にある疑似環境をもとにして、判断や行動をとるという次第だ。そして人間が自分の疑似環境に基づいて判断や行動した結果は、現実環境に影響する。

例えば、ある国のある政治的指導者が、隣国が自国を攻めようとしていると考えている。現実環境がどうかとは別に、その政治家の脳裡にある疑似環境では、そのようなことになっている。そして、この疑似環境をもとにして、軍事予算を増やして武装を強化すべしと政策決定をする。このような場合、当の政治家の脳裡にどのような疑似環境があるかが、国の状態を大きく左右しかねない。

では、そうした疑似環境はどのようにできるかといえば、その人がどのような経験を重ねてきたかによるだろう。あるいは誰とつきあい何を論じあうか、どのような書物や論文を読んでどのような知識を得るか、どのような動画やSNSを見るか、どのような組織に所属するか、といったさまざまな要因が考えられる。

人間はいかにして疑似環境をつくるのか。あるいは、どのような物語(ナラティヴ)によって自分や世界を理解しているのか。おそらくこれは、私たちが人間についてまだよく分かっていないことの一つであり、しかしながら重要な課題である。

他方で、人間はなぜ疑似環境をつくるのかについては、リップマンの見立ては説得的だ。彼は次のように述べている。

こうした問題が起こるのも、真の環境があまりに大きく、あまりに複雑で、あまりに移ろいやすいために、直接知ることができないからである。われわれには、これほど精妙で多種多様な組み合せに満ちた対象を取り扱うだけの能力が備わってはいない。われわれはそうした環境の中で行動しなければならないわけであるが、それをより単純なモデルに基づいて再構成してからでないと、うまく対処していくことができないのだ。世界を横断しようとすれば世界地図が必要だ。だが、自分たちに必要な事項、あるいは他の人が必要とする事項が書きこまれている地図を手に入れるのはつねに困難である。入手できるのは海のない国ボヘミアの海岸に、つまり架空の場所に書きこまれている地図ばかりである。[*4]

つまり私たちが生きている世界、リップマンのいう「真の環境」があまりにも巨大で複雑で変化するために、人間はそうした世界のあり方をそのままでは知覚も認識もできない。そこで、人間の身でも扱えるような世界のモデル、疑似環境を頭のなかにこしらえる、というわけである。事の次第からして、この疑似環境は現実環境そのものではなく、単純化や分類など、なんらかの取捨選択や変換を施してつくられるものだ。その際はおそらく言語がとても大きな役割を担っていると考えられる。

現実環境のなかでも、自分が強い関心をもって多くの経験や知識をもっている要素については、そうしようと思えばかなり詳しく言葉で記述したり説明したりできるだろう。例えば、コンピュータに関心があって長いあいだ使ってきたり、内部構造を学んだり、自分でパソコンを組み立てたり、プログラムを書いたりしたことがある人の場合、コンピュータがどのような存在であるかについて、かなり高い解像度で説明できると思われる。他方で、その同じ人が、例えば野鳥についてはまるで知識がなく、鳥の鳴き声を耳にしたり姿を見たりしても、どれがどの鳥かを特定や区別できない、ということもある。この場合、その人の疑似世界では、野鳥についての知識が乏しく、解像度が低いわけである。人はそれぞれ異なる経験や知識をもっており、めいめいの疑似環境には、解像度の高い部分もあれば、低い部分もあるだろう。あるいは歴史の知識のように、二〇年前に高校の教科書で読んだ知識を覚えていて、その後アップデートしていないような場合、その人の疑似環境にある当該歴史知識は、古い状態に留まっている、ということも生じる。右脳は感性、左脳は論理といった神経神話を信じている人の疑似環境では、学術的には根拠のない俗流脳科学の似非知識が正しいものとして位置づけられている、なんてこともありうる。

こう考えてみると、実際のところ、ある人の疑似環境が具体的にどのようなものであるかを確認するのは、そう簡単なことでもなさそうだ。私たちは日頃、そのつどのおしゃべりや必要に応じて、なにかを思い出しては自分の疑似環境の一部を再確認している。だが、その全体がどうなっているかということについては、自分でも覚束ないままなのかもしれない。問われたり、テストを受けたりすることで、はじめて自分がよく知らずにいるとか、よく知っているといった状態を確認したり自覚したりできるわけである。

4．己の疑似環境を知る

ここまで記すと、なぜここで疑似環境の話をしているのかも見えてくるかもしれない。リップマンのいう疑似環境を、本書で検討してきたエコロジーと置き換えてもよい。私たちは、現実環境で暮らしながら、めいめいが脳裡に疑似環境をつくっている。その疑似環境には、直に見聞きしたこともあれば、誰かから聞いたことやウェブや本で目にしたことも含まれている。場合によっては、創作物で触れたものを自分の疑似環境の一部としている場合もあるだろう。いずれにしても、広大で複雑で絶えず変化する現実環境そのものを知覚したり認識したり記憶したりできない私たちは、リップマンが指摘するように、なんらかの疑似環境をつくって、これを通じて判断や行動をしている。この疑似環境は、現実環境を単純化してつくられており、手持ちの断片的な知識のつぎはぎでできており、言い換えれば、厖大な省略によってできている。そして、私たちは自分の疑似環境しか直には体験できない。他人の脳裡にどのような疑似環境があるかについては、質問をしたり話しあったりすることを通じて、部分的に分かるばかりだ。また、先にも述べたように、自分のことだからといって、自分がもっている疑似環境の全体を把握しているわけでもなさそうだ。

このような観点から振り返ると、文学のエコロジーには、ここまで明確には検討してこなかったもう一つの働きがあることが分かる。読者は、ある文芸作品を読むとき、文字を通じてその作品内世界のエコロジーを疑似体験する。その際、自分が持っている疑似環境との比較が生じる。

私はフランス軍将校としてサラゴサ攻囲戦に参加した。町が陥落してから数日後、中心街からややはずれた場所に向けて歩いていると、かなり頑丈な造りの小さな家が目に入った。まだフランス人は訪れていないようだった。*5

どの時代のことか。フランス軍将校とはどんな人物か。サラゴサ攻囲戦とはどんな戦争か。陥落した町の状態はどうか。頑丈な造りの小さな家とはどのような家か。右の文章を読みながら、脳裡にある記憶が想起されたり、なにも思い浮かばないまま字面として受けとったりする。この出来事が、一九世紀初めのナポレオン軍による侵攻であることを知っている場合、当時のフランス軍の将校のコスチュームを見たことがある場合、サラゴサという地名に関わることが思い浮かぶ場合、その辺りにありそうな小さな家のイメージが浮かぶ場合、この同じ文章に触れても思い浮かぶことはそれぞれの読者で違ってくる。この文章を続けて読んでゆくとき、私たちは自分の疑似環境とは異なる、別の疑似環境（エコロジー）の各要素を順次体験することになる。そして私たちは、そのつど自分の疑似環境にあるものを手がかりとして、作品世界内のエコロジーの要素を認識する。

例えば、「サラゴサ攻囲戦」という文字列に触れて、自分が知っている世界の歴史の像のなかにその出来事が入っているか否か、現実世界に接地しているか否かが意識される。つまり、文芸作品に接することは、いわば異世界を探索することなのだが、異世界のエコロジーを構成する要素に触れながら、読者は自分の疑似環境にあるものとないものを否応なく意識することになる。いまの例は現実の歴史に関わるものだったが、地球とは異なる異世界が舞台の場合でも、それが言葉で書かれている以上は、それらの世界を描くのに使われている言葉からなにが想起されるか、というかたちで同様のことが生じる。

私たちは普段、自分の疑似環境の限界をあまり意識せずに生きている。自分の疑似環境にないものを知らずにいる。自分の無知について無知であると言ってもよい。知識を学ぶことを目的とする学術書や教科書の類を読む場合、自分が知らないことを理解し、記憶するのが目的とされる。文芸作品を読む場合、目的があるとすれば、その作品を読んだ際にしか生じない意識の状態を味わうことにあるだろう。その際、私たちは作品内世界のエコロジーに触れながら、結果的には自分の疑似環境の状態を確認することにもなる。場合によっては、それまで自分の疑似環境になかった要素を、そうした文芸作品に描かれた世界から自分の疑似環境へと持ちかえることもある。

自分がどのような疑似環境をもっているかということは、自分だけではなかなか自覚できないものだ。そもそもどのように点検したらよいのかさえ分からない。だが、大きさや規模の大小はあれ、それぞれがなにがしかの世界を描き出している文芸作品に触れるとき、そこに描かれた作品内世界のエコロジーを通じて、私たちは自力では思いもよらないような疑似環境の部分に注意を向けることができる。ひょっとしたら、これもまた文芸作品がもっている大きな働きでありながら、しかし人が気づかぬうちに体験していることなのではないか。

5. 文学のエコロジーを考えるために

現実世界と記号の接地というＡＩの課題、複雑な現実環境とそれを単純化した疑似環境の関係、文学のエコロジーと読者の疑似環境と検討を進めてきた。最後に身も蓋もないことを言えば、私たちは現実世界はもちろんのこと、自分の脳裡にある疑似環境であれ、ある文芸作品に記された作品内世界であれ、ある世界のエコロジーを十全に把握したり理解したりできているわけではない、ということが痛感される。

このうち、有限の文字でつくられる文芸作品は、少なくとも限りがあるという点で比較的与しやすいようにも見える。ただし、本書で検討してきたように、文芸作品においては文字によって明記された要素だけでなく、文字には明記されない省略された要素もその作品内世界のエコロジーを構成する要素である。そうした省略された要素は、それぞれの読者が自分の疑似環境によって補うことになる。読者が脳裡にもつ疑似環境は、現実世界での経験にもとづいて形成される。ここで言う「現実世界」には、人間が創作したものも含まれる。例えば、バレリア・ルイセリの『俺の歯の話』という、現実世界に存在する小説を読むこともまた、現実世界での経験の一部である。なにやら必要以上にややこしい言い方をしているようだが、要するに日々生きるなかで経験することは、それが実際に生じた出来事に関わるニュースや知識であれ、誰かが想像した創作物であれ、誰かの疑似環境を構成する要素になりうると言いたかったのだった。

私たち人類は、いまもなおこの世界のエコロジーを探索中である。宇宙に存在するものがくまなく明らかになっているわけでもなければ、そうした諸事物同士の関係がすっかり解明されたわけでもない。まだまだ不明なことも多く、したがってエコロジーも不明である。分からないといって済めば気も楽なのだが、どうやら私たちは、嘘でも仮でもいいから、世界はこういうものだという見立てをしたい生き物のようだ。さりとて脳裡の疑似環境もどうなっているのかいま一つ定かではない。文芸作品という相対的に小さな世界の模型は、そんな私たちがかたときそこで精神を遊ばせて、自分の疑似環境がどうなっているか、あるいはそのもととなっている現実環境について、ささやかなりとものの見方を得られる、そんななにかなのかもしれない。

ここではもはやアイデアを書き留めておくことしかできないが、古今東西の文芸作品に記された作品内世界のエコロジーを、まずは明記されたことだけでもよいので、できるだけ網羅的に多様な観点から分析・記述して、これをコンピュータの言語モデルとして構築することができれば、現行のテキスト生成ＡＩとはまた違う働きのものをつくれるのではないか、と空想している。本書を通じて検討してみたように、一方では、物理的な空間とそこで生じる時間による変化の様子を、他方では、外から見ても分からない人間の心理的な状態と変化のパターンを抽出することになるだろう。

ただし、繰り返しになるけれど、文芸作品は厖大な省略によって成り立っている。作品では記述されていないが、その世界のエコロジーを支えているはずの要素については、現実世界のエコロジーについての分析・記述によって補う必要がある。つまりは諸学問がこれまで明らかにしてきた、この世界についての知識をそのつもりで活用することになる。

最後はなんだか壮大な与太話になったが、文学のエコロジーについて考えるということは、そもそもこういうことだったのではないか。[*6]

あとがき

本書は文芸誌の『群像』（講談社）に全一六回にわたって連載した「文学のエコロジー」をもとに加筆修正を加えたものです。書くべきことは本文に記しましたので、ここではこの本の成立について記録がてら記しておこうと思います。

『群像』での連載は、同誌編集部の北村文乃さんの提案をきっかけに始まりました。最初の打ち合わせ（という名のお茶飲み話）の段階で、文学をエコロジーという発想で読んでみること、その際、ゲームクリエイターやプログラマーの視点で見てみること、といった本書の基礎となるアイデアを話したと記憶しています。

私はもともと批評家でもなければ文学研究者でもなく、コンピュータゲームをつくる仕事を長くしてきた者です。文芸誌にものを書くようになったのは、二〇一七年に『文学問題（F＋f）＋』（幻戯書房）という本を刊行したことがきっかけでした。同書は、夏目漱石の悪名高いわりにほとんどまともに読まれてこなかった『文学論』という書物がなにをしようとしているものなのかを明らかにしようとして書いたものです。そこでの漱石の課題は、「文学とはなにか」ということを、できるだけ一般的に突き詰めることでした。それまで文学といえば、それぞれの文学者が「俺の文学」「私の文学」という見方をおのおの持っており、例えば「社会の問題を描いていなければ文学ではない」といった物言いがされていたところ、漱石はそうした狭い見方ではなく、古今東西のおよそ文学と呼ばれるものに共通する性質を見出したいと願ったのです。この試みがうまく行った場合、誰が論じるかと関係なく、文学を捉える視座を得られることにもなります。それが果たしてうまく行ったかどうかは意見が分かれるところです。というよりも、当人が失敗だったと言ったのをよいことに、失敗作で読む価値はないという扱いが多く行われてきました。

私自身は、漱石の「文学とはなにか」という問いに惹かれて、『文学論』をことあるごとに読もうとしてきました。漱石には「文芸の哲学的基礎」という文章もありますが、それはまさに哲学の営みでもあります。つまり、物事を自明とせず、「文学とはなにか」、言い換えれば、多様な文学作品に共通する性質があるとすればそれはなにか、文学を文学たらしめている条件を探究することであります。

ただし、残念ながら『文学論』は読めばすんなり分かるという類の本ではありません。長い時間をかけて少しずつ得た理解をもとに、漱石が行おうとしたことを概ね捉えたように思えたのは、はじめて同書を手にしてからかれこれ二〇年は過ぎた後だったでしょうか。そのことをあるとき、編集者の中村健太郎さんにお茶飲み話としてしたところ、それを本にしましょうということになってつくったのが『文学問題（F＋f）＋』です。

同書では、『文学論』とその姉妹編である『英文学形式論』の要点を選び出し、現代語訳と解説を添え、漱石の企てをクリアに理解できるようにしました。その上で、漱石による「文学」の見方を応用して、さまざまな文学作品にはなにがどのように書かれているのかを観察してみる。さらには、漱石の論に不足があればそれを補う。そうしたことを試みました（これを書いている現在、第二版を準備中です）。漱石の『文学論』とそこに示された文学観については本文で述べていますので、そちらを参照いただくとして、そんなふうに漱石の『文学論』を精読・分析した結果、私自身の文学を見る目、さらには文学に限らず文章全般を見る目が大きく変わるという経験をしたのでした。

『文学問題（F＋f）＋』の刊行後、文芸誌から文芸批評の依頼が舞い込むようになったのは、私としては思い掛けないことでした。なにしろ『文学論』を読み解き、その意義を知りたかっただけでしたから。最も大きな経験としては、文芸誌の『文藝』（河出書房新社）で文芸季評を担当したことがあります。季節に一度刊行される同誌に、過去三ヵ月の文芸誌に掲載された作品を中心としていくつかを選んで評する仕事です。「文態百版」と題して二〇一八年から二〇二一年まで、足かけ四年で全一五回にわたって、毎回批評ってなんだろうと考えながら、答えが出るわけでもないまま担当し、これによってなにかが鍛えられた気がしています。というのも、よせばいいのに、ともかく対象とする文芸誌を端から端まで全て読んでから書くということを課して取り組んだのですね。そもそも文芸誌は、全ページを通読するように設計されていないこともあり、これは大変な苦行でした。なにしろ（少なくとも当時の自分には）面白いと感じられないものや、似たように感じられる作品を山ほど読むわけです。

また、現在はインターネットの利用が普及しており、小説を読んだ読者たちは、SNSやブログなどに自分の感想や批評を投稿しています。言うなれば、読者がみな同時に批評家のようなものとしてなにかしらのコメントを書いて公開することが当たり前の状況になって久しいわけです。

そうした状況で、文芸誌に批評を書くことの意味はどこにあるのかということも考えざるを得ません。かつてのようにスター批評家がいて、作品についてズバズバと評価を下し、ときには侃侃諤諤の論争が生じ、読者もそれを楽しみにする、といった時代はもはや遠くなっています。私はかろうじて、吉本隆明や江藤淳、加藤典洋や柄谷行人といった批評家の活動を同時代に目にした世代で、批評が熱かった時代の残響に触れたと思います。

いまや批評はすっかり相対化され、ネットの海に溢れるワン・オヴ・ゼムになっているようにも見えます（そうでなければ幸いです）。かつて批評家の人柄や生き様も含めた熱い文芸批評の時代があったなんて、ひょっとしたらいまでは信じられないかもしれません。では、そんな状況で文芸批評を書くことには、いったいどういう意味がありうるか、どういう意味を持たせられるだろうか。そんなことを考えながら試行錯誤したのが右の「文態百版」でした。

そんな見立てもあって、私自身は文芸についての原稿依頼があると、価値判断としての批評とは別のことを試みてきました。つまり、私がある作品をよいとか悪いとか評するこ とにはあまり意味はないという前提から出発しています。人によっては、その時点で批評の放棄のように見えるかもしれません。その代わりになにをするのかといえば、その作品にはなにがどのように書かれているのか、という観察と分析の結果を中心に書きます。もちろん、こうした書き方が完全に価値判断から自由であると言いたいわけではありません。そうはいっても目を通した全ての作品から、とりあげるものを選んでいるわけですし、それらの作品のどこに注意を向けて観察したり分析したりするかということには、書き手である私の価値判断が関わっています。ただ、そうだとしてもそこで示す観察の仕方は、私でなければできないという類のものではなく、誰でもそのつもりがあれば同じようにできる、というやり方を採用しています。こう述べればお分かりかもしれません。本書もまた、そうした発想の延長線上で試みたものなのでした。

最後に謝辞を述べます。本とは、著者が文章を書けばそれでできあがるものではなく、さまざまなプロフェッショナルの仕事を結集したものです。以下は、そうした仕事の紹介がてら、喩えるなら、ライヴでバンドメンバーを紹介するようなもの、あるいは映画やゲームの最後に流れるクレジットだと思っていただければ幸いです。

まずはなにより本書が書かれるきっかけをつくった北村文乃さんに感謝します。連載中は、編集の仕事全般を担ってくれました。また、全一六回の連載を通じて、また書籍化の際には校閲のみなさんにはどれだけ助けられたか分かりません。ゲーム制作でも、終盤のテストプレイとデバッグ（問題点の発見・解決）が極めて重要なのですが、雑誌に掲載する文章も校閲なしには考えられません。ありがとうございました。書籍化にあたっては、名原博之さんのお世話になりました。進行管理を含め、的確な助言のおかげでなんとかかたちにできました。デザインは、連載中の誌面、この単行本ともに川名潤さんによるものです。得体の知れない文章にかたちを与える魔法には毎回驚くばかりです。以上がバンドのコアメンバーだとすれば、バックヤードを支えてくれたスタッフのみなさんも各方面にいます。

私の仕事に文芸方面を加えることになった『文学問題（F＋f）＋』の編集者、中村健太郎さん、また、『文藝』で季評を書く場を与えてくださった同誌前編集長の尾形龍太郎さん、現編集長の坂上陽子さんにも感謝します。日頃からの対話を通じて、ここに記したようなことを考える機会をつくってくださった恩師の赤木昭夫先生と吉川浩満くんにもお世話になりました。そして、ひょっとしたらご本人はそんなことがあったとは覚えておいでではないかもしれませんが、もう、一〇年以上前のことでしょうか、竹中朗さんから「エコロジー（生態学）という山本さんが注目しておられる概念は、これから先、山本さんのお仕事の重要な基礎になりそうな気がします」（大意）と示唆していただいたことが強く印象に刻まれているのでした。そうした言葉に励みを得てかたちをとったのが本書であると言っても過言ではありません。もちろん、最終的にできあがった本書に潜む瑕疵は、すべて著者である私によるものです。

そして申し上げるまでもなく、読者がいてこその書物です。ここまでお読みいただき、ありがとうございました。またどこかでお目にかかりましょう。ご機嫌よう。

二〇二三年九月二三日

山本貴光

註

第1章

＊1　品詞という単位で考えるなら、助詞や冠詞のように、単体では認識も情緒も表していない要素がある。これらは他の品詞と組み合わさることで、F＋fを表しているととりあえずは考えておこう。

＊2　形式的に考えれば、Fだけの文章、fだけの文章、Fとfが入った文章、どちらも入っていない文章を考えられる。『文学論』については『文学問題（F＋f）＋』（幻戯書房、二〇一七）で詳しく検討したことがある。さらに詳しいことを知りたい向きは参照されたい。

＊3　Ernst Haeckel, *Generelle Morphologie der Organismen*,Band 2, 1866, S. 286.〔エルンスト・ヘッケル『有機体の一般形態学』（未邦訳）〕

＊4　これはフェリックス・ガタリ『三つのエコロジー』（杉村昌昭訳、平凡社ライブラリー、平凡社、二〇〇八）〔Félix Guattari, *Les trois écologies*, Galilée, 1989〕でガタリが提案した「三つのエコロジー」、つまり自然、社会、（個人の）精神のエコロジーという見方を借りたものである。ガタリは、人間の活動による地球環境の破壊がこのまま進むと、や

がて人類の滅亡もありうるという危機にどう対処できるかという問題意識から、自然のみならず社会や精神のエコロジーも考慮すべきだと指摘した。ここではその問題意識は措き、世界を三つの、あるいは複数のエコロジーの絡み合ったものとして見るという見立てを使いたい。

第2章

＊1　原書は Honoré de Balzac, *Le Père Goriot* で翻訳は複数ある。現在手にしやすいものとしては、『ゴリオ爺さん』（中村佳子訳、光文社古典新訳文庫、光文社、二〇一六）、「ゴリオ爺さん」（博多かおる訳、『ポケットマスターピース03バルザック』、集英社文庫ヘリテージシリーズ、集英社、二〇一五、所収）、『ペール・ゴリオ——パリ物語』（鹿島茂訳、バルザック「人間喜劇」セレクション、藤原書店、一九九九）、『ゴリオ爺さん』（上下巻、高山鉄男訳、岩波文庫、岩波書店、一九九七）、『ゴリオ爺さん』（平岡篤頼訳、新潮文庫、新潮社、一九七二）。ここでは平岡篤頼訳（新潮文庫）を参照する。

＊2　図　は Jean-Baptiste Scotin (graveur), Jean Aimar Piganiol de la Force (auteur), et Théodore Legras (éditeur), Plan de Paris, volume V, Plan du Quartier de St Benoist avec ses Ruës et ses Limites, 1742（Bibliothèque nationale de France 所蔵）の一部を拡大したもの。

＊3　石光輝子「現実の真贋——ヒルデスハイマーの『マーボット』について——」（『ドイツ文学』第八二号、日本独文学会、一九八九）

＊4　気になる人のために言い添えると、同様の現象を表現するコンピュータゲームでは、そ

こまではせず、単に「キャラクターや物は地面に向かって落下する」という必要最小限の状態をつくって済ませたりもする。地球の重力だけを考慮するわけである。

＊なお、文中で引用した『ゴリオ爺さん』原書のタイトルページ画像は、いずれもフランス国立図書館のデジタルアーカイヴ Gallica による。

第3章

＊1　ニージニー『エイゼンシュテイン　映画演出法講義』（中本信幸訳、未來社、一九八一）二〇ページ以下を参照。同書では、残念ながら学生が描いたヴォケー館の図面は提示されていない。

＊2　伊藤幸次『バルザックとその時代』（渡辺出版、二〇〇四）第二章「ヴォケー荘」に図も示されている。

＊3　バルザックは「年のころ五十歳ぐらいのヴォケー夫人」（一五ページ）と書いているが、少し注意して読む人であれば気がつくように、小説の冒頭では「ヴォケー夫人、旧姓ド・コンフラン、は四十年前からパリで下宿屋を開いている老婦人」（五ページ）とも記している。素直に受けとると、ヴォケー夫人は一〇歳ころからこの下宿屋をきりもりしているということになる。

第4章

＊1　例えば、大矢タカヤス編『バルザック「人間喜劇」ハンドブック』（バルザック「人間

喜劇」セレクション別巻1、藤原書店、二〇〇〇）に先行研究を参照しつつまとめられている。

*2　オノレ・ド・バルザック「人間喜劇総序」（石井晴一＋青木詔司訳・註、「ユリイカ」一九九四年一二月号、青土社）一五一ページ。この文章は、バルザックの全集を「人間喜劇」（*La Comédie humaine*）として刊行するにあたって、一八四二年に『人間喜劇総序』（*L'Avant-propos de la Comédie humaine*）として刊行されたもの。その紆余曲折については、ここで参照している邦訳の註（1）に詳しく記されている。

*3　前掲同書、一五二ページ。

*4　前掲同書、一五四ページ。

第5章

*1　時間を探究する試みは、分野を問わず山ほどある。比較的近年、日本語で出たものからいくつか思いつくままに挙げてみるとこんな具合。アンリ・ベルクソン『時間観念の歴史――コレージュ・ド・フランス講義1902-1903年度』（藤田尚志＋平井靖史＋岡嶋隆佑＋木山裕登訳、書肆心水、二〇一九）、森田邦久編著『〈現在〉という謎――時間の空間化批判』（勁草書房、二〇一九）、青山拓央『心にとって時間とは何か』（講談社現代新書、講談社、二〇一九）、吉田伸夫『時間はどこから来て、なぜ流れるのか？――最新物理学が解く時空・宇宙・意識の「謎」』（ブルーバックス、講談社、二〇二〇）、カルロ・ロヴェッリ『時間は存在しない』（冨永星訳、NHK出版、二〇一九）、ジョン・エリス・マクタガート『時間の非実在性』（永井均訳・注解と論評、講談社学術文庫、

講談社、二〇一七)。

＊2　『春の日』（一六八六）に収録された松尾芭蕉の句。『春の日』は『芭蕉七部集』（中村俊定校注、岩波文庫、岩波書店、一九六六）所収。

＊3　アメリカ自然史博物館（American Museum of Natural History）によるウェブサイト「世界の両生類オンライン・リファレンス」（Amphibian Species of the World 6.1, an Online Reference）で Anura（無尾目）に分類される生物は七四六八種（二〇二二年五月二〇日閲覧)。「アヌラ（Anura)」はラテン語で「尾がない」という意味で、カエル類（英語の frog、toad）を指す。この七四六八種という数は、人間によって発見され、分類され、互いに異なる種と認定されたものであり、これで尽きていることを意味するわけではない。右記ウェブサイトの URL は次の通り。https://amphibiansoftheworld.amnh.org/

＊4　近藤裕子「〈古池や〉と行間の曖昧性に関する一考察——翻訳と異文化理解をめぐって」(『経済論集』第四一巻第二号、東洋大学経済研究会、二〇一六）に教えられた。同論文で引用されているハーンとキーンの英訳はそれぞれ、“Old pond—frogs jumping in—sound of water.” と “The ancient pond / A frog leaps in / The sound of the water”（スラッシュは改行の代わりに山本が挿入）である。原文は次の文献で確認した。Lafcadio Hearn, *Exotics and Retrospectives*, Little, Brown, and Co., 1898, p. 164. Donald Keene, *World within Walls: Japanese Literature of the Pre-Modern Era, 1600-1867*, Grove Press, 1978, p. 88.

＊5　原書は Peter Mendelsund, *What We See When We Read*, Vintage, 2014.

＊6 心的イメージを巡っては、そこで言われるイメージがなんであるかについて、絵のようなものなのか、命題なのかといった「イメージ論争」も生じた。また、他方では神経科学による研究も進められてきた。ただし依然として解明されたわけではない。この点に関心のある向きのために記せば、S・M・コスリン＋W・L・トンプソン＋G・ガニス『心的イメージとは何か』（武田克彦監訳、北大路書房、二〇〇九）、Edited by Valérie Gyselinck and Francesca Pazzaglia, *From Mental Imagery to Spatial Cognition and Language*, Psychology Press, 2012. などが参考になる。また、心の中でイメージを思い浮かべられない状態を「アファンタジア（Aphantasia）」という。積極的な研究が始まったのは近年のことのようで、今後の解明が期待される。この点については、アラン・ケンドル『アファンタジア――イメージのない世界で生きる』（髙橋純一＋行場次朗訳、北大路書房、二〇二一）が最近翻訳されている。

第6章

＊1 H・G・ウェルズ『タイムマシン』（池央耿訳、光文社古典新訳文庫、光文社、二〇一二）二三ページより。ただし訳文を一部省略している。

＊2 ここでは前掲の光文社古典新訳文庫版を参照する。同書は、H. G. Wells, *The Time Machine* (The Penguin Classics, 2005) を底本としている。同書の初版は一八九五年に発行されたイギリス版とアメリカ版があり、両者には異同がある。ペンギンクラシックス版は、イギリス版（William Heinemann 版）を元にしている。

＊3 電気を用いた照明は、一九世紀はじめのアーク灯の発明を嚆矢とする。ただし電灯の実

用化が進むのは一八七〇年代末以降のこと。また、イギリスでは電灯の普及が遅れたという。その経緯については坂本倬志「1880年代イギリスにおける電気普及の遅れと初期電灯企業」(『経営と経済』第五五巻第一号、長崎大学経済学部研究会、一九七五、九七—一二三ページ)に詳しい。仮に『タイムマシン』の舞台が一八九〇年代前半、あるいはそれ以前だとすれば、タイム・トラヴェラーの家に電灯がないとしても不思議はないようである。

＊4　あるいは記述に使われる文字数とそこで流れる作品内世界の時間の長さを対応させるような小説というものがあるのかどうか、寡聞にして知らない。古くはレーモン・クノーやジョルジュ・ペレックたちが参加していたウリポ(潜在文学工房)のメンバーの誰かが、そんなことを試みていてもおかしくはないと思いつつ。

＊5　本書第5章。ただし文言を一部変えている。

＊6　読み方によっては、三巻本の長篇小説を読むのと同等、あるいはそれ以上の時間を一〇ページの短篇小説を読むことに費やす場合もありうる。繰り返し繰り返し読み、一言一句を疎かにせず精読し、その小説を構成する各文字や単語同士や文同士の関係を分析するといった読み方をすれば、これはいくら時間があっても足りないということになる。

＊7　❷と❸は、タイム・トラヴェラーが「議論を切り出した」後、話している最中の状況を表していると解釈することもできる。ここでは考えやすくするためもあって、❶❷❸は同時の出来事であると読む。

＊8　引用した原文は、ここで参照している光文社古典新訳文庫版が依拠していると思われるイギリス版から。Herbert George Wells, *The Time Machine: An Invention* (William

Heinemann, 1895), p. 1. ついでながらアメリカ版（Henry Holt and Company 版）では冒頭が少し違っている。

第7章

＊1　H・G・ウェルズ『タイムマシン』（池央耿訳、光文社古典新訳文庫、光文社、二〇一二）六九―七〇ページ。以下でもこの翻訳から引用する。

＊2　また、その場合、タイム・トラヴェラーの視点（がありうるとしてだが）からは世界が速く動いているかどうかは自覚できない。そのシミュレーションを眺めているコンピュータの使用者から見て、コンピュータ内世界での時間が速く動いているだけということになる。

＊3　詳しくは F. R. Stephenson, L. V. Morrison and F. T. Smith, "Long-term fluctuations in the Earth's rotation: 700BC to AD 1990," Philosophical Transactions of the Royal Society A: Mathematical, Physical and Engineering Sciences, Vol. 351, Issue 1695, Apr. 15, 1995, pp. 165-202 ならびにさらに検討を加えた F. R. Stephenson, L. V. Morrison and C. Y. Hohenkerk, "Measurement of the Earth's rotation: 720 BC to AD 2015," Proceedings of the Royal Society A: Mathematical, Physical and Engineering Sciences, Vol. 472, Issue 2196, Dec. 01, 2016. を参照。また、この論文には最近、次のような補遺論文も出ている。L. V. Morrison, F. R. Stephenson, C. Y. Hohenkerk and M. Zawilski, "Addendum 2020 to 'Measurement of the Earth's rotation: 720 BC to AD 2015'," Proceedings of the Royal Society A: Mathematical, Physical and Engineering Sciences, Vol. 477, Issue 2246,

Feb. 17, 2021.

＊4　Edited by Laurel Brake and Marysa Demoor, *Dictionary of Nineteenth-Century Journalism in Great Britain and Ireland*, Academia Press, 2009, pp. 477-478.

第8章

＊1　それを言うなら、ここまで検討してきた、空間や時間についても、文芸ではない領域の文章でどのように表現されてきたかを比べるとよさそうである。例えば、空間であれば、地理学、建築学、物理学、哲学、生態学をはじめとする関連諸分野がある。時間も同様にして、時間について記述する各種分野の文章がある。

＊2　以下では、『イリアス』の日本語訳を参照しながら検討し、必要に応じて古代ギリシア語の原文を参照する。また、ヘクサメトロスという形式の韻文で記された『イリアス』だけに、文芸作品を検討する場としては、その音の要素にも注目したいところだが、ここでは「心」という要素に目を向ける都合上、また、もっぱら日本語訳で読むこともあり、そうした音の次元は脇に置く。

第9章

＊1　該当個所の原文は“μένεος δὲ μέγα φρένες ἀμφι μέλαιναι πίμπλαντ᾽”。出典は、David B. Monro et Thomas W. Allen, *Homeri Opera*, Tomvs I, 3rd edition, Oxford Classical Text, Oxford University Press, 1920, p. 5。

第10章

＊1　文芸作品を読むことが、他人の心を推測する能力に寄与する可能性を示唆する研究として、例えば、以下を参照。David Comer Kidd and Emanuele Castano, "Reading literary fiction improves theory of mind," in *Science*, 2013 Oct 18; 342（6156）: 377-380., Steven C. Schwering, et al., "Exploring the Relationship Between Fiction Reading and Emotion Recognition," in *Affective Science*, 2021 Jun; 2（2）: 178-186.

第11章

＊1　環世界については、ユクスキュル著、クリサート画『生物から見た世界』（日高敏隆＋羽田節子訳、岩波文庫、岩波書店、二〇〇五）、あるいはこの概念を現在私たちが置かれた情報環境に重ねて検討する『情報環世界　身体とＡＩの間であそぶガイドブック』（渡邉淳司他、ＮＴＴ出版、二〇一九）を参照されたい。

＊2　エルヴェ・ド・サン＝ドニ侯爵『夢の操縦法』（立木鷹志訳、国書刊行会、二〇一二）は、いわゆる明晰夢を見る方法や夢の内容を人為的に操作する方法について実験・考察した本である。関心のある向きのために、夢の操縦法をかいつまんで記しておこう。例えば、ある土地を訪れた際、そこで初めて封を切る香水、つまり初めて香りを聞くことになる香水を使う。香りとその土地の記憶を結びつけるという狙いである。後日、召使いに、自分が寝ているあいだにこの香水（旅先で使った香水）を嗅がせよと命じる。ただし、それを実行するタイミングがいつなのかは事前に知らせずに行えとも言い添える。ある晩、夢のなかでかつて訪れた土地の光景が現れた。その夜、召使いが香水を嗅

がせたのだった。つまり、香りの刺激から、それと結び付いていた旅先の光景が想起されて夢に現れた、というわけである。

第12章

＊1　林芙美子『浮雲』のテキストは、青空文庫のＨＴＭＬ版を利用しているため、引用箇所のページ数を特定していない。お手数だが、引用箇所やその前後を見てみたい場合、以下のウェブページに対して検索をかけていただければと思う。ブラウザでCtrl+Fを押すと、たいていの場合、表示しているページに対する検索機能を呼び出せる。
https://www.aozora.gr.jp/cards/000291/files/52236_58934.html

第13章

＊1　戸川芳郎「総論」、小野沢精一、福永光司、山井湧編『気の思想　中国における自然観と人間観の展開』（東京大学出版会、一九七八）六ページ掲載の読み下し文。以下、注では同書を『気の思想』と略記する。原文は『摛藻堂四庫全書薈要 経部』収録の『廣雅』（巻一から一〇を収める）で確認した。同書はInternet Archiveで閲覧できる。
https://archive.org/details/06079471.cn/page/n132/mode/2up

＊2　『西遊記（一）』（中野美代子訳、岩波文庫、岩波書店、二〇〇五）一一―一二ページ。

＊3　前掲同書、一四ページ。

＊4　前川捷三「甲骨文・金文に見える気」、『気の思想』一三ページ。

＊5　戸川芳郎「総論」、『気の思想』七ページ。

＊6　この点については、小野沢精一「斉魯の学における気の概念――『孟子』と『管子』」、『気の思想』所収から教えられた。
＊7　『孟子　全訳注』（宇野精一訳、講談社学術文庫、講談社、二〇一九、Kindle版）
＊8　同書。
＊9　同書。
＊10　澤田多喜男「『荀子』と『呂氏春秋』における気」、『気の思想』八四ページ。
＊11　池田知久『訳注『淮南子』増補改訂版【電子書籍】』（講談社学術文庫、講談社、二〇一二、Kindle版）
＊12　福永光司「道家の気論と『淮南子』の気」、『気の思想』一四二ページ。
＊13　『気の思想』ivページ。

第14章

＊1　下西風澄『生成と消滅の精神史　終わらない心を生きる』（文藝春秋、二〇二二）一九ページ。
＊2　前掲同書、三九ページ。
＊3　前掲同書、四四ページ。
＊4　前掲同書、五二ページ。
＊5　夏目漱石『文学論』（上巻、岩波文庫、岩波書店、二〇〇七）三一ページ。
＊6　漱石の原文では「Ｆは焦点的印象または観念を意味し、ｆはこれに附着する情緒を意味す。されば上述の公式は印象または観念の二方面即《すなわ》ち認識的要素（Ｆ）と情緒的要素

（f）との結合を示したるものといひ得べし。」と続く。ここでは「情緒」の代わりに「感情」と記す。また、『文学論』については拙著『文学問題（F＋f）＋』（幻戯書房、二〇一七）で詳しく検討している。

＊7　マリー・ルイーゼ・カシュニッツ「白熊」、『その昔、N市では　カシュニッツ短編傑作選』（酒寄進一編訳、東京創元社、二〇二二）七ページ。

＊8　Marie Luise Kaschnitz, “Eisbären”, in Merkur, Nr. 213, Dezember 1965. 引用は MERKUR誌のウェブサイトで公開されている文章から。https://www.merkur-zeitschrift.de/marie-luise-kaschnitz-eisbaeren/

＊9　リチャード・パワーズ『惑う星』（木原善彦訳、新潮社、二〇二二）七ページ。

第15章

＊1　A. M. Turing, “Computing Machinery and Intelligence,” in *Mind*, Volume LIX, Issue 236, 1950: pp. 433-460.

＊2　GPT－4は二〇二三年三月一四日にリリースされた。ChatGPTを含む仕様などについては、OpenAIの公式ウェブサイトで閲覧できる。https://openai.com/

第16章

＊1　リディア・デイヴィス「完全に包囲された家」、『分解する』（岸本佐知子訳、白水Uブックス、白水社、二〇二三）九七ページ。

＊2　ルネ・デカルト『省察』（一六四一）の「第六省察」に記されている。

＊3　ここでは便宜上「日本語」というまとまりのようなものを前提としているが、実際にはどこまでが日本語と呼ばれるのかという、言語の境界は必ずしも明確ではない。例えば、他の言語と混ざり合ったピジン日本語と呼ばれる言語などを考えてみるとよい。

＊4　古谷田奈月『フィールダー』（集英社、二〇二二）五ページ。

エピローグ

＊1　例えば次のウェブの記事を参照。Eugene Volokh, "A Lawyer's Filing "Is Replete with Citations to Non-Existent Cases"—Thanks, ChatGPT?"（reason, 2023/05/27）https://reason.com/volokh/2023/05/27/a-lawyers-filing-is-replete-with-citations-to-non-existent-cases-thanks-chatgpt/

＊2　この件については「ＡＩ成果物が急増したことで「ＡＩ生成コンテンツをＡＩが学習するループ」が発生し「モデルの崩壊」が起きつつあると研究者が警告」（Gigazine、二〇二三年六月一四日の記事）と、そこで言及されている論文 Ilia Shumailov,Zakhar Shumaylov,Yiren Zhao,Yarin Gal,Nicolas Papernot,and Ross Anderson, "The Curse of Recursion: Training on Generated Data Makes Models Forget"（arXiv:2305.17493）を参照。https://gigazine.net/news/20230614-feedback-loop/

＊3　ウォルター・リップマン『世論』（上巻、掛川トミ子訳、岩波文庫、岩波書店、一九八七）一三—一四ページ。

＊4　前掲同書上巻、三〇—三一ページ。

＊5　ヤン・ポトツキ『サラゴサ手稿』（上巻、畑浩一郎訳、岩波文庫、岩波書店、二〇二二）

一五ページ。

＊6　テキスト生成ＡＩと文学の関係については、「新たなる結合術か、文学滅亡への道か――テキスト生成プログラムと文学の未来」（『新潮』二〇二三年七月号、新潮社）ならびに円城塔＋千葉雅也＋山本貴光「ＧＰＴと人間の欲望の形」（構成＝辻本力、『文學界』二〇二三年八月号、文藝春秋）も参照されたい。

初出　「群像」二〇二二年三月号～二〇二三年六月号

装幀　川名潤

山本貴光（やまもと・たかみつ）

1971年生まれ。慶應義塾大学環境情報学部卒業。文筆家、ゲーム作家、東京工業大学リベラルアーツ研究教育院教授。著書に『文体の科学』『「百学連環」を読む』『文学問題（F＋f）＋』『投壜通信』『マルジナリアでつかまえて』『記憶のデザイン』、共著に『脳がわかれば心がわかるか』（吉川浩満氏と）『高校生のためのゲームで考える人工知能』（三宅陽一郎氏と）『その悩み、エピクテトスなら、こう言うね。』（吉川氏と）『人文的、あまりに人文的』（吉川氏と）『世界を変えた書物』（橋本麻里氏編）、訳書にケイティ・サレン、エリック・ジマーマン『ルールズ・オブ・プレイ』など。

文学《ぶんがく》のエコロジー

二〇二三年一一月二一日　第一刷発行

著者　山本貴光《やまもとたかみつ》
発行者　髙橋明男
発行所　株式会社講談社
〒一一二-八〇〇一　東京都文京区音羽二-一二-二一
電話　出版　〇三-五三九五-三五〇四
販売　〇三-五三九五-五八一七
業務　〇三-五三九五-三六一五

印刷所　TOPPAN株式会社
製本所　株式会社若林製本工場

KODANSHA

ISBN978-4-06-533645-8